LINHA-D'ÁGUA

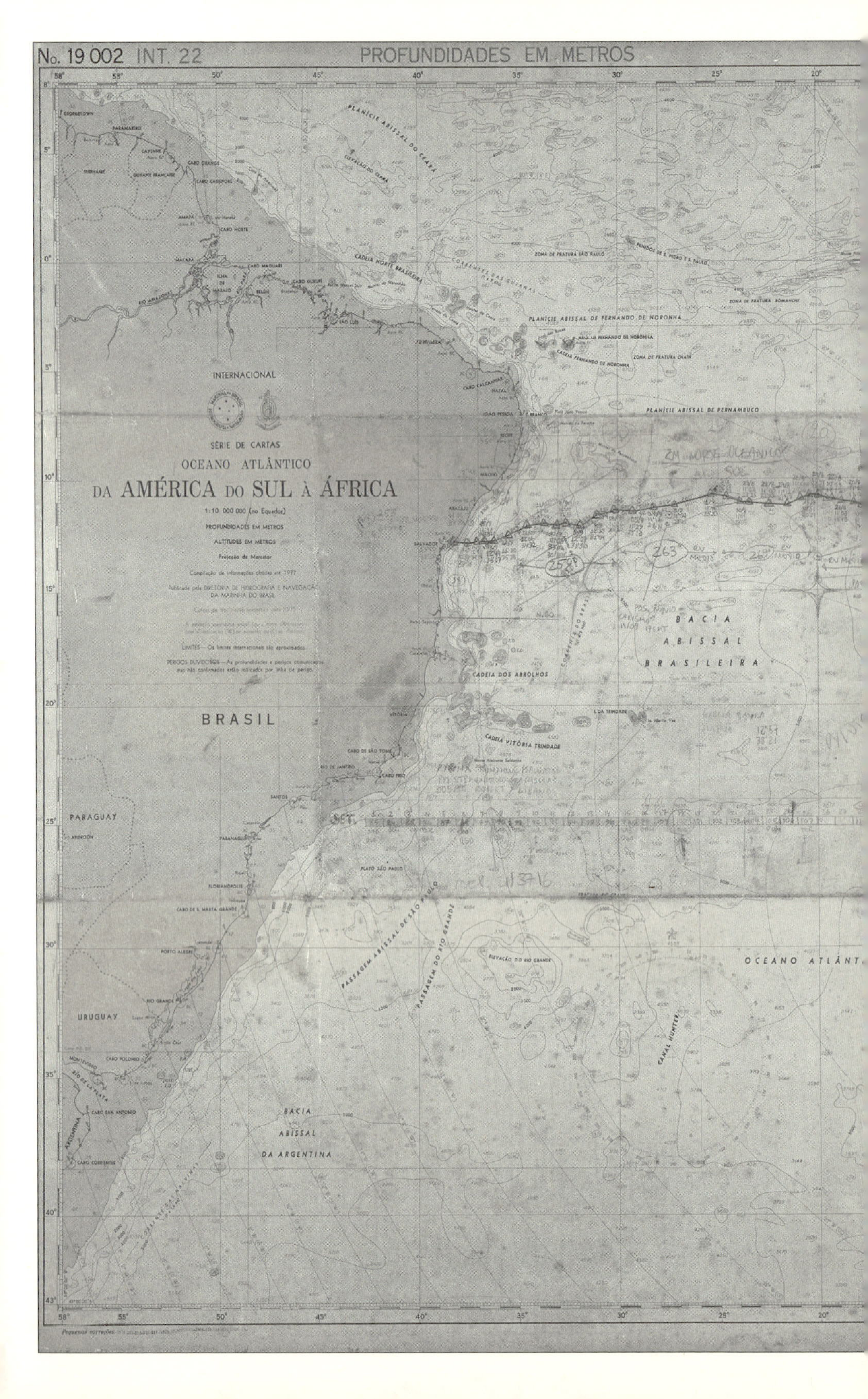
No. 19 002 INT. 22
PROFUNDIDADES EM METROS
INTERNACIONAL
SÉRIE DE CARTAS
OCEANO ATLÂNTICO
DA AMÉRICA DO SUL À ÁFRICA
1:10 000 000 (no Equador)
PROFUNDIDADES EM METROS
ALTITUDES EM METROS
Projeção de Mercator
LIMITES — Os limites internacionais são aproximados.
BRASIL
PARAGUAY
URUGUAY
ARGENTINA
BACIA ABISSAL BRASILEIRA
BACIA ABISSAL DA ARGENTINA
CADEIA DOS ABROLHOS
CADEIA VITÓRIA TRINDADE
PLANÍCIE ABISSAL DO CEARÁ
PLANÍCIE ABISSAL DE FERNANDO DE NORONHA
PLANÍCIE ABISSAL DE PERNAMBUCO
CADEIA NORTE BRASILEIRA
ZONA DE FRATURA SÃO PAULO
ZONA DE FRATURA ROMANCHE
ZONA DE FRATURA CHAIN
PLATÔ SÃO PAULO
ELEVAÇÃO DO RIO GRANDE
PASSAGEM ABISSAL DE SÃO PAULO
PASSAGEM DO RIO GRANDE
CANAL HUNTER
OCEANO ATLÂNT
SALVADOR
RIO DE JANEIRO
SANTOS
PORTO ALEGRE
RIO GRANDE
MONTEVIDEO
BELÉM
MACAPÁ
FORTALEZA
NATAL
RECIFE
VITÓRIA
CABO FRIO
I. DA TRINDADE

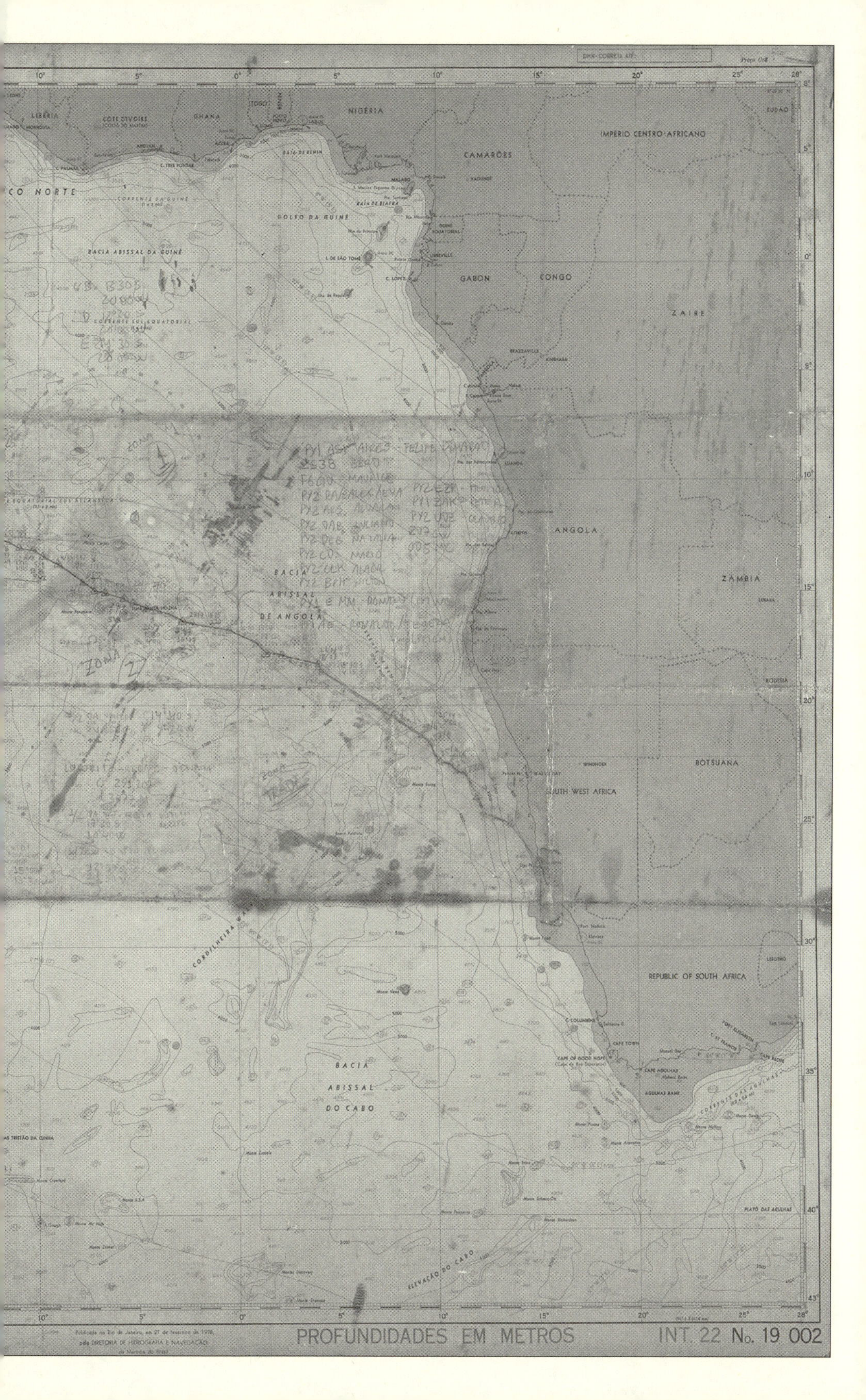

LIBÉRIA
COTE D'IVOIRE
GHANA
TOGO
NIGÉRIA
CAMARÕES
IMPÉRIO CENTRO-AFRICANO
SUDÃO
GOLFO DA GUINÉ
BACIA ABISSAL DA GUINÉ
GABON
CONGO
ZAIRE
ANGOLA
ZÂMBIA
BACIA ABISSAL DE ANGOLA
RODÉSIA
BOTSUANA
SOUTH WEST AFRICA
REPUBLIC OF SOUTH AFRICA
LESOTHO
CAPE OF GOOD HOPE
CAPE AGULHAS
AGULHAS BANK
BACIA ABISSAL DO CABO
ELEVAÇÃO DO CABO
PLATÔ DAS AGULHAS
ZONA 1
ZONA 2
ZONA TRADE
PROFUNDIDADES EM METROS
INT. 22 No. 19 002

Amyr Klink

LINHA-D'ÁGUA

Entre estaleiros e homens do mar

Projeto gráfico
HÉLIO DE ALMEIDA

5ª reimpressão

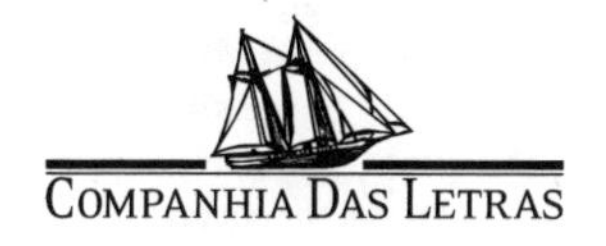

COMPANHIA DAS LETRAS

Grafia atualizada segundo o Acordo Ortográfico da Língua Portuguesa de 1990, que entrou em vigor no Brasil em 2009.

Capa e projeto gráfico
Hélio de Almeida

Foto de capa
Marina Bandeira Klink

Preparação
Carlos Alberto Bárbaro

Revisão
Marise Simões Leal
Otacílio Nunes
Ana Maria Barbosa

Dados Internacionais de Catalogação na Publicação (CIP)
(Câmara Brasileira do Livro, SP, Brasil)

Klink, Amyr
Linha-d'água : Entre estaleiros e homens do mar. / Amyr Klink. — 1ª ed. — São Paulo : Companhia das Letras, 2006.

ISBN 978-85-359-0940-1

1. Aventuras e aventureiros 2. Klink, Amyr, 1955 3. Viagens — Narrativas pessoais I. Título.

06-7980 CDD-910.45

Índice para catálogo sistemático:
1. Aventuras e viagens marítimas : Narrativas pessoais 910.45

EDITORA SCHWARCZ S.A.
Rua Bandeira Paulista, 702, cj. 32
04532-002 — São Paulo — SP
Telefone: (11) 3707-3500
www.companhiadasletras.com.br
www.blogdacompanhia.com.br
facebook.com/companhiadasletras
instagram.com/companhiadasletras
twitter.com/cialetras

Para a Marina

No mar tanta tormenta e tanto dano,
Tantas vezes a morte apercebida;
Na terra tanta guerra, tanto engano,
Tanta necessidade aborrecida!
Onde pode acolher-se um fraco humano,
Onde terá segura a curta vida,
Que não se arme e se indigne o Céu sereno
Contra um bicho da terra tão pequeno?

Camões, *Os Lusíadas* (canto I, 106)

SUMÁRIO

CRIANÇAS DO GELO

Descobri o mar num velho sobrado amarelo em Paraty. Vez por outra as marés de sizígia, mais altas, vinham bater na soleira de casa, em plena praça, invadindo a Matriz e algumas ruas da cidade. Mesmo assim, pulando descalço da soleira para a água salgada, em ruas pensadas e feitas para serem lavadas a cada maré, não vi de verdade o mar que cerca a cidade. Tão próximo e nada vi além do espelho salgado refletindo os sobrados. Descobri o mar, o oceano e o dom de navegar no sótão, em livros. E, dentre muitos, em um especial, de capa azul, o *Le Grand hiver*, da Sally Poncet. De barcos eu sabia muito pouco. No máximo remar uma canoinha arisca sem tomar um tombo. Vivia no mundo das vacas e dos impostos, fazendo queijos daquelas e quitando pilhas destes. Nos fins de semana, dando voltas na baía com a minha canoa a motor, a *Rosa 9*. Inscrita em Paraty, mas de feitio ubatubano, não havia na cidade canoa mais bonita. Eu não tinha por que pensar em outros barcos.

Em 77, perambulou pela baía da Ilha Grande um veleiro vermelho, o *Damien II*, de um casal que faria história. Durante meses, Sally e Jérôme Poncet coletaram e pescaram alimentos para guardar em potes de vidro, desses com borrachinhas cor de laranja na tampa e fechos de metal, que são fervidos em panela de pressão para fazer vácuo. Conhecidos como *bocaux*, são um eficiente método francês de conservar alimentos fora da geladeira. Estocaram mais de trezentos. Seu plano era passar um inverno inteiro a sós na Antártica. Passaram. Em abril de 79, na remota Geórgia do Sul, a bordo do *Damien II*, sem nenhuma espécie de assistência, nasceu o menino Dion. Em 82, a Arthaud publicou o livro da Sally. Comprei-o na Livraria Francesa, no centro velho de São Paulo. Devorei-o no sótão de Paraty. Não era um relato de façanhas tolas ou heroísmo fútil, como tantos que li, mas uma obra verdadeira de poesia, sensibilidade e ousadia interior. A Antártica não existia para os barcos miúdos. Enquanto colecionadores de proezas elegiam o cabo Horn como o Everest dos oceanos, os Poncet foram além, muito além, apenas para mostrar a beleza intocada do Sul. Em 84, encontrei-os no Rio. Alguns dos *bocaux* ainda existiam. Passei das vacas para as velas, dos currais para os estaleiros por causa deles. Foi uma passagem lenta, trabalhosa, difícil. Foi também de grandes alegrias. Não traí minhas canoas. Apenas compreendi que podiam crescer, ganhar velas, ir muito além dos limites da baía. Em 86 visitei os sítios antárticos indicados com setas nos delicados mapas feitos a mão pela Sally. Poucos anos depois vivi o meu inverno em treze meses particulares, deliciosamente isolado num desses lugares anotados nos desenhos que guardei. Ano sim, ano não, tenho tido o privilégio de encontrar um dos dois, quase sempre abaixo da Convergência. Vivem na ilha mais ocidental das Falkland, a Beaver Island, criando renas e carneiros do mesmo modo despojado, simples e duro que é a vida no mar. Entre rebanhos de animais e verões antárticos fizeram mais dois filhos, e desde aquela primeira viagem retornaram todos os anos ao mundo do gelo. Todos. Abriram a Antártica aos barcos pequenos, e aos grandes mostraram os limites de até onde ir. Em todos os sentidos foram pioneiros, sem nunca pretendê-lo. Jamais proclamaram suas conquistas — que seguem únicas. Simplesmente tiveram o desprendimento de ir, sem alarde. E voltar.

Se eu não tivesse lido os seus escritos, compreendido a sua coragem simples e o seu imenso respeito pelas regiões polares, teria passado décadas com os pés enfiados nas águas acomodadas de Paraty, até que as cracas me cobrissem as canelas, e não teria navegado para lugar algum.

Em 2004, quando completei, na Antártica, a volta ao mundo do *Paratii 2*, o primeiro veleiro que encostou a contrabordo foi o do Jérôme. Trazia entre os tripulantes duas criaturinhas com menos de quatro anos. Bebemos e falamos sobre tripulantes. Sobre o fato de que, nesse ambiente forte e surpreendente, ser profissional é muito pouco. Cumprir obrigações de quase nada serve. Navegar ao sul da Convergência exige tanto mais. Exige dedicação e generosidade, além da razão ou do simples cumprimento de tarefas. Exige um desprendimento profundo, um amor verdadeiro pela natureza, que crianças e amadores têm mais do que marinheiros apenas profissionais.

Em 2005, na quarta viagem para o Sul do ainda novato *Paratii 2*, decidi entrar no estreito berço de Leith Harbour, onde, debaixo de rajadas de cem nós, nasceu Dion. Para minha completa surpresa, na mesma tarde fomos abordados por um jovem no comando do *Pelagic*, timidamente pedindo para conhecer o barco brasileiro. Seu nome: Dion Poncet.

No Brasil, mal desembarquei, a Marina me desafiou:

— A próxima viagem ao gelo será com as nossas meninas.

Em mais de quinze descidas antárticas que fiz em barcos brasileiros, fui aos poucos reunindo histórias desses raros tripulantes de que me falou o amigo francês. Faltava a presença das nossas crianças. Faltava ir com elas desenterrar o tesouro que anos antes havia escondido numa ilha sem nome, ao sul de Lemaire. Faltava fazer a maior viagem das nossas vidas, com as meninas, os amigos de verdade e as crianças deles. Levar pás, picaretas, cordas e vinhos só pela inútil desculpa de buscar um tesouro escondido na Antártica. Pela grandiosa desculpa de deliciar-nos — pelo resto da vida — com dez olhinhos ansiosos procurando pérolas e colares num buraco de gelo. Faltava.

Já não falta mais.

1

UMA GRANDE CANOA DE METAL

Grandes canoas não se fazem mais. Não restaram no litoral as árvores para elas. Rocinhas, fogo e pastagens foram empurrando para longe da costa as grandes árvores. As grandes canoas desapareceram não por culpa delas, canoas, nem de seus mestres. Foi por culpa do trabalho de uma puxada de madeira morro acima, morro abaixo, pelo meio do mato, até chegar ao mar. Um trabalho, o da puxada do corte inacabado, que no caminho derruba muitas vezes mais madeira do que a da própria canoa. Foi por culpa também do pouco-caso econômico que o trabalho dessas canoas foi sofrendo. Canoas de voga e de vela, as antigas de cerco, as gigantes de carga, com dez palmos de boca ou mais, ou mesmo as do baixo São Francisco, de tolda, magníficas, com casaria e coberta: nenhuma delas, salvo raríssimas exceções, sobreviveu. No caso das de mar, no passado não existiam as tintas de proteção das obras vivas. Quando muito, banhos de casca de mangue vermelho para evitar cracas e gusanos, num processo que há muito se esqueceu. Obrigadas a ficar no mar, as grandes embarcações de madeira resistiam pouco tempo. E foi exatamente nas pequenas canoas, nas que sobreviveram puxadas em ranchos ou estivas, que os traços e detalhes de estilo se preservaram. Em cada prainha do litoral brasileiro, em cada pedaço de costa ou rio, um feitio próprio, um detalhe de arte única, que em silêncio se perde.

De canoa em canoa, ano após ano, só depois de andar a torto e a direito em barcos maiores cheios de modernices é que descobri as qualidades da pequena e ágil *Max*. Santo Mané Santos! O corte de artista, a linha-d'água afiada, a obra viva de um verdadeiro mestre canoeiro. Quando parada, instável como uma diaba; andando, arisca, veloz, puro prazer. Canoinha leve, de cedro-rosa, que pintei de azul-oceano, obra-prima de engenharia naval, foi minha primeira canoa. O veículo que me mostrou uma arte que eu não conhecia e uma atividade da qual não me livraria tão cedo: a de fazer barcos. Minúscula, frágil, esguia, sem que eu notasse me levou do mar confortável de casa — onde os destinos eram certos e os barcos estavam prontos — para o oceano aberto. Para um meio vasto, incerto, onde barcos têm que ser feitos com cuidado e conduzidos com respeito. O meio de que aprendi a gostar.

Depois da *Max* vieram a *Faísca*, de goiti, a *Rosa*, imensa, de caubi, canoinhas várias, de madeiras ora leves ora pesadas. *Samanta*, *Dita*, *Esperança*, nomes que eu não quis trocar. Por culpa do amigo Caio, o primeiro veleirinho — aos dezessete anos —, um catamarã de fibra de catorze pés que, por falta de oponentes a quem desafiar em regatas, usei anos a fio para carregar cocos ou remar — feito canoa — quando faltava vento. Troquei-o depois por outro catamarã, esse com dois pés e uma buja a mais, o *Karnak*, e na companhia do Hermann aconteceu a primeira viagem oceânica, de Salvador a Santos. Nos anos de estudos econômicos na universidade retornei aos remos, dessa vez em barcos olímpicos. Na raia da USP, remando bólidos esportivos de materiais avançados, compreendi o talento e a arte dos mestres canoeiros que faziam canoas para trabalho e pesca. Acabei construindo, no coração da Baixada Fluminense, o primeiro barco em que de fato naveguei. Lenta e intensamente, puxando remos e perseguindo correntes, uma experiência que me tornaria feliz no mar: cem dias e algumas horas entre a África e o Brasil, no inverno de 1984. Um barco incomum, o *I.A.T.*, com nome de sigla, desprovido de velas, mastros ou motor, que me iniciou nas travessias oceânicas. De carona em veleiros franceses fui aprendendo, ainda ignorante em velas e estais, os detalhes ocultos de barcos maiores — ou pelo menos dos que faziam viagens maiores. Em 1986, a compra tumultuada do *Rapa-Nui*, o cancelamento da construção de um barco gêmeo — já iniciada, em Rio Grande da Serra — e o início da obra de um veleiro polar em alumínio. Em 1989, finalmente a conclusão do *Paratii* e a partida para 22 meses de andanças pelos extremos do Atlântico. Um inverno inteiro na Antártica, um verão no Ártico. Depois de 27 mil milhas, a volta, discreta, ao mesmo pedaço de areia de onde havia partido, a bordo de um barco competente que apresentou um único problema: o vermelho do casco queimado de sol e frio virou rosa. Eu tinha finalmente o barco com que sonhara.

Foi-se um pouco da ignorância, ganhei experiência e passagens por lugares que poucos barcos frequentam. Com as obras feitas e as milhas acumuladas, eu deveria ter acalmado o desejo de pensar em outro barco. Deveria comemorar feliz, na preguiça de Paraty, as latitudes cumpridas sem acidentes, os destinos alcançados.

Aconteceu justamente o contrário. Ganhei uma espécie de curiosidade crônica nos olhos, uma certa fixação por ideias simples, por soluções que andavam no meu nariz e que antes eu era incapaz de ver. Minhas dúvidas sobre barcos, a vida em volta deles e os seus segredos multiplicaram-se feito larvas.

A ideia de um barco novo — de colocar tudo o que havia aprendido numa folha em branco, de fazer um projeto ainda mais simples, de apagar erros só agora visíveis — veio junto com um interesse investigativo por barcos de todos os tipos, velhos, moribundos, regionais, úteis ou não. De carga, pesca ou transporte. Canoinhas pequenas bem pintadas, as gigantes de um pau só, as abandonadas, barcos viajantes que vinham dar na baía, outros menos interessantes ou tortos vindos de fora, e que procuravam abrigo na passagem pelo Brasil.

Todos os que pude, investiguei. Mesmo navios velhos, barcaças, plataformas, bateiras, chatas ou balsas. E também os seus métodos — ainda que rudimentares — de ancoragem, manobras e manejo.

Antes, por não ser engenheiro, membro de clube náutico ou mesmo velejador de mínima qualificação que fosse, tinha vergonha de fazer certas perguntas quando visitava um portinho ou estaleiro.

A vergonha nunca me incomodou, e não a perdi, mas agora eu me deliciava fazendo perguntas que antes não ousava.

— Por que veleiros de oceano têm formas tão horríveis e pouco marinheiras?

— Por que tantas toneladas de chumbo?

— Por que tantos cabos e pecinhas?

Afinal de contas, por que é mesmo que eu levara mil quilos de chumbo inerte pra passear de graça por 27 mil milhas? Claro, a estabilidade, a segurança, as regras, regras e regras, como especialistas navais sempre insistiam. Não sou contra regras ou normas. Especialmente as de engenharia naval. Mas apenas seguir regras é pouco quando se deseja fazer um barco especial.

Quase injusto, pensei, questionar um projeto tão bem-sucedido, um barco que me dera tantas alegrias. O barco vermelho, onde agora eu ia dormir nos fins de semana só pra matar a saudade dos dias de viagem, era de fato uma bíblia de ensinamentos, simplicidade, boas soluções. Finalmente ele tinha adquirido uma espécie de alma. Fez jus ao nome e me fez compreender por que, ao contrário de todos os outros veículos concebidos pela mente humana, barcos têm nome próprio. O *Paratii* terminou sua missão intacto, no auge da sua forma técnica. Era hora de produzir um sucessor. E dessa vez eu não pensava mais num barco convencional, mas em outro completamente diferente de tudo o que já vira. Um barco simples como canoa e cargueiro como navio.

Descobri navegando que o tempo gasto em pensar e projetar é o mais importante da vida de um barco. Mesmo uma mínima canoa de pescar lulas que não tenha um projeto escrito foi projetada na cabeça de seu construtor, foi projetada no olhar afiado do tirador que estudou o corte na mata.

Descobri também que esse tempo só tem algum significado quando um dia os planos deixam de ser planos e se transformam em trabalho e obras. E depois em milhas. Estava na hora de parar de envelhecer planos, juntar alumínio e soldadores e fazer um barco novo. Um barco diferente, maior do que o *Paratii*. Uma canoa gigante de metal.

2

UM CAPÍTULO LONGO

A construção de um barco normal começa quando termina a fase de projeto. A obra do *Paratii*, meu primeiro barco de metal, não foi exatamente normal. O projeto era de certo modo convencional, como o de outros veleiros que passaram por latitudes altas e que serviram de inspiração. A execução é que foi incomum. Transformou-se em pouco tempo numa corrida de revezamento, que passou por três estaleiros, em três cidades diferentes, três projetos, três mirabolantes traslados terrestres.

O primeiro molde nasceu num dia qualquer de 1985, em meio à neblina de Rio Grande da Serra, em São Paulo, numa caldeiraria industrial. Os desenhos eram da dupla Michel Joubert e Bernard Nivelt, autores de lendária série de veleiros viajantes. O material seria o alumínio, num processo de chapas grossas e sem cavernas que se tornou popular na França graças a um estaleiro em Tarare, longe do mar. Desse estaleiro saíram o *Joshua*, de Bernard Moitessier, em 1963, o *Damien II*, do casal Poncet, em 1974, e uma longa série de barcos que se tornariam muito conhecidos. Grande número desses veleiros foi parar na Antártica depois da pioneira invernagem do *Damien*, e muitos dos que vieram da Europa descendo o Atlântico em algum momento pararam no Brasil.

Usando uma pequena e dedicada rede de informantes náuticos, de tempos em tempos eu conseguia interceptar alguns desses barcos. Era apenas pelo prazer de admirar veículos tão mais simples e competentes do que os que via por aqui. Lemes de vento, pilotos automáticos híbridos, chaminés de aquecedores a diesel ou carvão, nada de luxo, nada de ostentação. A esmagadora maioria era de franceses. Às vezes eu criava coragem para incomodar os ocupantes com perguntas. Foi desse modo que conheci os Poncet. Nasceu uma espécie de amizade imune ao tempo e à distância, como é comum no mundo dos viajantes. A grande diferença é que eu não pertencia a esse mundo. Ex-estagiário de um banco em São Paulo, mas ainda economista, passei a trabalhar em Paraty fazendo acertos tributários e depois criando vacas leiteiras. Curiosamente, a cidade mal prestava atenção nos barcos passantes, discretos, muitas vezes enferrujados, que vinham à procura de abrigo na baía. Numa dessas interceptações, no Rio de Janeiro, vizinho ao *Damien II*, encontrei pela primeira vez a escuna azul *Rapa-Nui*, o barco "graminho", o projeto que planejava algum dia construir. Senti confiança e um certo prazer, vendo ao vivo, em casco e osso, o mesmo projeto que eu escolhera, prestes a descer para o mundo do gelo.

A obra começou não exatamente pelo casco do barco. Eu ainda não dispunha de um só quilo de alumínio ou de meios para transformá-lo em casco, e, enquanto eu me dedicava a resolver esse problema tão simples e essencial, uma caldeiraria de Rio Grande da Serra concordou em iniciar a construção de um molde em aço, imenso, sobre o qual teria início a montagem das chapas de alumínio do projeto francês.

Não eram tempos muito promissores. O único conforto era saber que eu não pretendia nada de impossível. Depois da invernagem do *Damien II*, um segundo barco, o *Kim* — também francês e em aço —, invernou na península Antártica. Cinco amigos, nenhum dinheiro, poucos problemas. Como a primeira, uma experiência feliz. Meu grande estímulo, quando nem molde nem desenhos existiam, foram as palavras que uma vez ouvi de um francês que acabara de perder seu barco; eu devia começar — simplesmente do nada —, mesmo que fosse preciso passar fome.

Um dia recebi um telefonema com sotaque franco-carioca. Um conhecido do Rio, Jean-Pierre, um dos informantes sobre a passagem de barcos viajantes — e que também namorava um projeto do Joubert —, me convidou para um almoço de despedida de dois veleiros na ilha do Cavaco, em Angra dos Reis. Eram o *Rapa-Nui*, do casal Gaby e Patrick, que eu visitara no Rio, e o veleiro *Kotick*, dos frequentadores veteranos da península Antártica, Sophie e Oleg Belly. Fui de ônibus até o Rio e de lá, num carro de fibra, sem capota, emprestado pelo gentil informante franco-carioca, alcancei a tempo um portinho próximo, a ilha e o bendito almoço. Tantas vezes eu me questionara sobre a inutilidade de estudar francês com afinco e ainda fazer um curso interminável de literatura francesa quando minha verdadeira paixão era mexer com vacas e canoas em Paraty.

O almoço valeu sete anos de estudos francofônicos. Por alguma razão que não sei explicar, a língua predominante no meio dos veleiros que vão à Antártica é o francês. Patrick e Gaby, cozinheiros de profissão e experientes restauradores, fizeram uma demonstração completa de técnicas de conservação antigas e recentes — salga, salmoura, defumação, conservação em açúcar, gordura, vinagre, azeite, vácuo, desidratação —, e ainda degustação de *bocaux* de mariscos patagônicos de dois anos antes. Quase morri de comer. O *Rapa-Nui*, que já trouxera da ilha dos Poncet, nas Falkland, um carneiro vivo, levava dessa vez, além de uma cachorrinha e de uma gata siamesa, um simpático médico carioca, o dr. Tyll, ou simplesmente João. Foi um grande almoço.

Semanas depois de eu ter me recuperado do almoço francês, já em São Paulo, no balcão da pizzaria Camelo, eu tomava uma caipirinha coada de limão, especialidade da casa. Sozinho, sexta-feira à noite, estudava as plantas do casco que de algum modo precisava começar. Um senhor ao meu lado, discreto, educadamente espionando os meus papéis, perguntou se era um barco. Respondi que sim, um barco de alumínio. Ele terminou sua caipira, levantou-se e disse que se eu tivesse problemas com alumínio era só ligar. Ao sair, me deixou seu cartão. Massimo Terracini, diretor da multinacional de alumínio Alcan. Telefonei uns dias depois e, meio sem graça, admiti que tinha mesmo um enorme problema com alumínio. Marcamos uma reunião na avenida Paulista, 1106, décimo andar. Dessa reunião, ou melhor, daquele balcão, nasceu uma longa história de viagens e alumínio. Resolvi o problema das ligas e chapas, quinze toneladas delas, e assumi um compromisso ainda mais pesado: transformar as chapas brutas de três espessuras em 15 mil horas de um barco acabado com quarenta meses de autonomia a bordo. O pessoal da Alcan sabia muito bem da encrenca em que eu me metera ao confirmar o pedido sem possuir a sombra de um centavo para concluir o projeto. Mas queriam conhecer melhor o mercado de ligas navais, então incipiente, e resolveram acreditar.

No final do mesmo ano de 1985, em plena maratona para tentar iniciar a obra, surgiu o convite, na época desconcertante, para fazer parte do Programa Antártico Brasileiro.

Eu vivia de certo modo num mundo irreal, que conhecia apenas por conversas e leituras. Nunca tocara gelos oceânicos ou vira de perto um pinguim. Nunca comandara um veleiro de oceano.

Toda a experiência de navegação que eu possuía resumia-se a puxar remos em barcos cujos únicos problemas são a resistência dos remos e do remador. E por mais que tivesse remado, sabia bem que veleiros de oceano são máquinas que exigem quantidades infinitamente maiores de esforço, gestão e competência.

A oportunidade de conhecer o ambiente antártico, mesmo

que fosse a bordo de um navio pesado e pouco ágil para explorar canais, era única. O problema era que a operação duraria três longos meses. Minhas dívidas se acumulando, três meses sem trabalhar, sem produzir nada... uma dúvida cruel, que eliminei de modo não totalmente responsável. Aceitei o convite. Em janeiro de 1986 pisei pela primeira vez numa ilha subantártica, a King George. Imaginei que a torrente de acontecimentos não previstos iria se acalmar durante os três meses seguintes, enquanto eu estivesse a bordo do programa oficial. Deveria. No primeiro desembarque na estação brasileira, logo na entrada da enseada Martel, na baía do Almirantado, tive um choque. Lá estava, bem na proa do *Barão de Teffé*, o *Rapa-Nui*. Os amigos franceses, o carioca João, todos os *bocaux*, gatos e cachorros aparentemente sãos! Tinham acabado de completar uma travessia que poucos veleiros fazem, vindo da Geórgia do Sul para a península, na contramão dos ventos e correntes do mar de Scotia. Não era apenas o fato incomum de encontrar um veleiro nessas águas. Veleiros normalmente preferem entrar na Antártica mais ao sul, onde há um número maior de abrigos e menos exposição aos vendavais do estreito de Drake. Era, mais que tudo, simbólico: ali à frente estava, mais uma vez, o objeto do meu desejo. Pronto, vivo. O projeto que toscamente eu iniciava num galpão em Rio Grande da Serra. Flutuando entre gelos à deriva, o plano de linhas que eu carregava na mochila. Quando o Patrick me viu passando no botinho inflável rumo à praia, gritou:

— Ei, rapaz! Até aqui você vem namorar o meu barco? Entra aqui!

Estavam todos bem, fora o aquecedor, que não funcionara direito com a ondulação forte da travessia. Poucas horas depois, outro convite catastrófico:

— Por que você não vem com a gente? — disparou o Patrick.

Eu não sabia o que dizer. Ou melhor, sabia perfeitamente: navegar num exemplar acabado do projeto que eu iniciava no

Brasil seria a experiência mais excepcional que eu poderia imaginar. Acontece que eu aceitara participar de um rígido programa de três meses da Marinha, e abandoná-lo logo no primeiro desembarque antártico soava no mínimo como uma grosseria. Havia pouco tempo para pensar. Situação incomum, oportunidade única. Procurei o comandante da expedição, Alencar. Ele me explicou as consequências de uma alteração no programa e me deu um conselho que — só agora eu sei — mudaria o rumo de todos os meus passos nos anos seguintes.

— Será deselegante, sim. Pior, um desastre. Mas, como homem do mar, eu digo que você tem muito mais a aprender naquele casquinho ali. Boa sorte!

Passei 88 dias no *Rapa-Nui* até alcançarmos o Brasil outra vez. Adquiri uma dívida de gratidão com a Marinha do Brasil, e com os comandantes Fetal e Alencar, que certamente nunca poderei quitar.

Quinhentas travessias do Atlântico não teriam me ensinado tanto quanto aqueles meses na península em companhia dos Jourdan e do médico João.

Na varredura de ancoradouros antárticos, o *Rapa-Nui* foi acompanhado pelo *Kotick*, do casal Belly, incansavelmente procurando e mapeando novos atracadouros. Mais um projeto Joubert. Nas noites claras da península, durante o vinho do jantar, invariavelmente falávamos de barcos. O barco do Oleg não fora construído por ele, mas comprado, no Rio, do Gérard Janichon, companheiro do Jérôme Poncet no extraordinário périplo de cinco anos que ambos haviam feito com o primeiro *Damien*. Finda a viagem que os levou, garotos ainda, aos extremos da Terra no valente barquinho de madeira laminada de 35 pés, ambos decidiram construir veleiros maiores, de 47 pés, em aço, para um dia invernarem com suas mulheres na Antártica. De um desejo poético de liberdade de dois jovens nasceu a série de *Damien* em aço, e depois em alumínio, com dezenas de barcos que fizeram história. Jérôme encontrou Sally, adiantaram-se em seu plano, invernaram na baía Margarida e, sozinhos, no ano seguinte, no isolamento da Geórgia do Sul, Sally deu à luz, a bordo, o Dion, o primeiro de três filhos. O Gérard, com um ano de atraso e ainda sem esposa, desceu para encontrá-los na Geórgia. Na travessia do Atlântico não se adaptou à vida de manobras em solitário e fez escala no Rio. Estava deprimido e cansado. Num jantar, acabou vendendo o seu barco para Oleg e não navegou mais.

O *Rapa-Nui*, de certo modo uma evolução dos primeiros *Damien* feitos em aço, foi uma escola ímpar para um iletrado em construção naval como eu. Também aprendi muitas coisas sobre a vida a bordo. Problemas de convivência são comuns em barcos, sobretudo em locais de navegação tensa. O João se desentendeu com o casal, entrou em depressão, passou a dormir mais de dezoito horas por dia, abandonou banhos e asseio. Em Ushuaia, fugiu. Perdeu o bilhete que amigos dos outros barcos lhe deram para voltar ao Brasil. Foi encontrado dias depois, vagando pela cidade. Os Jourdan tinham os seus problemas, mas me dei bem com eles. Dormia pouco e me dediquei ao barco. Voltamos em três para o Brasil, e eu já não tinha a mais remota dúvida de que fazer uma invernagem sozinho seria infinitamente mais simples do que imaginava.

Desembarquei em Santos carregando um problema ainda maior do que quando parti. A construção do casco gêmeo do *Rapa-Nui* se iniciara, porém, depois de quase três meses a bordo do original, concluí que aquele não era o barco ideal para navegar em solitário. Mastros e velas em excesso; não havia um posto de pilotagem externo abrigado nem um interno com visão do mar ao redor. A mesa de navegação, embaixo, sem visão externa, lembrava o *Spirit of St. Louis* sem janelas frontais que Lindbergh pilotou em 1927, sem ver para onde ia. Um barco marinheiro, forte, mas não exatamente projetado para o tipo de navegação que eu estava imaginando.

Ainda em Santos, tomei uma decisão muito difícil: parar

tudo — obra, molde, barco, projeto — e começar de novo, do zero. Fazer um novo projeto. A construção estava no início, talvez o molde pudesse ser utilizado em outro barco, mas o projeto teria que ser refeito. Ou melhor, eu iria encomendar um novo projeto a alguém com quem pudesse trabalhar mais estreitamente, discutir soluções construtivas e verificar todas as anotações relativas a defeitos e qualidades dos barcos que registrei ao longo da viagem. As anotações estavam registradas num caderno de controle de caixa de capa preta e lombada vermelha em processo de desintegração, de tanto ser manipulado. Talvez o novo projeto pudesse utilizar o alumínio já fornecido pela Alcan nas espessuras do projeto francês. Antes de deflagrar o escândalo, procurei no Rio um projetista com cara e jeito de humorista, e a quem admiro muito, Roberto de Mesquita Barros, o Cabinho. A obra do projeto francês foi paralisada, para perplexidade do estaleiro paulista. O Cabinho se empenhou no projeto novo. Eu tinha a sensação terrível de navegar para trás, de que meu objetivo ia ficando cada vez mais distante. Agora, pior do que um barco inacabado, eu tinha um projeto e um casco a desmanchar, contratos a desfazer, alumínio a devolver, um grande transtorno pela frente. Ao mesmo tempo, outra dúvida me assaltou. Em nosso regresso para Santos, o Patrick e a Gaby decidiram passar um ano no Brasil e vender o *Rapa-Nui*. Eles tinham residência e negócios aqui. O barco tinha bandeira brasileira. Os dois se instalaram, ainda por cima, em Paraty, e me fizeram uma proposta diabólica: se em lugar de me atirar na tenebrosa aventura de construir um barco igual ao deles no Brasil eu decidisse comprar o *Rapa-Nui*, eles me dariam um ano para iniciar o pagamento. O Herman, que se tornara meu sócio num minúsculo escritório montado exatamente para administrar a construção do futuro barco, foi conhecer o barco azul. Ficou apaixonado. Era de fato uma máquina extraordinariamente bem equipada e mantida, nem uma gota de eletrólise no casco, peças de reposição por todo lado, robusto, funcional, absolutamente diferente dos frágeis brinquedinhos de plástico que eu conhecia em clubes de vela. Fazia todo sentido do mundo cancelar a ideia de construir barcos, trabalhar como um louco durante um ano e comprar um barco já pronto e testado. Não fosse o fato de ter vivido 88 dias a bordo, seria exatamente o que eu faria. De todo modo, o barco continuava tentador. Descer para Paraty virou um suplício. A visão do imponente barco azul fundeado em frente à cidade, disponível, apenas aguardando minha decisão, não me deixava em paz.

O projeto do Cabinho ficou pronto, e uma nova surpresa surgiu. Recebi as especificações de materiais no escritório em São Paulo, nervoso para saber sobre o problema do alumínio e se eu teria como aproveitar no projeto novo as chapas do velho. Eu simplesmente não tinha como voltar atrás com a Alcan. A quantidade de alumínio que já estava no estaleiro para a réplica do *Rapa-Nui* atendia ao projeto novo. As espessuras, não. Pânico. Tentei convencer o Roberto a adaptar o projeto para as espessuras de chapas que já tínhamos. Ele obviamente não concordou. O projeto francês era totalmente autoportante, com chapas muito grossas e sem as cavernas ou costelas de um casco clássico; o projeto novo era parcialmente estruturado com chapas mais finas. As espessuras nunca combinariam. Comecei a comparar os desenhos, papel sobre papel, presos com fita adesiva no vidro da janela de casa, tentando desesperadamente encontrar uma solução.

Não encontrei. Mas nesse exercício de comparar formas e superfícies de projetos diferentes para barcos de tamanho semelhante, um pequeno detalhe chamou minha atenção: a superfície molhada dos lemes era significativamente maior no desenho francês. Pois exatamente nas primeiras páginas do caderninho preto, no capítulo sobre os defeitos do projeto francês, eu anotara a falta de área de leme. O sistema em si era uma obra-prima de simplicidade e estava registrado no caderno como "virtude": uma porta externa com cana de leme, exatamente como na minha canoa *Rosa*, uma luva deslizante na cana e cabos externos, tudo visível e limpo, até a roda de leme. Mas faltava área, sobretudo nas descidas de grandes ondas. Um defeito sério. Os franceses de outros barcos do Sul já tinham confirmado esse problema em projetos da Meta e, quase todos, *bricoleurs* por excelência, fizeram modificações por conta própria. Era impossível que no nosso novo projeto uma área de leme ainda menor funcionasse decentemente. Tentei convencer o Cabinho, mas seu engenheiro não aceitou alterar o projeto alegando razões técnicas que eu não tinha competência para questionar.

Àquela altura dos acontecimentos já eram tantas as mudanças — além dos problemas financeiros e de uma crescente urticária que desenvolvi pela arrogância acadêmica de engenheiros navais que não navegam — que decidi assumir a responsabilidade, trocar de engenheiro e fazer um projeto separado só para o sistema de leme. Estávamos em 1986.

Tudo parecia dar errado. A viagem no *Rapa-Nui* fora fundamental, mas resultou numa reviravolta que ameaçava não acabar. O Hermann, fiel testemunha dos meus problemas, achava que — problemas por problemas — devíamos assumir uma bruta dívida e comprar de uma vez a bendita escuna do Patrick, que afinal de contas já estava pronta. Ele tinha razão, e não descartei a ideia.

Na época parecia — hoje posso dizer — o mais absurdo delírio imaginar que um dia faríamos as duas coisas, comprar a escuna azul e construir o barco do projeto novo; e que, concluída a invernagem, teríamos uma comemoração com os dois barcos juntos, a contrabordo, em alguma enseadazinha antártica.

Antes de me distrair com delírios futuros eu precisava criar coragem, procurar a Alcan, me desculpar pela mudança de planos, devolver o alumínio que agora não servia para o projeto e, no caso de não ser processado e preso, descobrir se eles fabricariam chapas com as novas espessuras na quantidade que eu precisava. As ligas navais duras eram feitas sob encomenda, a partir de lingotes de doze toneladas. Não existiam chapas em estoque. Atender a um pedido como o meu, cheio de pequenas quantidades e espessuras diferentes, constituía uma verdadeira proeza industrial, e os custos seriam muito mais altos do que o valor das chapas. Mesmo sabendo que o projeto todo — e as minhas finanças também — andava à beira de um colapso, dessa vez resolvi não seguir o conselho do nosso contador, que achava melhor parar tudo e voltar a Paraty. Decidi correr o risco. A iniciativa não era prudente, mas fazia sentido. Parando tudo haveria prejuízos para todos e uma dúvida completa sobre o que fazer depois. Para seguir em frente eu sabia — exatamente, e por difícil que fosse — o que deveria ser feito.

Agora eu precisava contratar outro projetista para desenhar o novo leme e definir quanto alumínio a mais seria necessário. Imediatamente fui atrás do engenheiro Furia, o brilhante e divertido autor do meu barquinho a remo, até então minha única experiência bem-sucedida no mundo náutico. O Furia, como outros engenheiros que conheci, não era um navegador, mas tinha as qualidades essenciais a um homem do mar: modéstia, ética, um certo desprendimento com relação à paternidade de suas ideias e uma brutal dedicação. Metódico, calculista, bigodes e óculos grossos, nunca largava sua calculadora científica HP. Lembrava um personagem de desenho animado da minha infância, o dr. Clyde Escovinha. Três anos antes o Furia me salvou de morrer afogado no meio do Atlântico. Fez isso na sua prancheta de trabalho, na rua Orós, no dia em que decidiu que o barco a remo que eu pretendia construir deveria ser instável, em vez de incapotável. "Não há como evitar a capotagem de um casco com cinco metros e 95 centímetros em ondas de nove metros", dizia. Depois de ter chegado a essa conclusão, começou de novo o projeto, desenhando um casco pensado para capotar. Parecia pura insanidade, porém ele estava certo. A mudança de rumo, a partir desse conceito curioso de estabilidade reversa, fez com que a construção se atrasasse alguns meses, e acabei partindo no inverno, fora da época ideal. Capotei três vezes no início, e depois nunca mais, até alcançar, em perfeita ordem, a prainha da Espera, no litoral baiano.

Não acredito nesses assuntos de sorte ou estrela com que alguns indivíduos se dizem dotados, mas alguma coisa que eu não compreendo direito o Furia tem. A partir do dia em que ele me apresentou o caderno de desenhos do novo leme, o rumo dos acontecimentos mudou drasticamente.

A reunião na Alcan aconteceu e se encaminhou na direção de uma tragédia. Comuniquei que estava devolvendo o alumínio por alteração no projeto, eles comunicaram que não podiam aceitar e que não forneceriam as chapas nas novas especificações por falta de escala. O pesado molde para a construção do projeto da Meta estava pronto, e um molde novo, por exigência do estaleiro, só seria feito se surgisse um pedido mínimo de dois cascos. Pensei que, no fim das contas, o negócio das vacas era muito mais seguro e promissor. Mas eu tinha novidades. Surgiu um cliente, comandante da Varig, interessado no projeto novo do Cabinho — queria um casco gêmeo em alumínio. As quantidades dobrariam e atingiriam os volumes mínimos de escala para as chapas e os dois pedidos necessários para a fabricação do novo molde. Os representantes da Meta no Brasil, Michel e Gislaine, receberam outros dois pedidos do Rio, para barcos a motor, mas com cascos de veleiro, por suprema coincidência exatamente iguais ao do *Rapa-Nui* e ao do molde já concluído em Rio Grande da Serra. Receberam ainda um terceiro pedido para um casco "em formas", redondo, que usaria espessuras semelhantes às do meu novo projeto. Inexplicavelmente, todas as peças do confuso quebra-cabeça em que eu me metera se encaixavam. Ao tomar conhecimento dos acontecimentos e hipóteses, os representantes da Alcan, surpresos, acabaram concordando com todas as alterações de planos.

Em lugar de ser devolvido, o alumínio seria revendido ao estaleiro; os novos pedidos seriam aceitos e programados;

estaleiro e fabricante do metal teriam escala e lucros; eu teria novas chapas, nas novas espessuras, e a vizinhança oportuna de soldadores, caldeireiros e máquinas que a obra isolada de um barco só jamais permitiria. Em poucos dias teve início a construção do novo molde, em algumas semanas chegaram as novas chapas, e em seguida começou o trabalho de soldagem e caldeiraria.

Por intermédio do Jean Duailibi, arquiteto com quem eu dividia o imóvel alugado para o nosso escritório, conheci um diretor da Aços Villares, Luiz, que se interessou pelo projeto. Ganhei o direito de apresentar meus planos num tempo máximo de dezessete minutos, a ser agendado numa das reuniões do conselho de acionistas da empresa. Sabia que a probabilidade de uma empresa de aços se interessar por um projeto baseado em alumínio — materiais concorrentes e eletroliticamente não compatíveis — era mínima. O dia da reunião chegou. O amigo Peter, especialista em audiovisuais, me ajudou a preparar uma apresentação de oito minutos. Exatamente ao término dos nove minutos restantes, em que os presentes fizeram perguntas, não poderia imaginar então que passaria pela prova mais decisiva da minha vida. O único membro do conselho que manifestara alguma simpatia pela proposta, André Musetti, disparou uma questão polêmica: o barco pode ser feito em aço, o produto principal da empresa? Eu já desconfiava que essa pergunta seria feita, e no fundo me acalmei. Afirmei que sim, poderia. Claro, além de ser muito mais fácil trabalhar em aço, o prazo e o custo de construção seriam muito menores. O sr. Musetti fez então uma pergunta direta: você aceita desenvolver o projeto em aço, em troca do integral apoio financeiro e técnico da Aços Villares?

Não precisei de muito mais que um segundo para pensar e responder. O *Rapa-Nui* era em alumínio, utilizara um processo que na época era inovador, mas todos os outros barcos que eu encontrei no decorrer dos 88 dias ou nas interceptações eram em aço. No curto prazo, eu só teria vantagens trabalhando com aço; o novo contrato com a Alcan previa a hipótese de indenização do alumínio já fornecido. Mas fazer em aço, não aprender nada de novo, seguir o caminho batido e seguro dos construtores de fundo de quintal? Lembrei-me da frase famosa, do tempo dos barcos de madeira e dos homens de aço.

— Sinto muito, mas não pretendo mudar o material do casco a cada proposta. Esse barco, se existir, vai ser em alumínio.

Houve um silêncio súbito. Minha negativa encerrou secamente a apresentação. O Peter, sempre comedido, operando os carretéis de slides, a julgar pelos gestos que fazia atrás da diminuta e notável plateia, estava prestes a arremessar um dos pontiagudos projetores Kodak de chassi metálico, ainda quentes, na minha direção. Sem saber o que dizer, saí da sala. Eu precisava desesperadamente ir ao banheiro. O engenheiro Paulo Villares, presidente do conselho, entrou em seguida no mesmo banheiro, postou-se defronte do urinol vizinho ao meu, e, no seu educadíssimo e simples modo de falar, disparou:

— Mas, Amyr... Por que você não pensou melhor e aceitou a nossa proposta? Por quê?

Eu não sabia o que responder, apenas percebi que a única coisa de aço que restava eram os meus nervos. No escritório, o Jean, ao saber da minha estupidez em recusar uma fortuna redentora do projeto por um detalhe tão banal quanto o metal a ser usado, reagiu com indignação.

— Como você pôde destruir o projeto, seu imbecil, como? — berrava ele, juntamente com outros comentários de conteúdo escatológico. No dia seguinte recebi um telefonema do engenheiro Paulo Villares confirmando a aprovação por unanimidade da proposta. Em alumínio. É claro que o conselho da empresa teria adorado se o projeto fosse executado com o seu aço e é claro que teria sido mais conveniente, em todos os sentidos, usar um material três vezes mais barato dentro do mesmo orçamento. Hoje sei que, se por um mísero segundo eu tivesse cedido a uma tentação oportunista apenas para agradar a terceiros ou obter benefício pecuniário, nenhum barco jamais teria existido. Os dezessete minutos de reunião foram a aula mais breve e definitiva que já tive.

Um ano mais tarde, com a construção avançando a todo vapor, e quando tudo parecia finalmente entrar nos eixos, novo maremoto, nova mudança de rumo. Descobri que o estaleiro onde trabalhávamos caminhava vertiginosamente para uma situação de insolvência financeira e provavelmente falência. Um acontecimento nada incomum no mundo da construção naval e pesadelo de todos os armadores que se lançam em obras demoradas. O Patrick quase perdeu seu barco e todas as suas economias desse jeito, na França. O Skip Novak, do *Pelagic*, na África do Sul, dúzias de conhecidos tinham histórias semelhantes. Era preciso retirar o casco, já em fase de fechamento, o mais rápido possível. O número de horas de soldagem não conferia com o meu controle de apontamento. A empresa se recusava a emitir os documentos fiscais com os valores corretos. Uma discussão infernal. A contragosto, e com a mais explícita má vontade, retiraram o casco do galpão para que pudéssemos colocá-lo numa carreta fretada que esperava do lado de fora. Não sei até hoje se intencionalmente ou não, mas um dos guinchos soltou o cabo e o *Paratii* (nome que acabei escolhendo para o casco ainda sem pintura) despencou ladeira abaixo. Foi um grande alívio. Não o fato de ele ter resistido ao tombo com poucos arranhões, mas o de ter escapado a tempo do estaleiro. O casco vizinho, réplica exata do meu, com exceção do leme, demorou para sair, foi arrestado e perdido no processo de falência que se seguiu. Dos outros três, que eu saiba, só um, a motor, chegou a navegar.

Por um ano trabalharíamos numa fábrica de máquinas para embalar iogurte, em Osasco, onde o casco ganhou a cor vermelha, e por mais dez meses na Hanseática no Guarujá, onde finalmente, numa sexta-feira, em junho de 1989, com um ano de atraso, nasceu o *Paratii*.

— Sexta-feira não, Amyr, dá azar batizar um barco numa sexta-feira — disse um dos crédulos de plantão.

— Pois vai ser na sexta-feira, com azar ou não — respondi.

No mesmo canal ermo e escondido da Hanseática, dois barcos testemunharam a operação: o *Rapa-Nui*, que se tornara nosso alojamento de obras, e o *Fanfarron*, o barco novo nascido da venda do *Rapa-Nui*, do casal Gaby e Patrick, recém-chegado da França, que por um curioso acaso viera dar exatamente ali, naquele buraco, a tempo de assistir à operação. À noite, no barco dos franceses, com o estaleiro deserto e a água escura e perfumada do canal refletindo as luzes de Santos, pedimos uma pizza. O Patrick abriu um vinho e, depois que ele resumiu os contratempos que também tivera na construção do seu novo barco, percebi que o mais difícil estava feito. Os descaminhos todos, os passos tortos, todos os dilemas, as mudanças de rumo, os recomeços, as decisões polêmicas, os atrasos e traslados constituíram um capítulo chato, porém fundamental na história daquele que seria o meu barco-escola. O capítulo-chave de um barco futuro que eu ainda nem imaginava fazer.

3

FERIDAS DE PARATY

Passei quase dois anos no mar. Seiscentos e quarenta e dois dias, para ser preciso. A invernagem passou mais rápido do que eu gostaria. O *Paratii* mostrou-se um barco marinheiro, preciso, seguro, uma bela escola. Se minha profissão fosse comandar barcos em lugares interessantes, não poderia me sentir mais realizado.

Não era. Eu ainda tinha vacas, canoas e impostos para cuidar.

Passar o tempo todo viajando, como europeus que conheci, sem rumo, sem data, valendo-me de um barco bem-feito e testado (que fora do Brasil sempre rende uns trocados para se viver mais ou menos bem), para milhões de sujeitos é o sonho dourado da existência. Não consigo me incluir entre eles. Gosto das árvores e bambus que plantei, de vê-los crescer, gosto de ter problemas para resolver, das obras que não param, da luta que é viver no Brasil. Levei algum tempo até organizar outra vez a existência em terra. Dívidas e compromissos foram aos poucos quitados. A vida, aos trancos, entrou nos eixos.

Em 1992, inquieto à procura de um projetista para um barco novo, recebi uma notícia triste. Num acidente de moto, um amigo especial de Paraty, o Caio Graco, havia falecido. Haviam se passado 21 anos desde o dia em que subiu na praia do Jabaquara um minúsculo veleirinho. Eu observava do morro do Forte o barquinho em pleno vendaval, deliciando-se em manobras e evoluções. Fui no seu encalço. O sujeito pulou na areia, visivelmente exausto e feliz, e me ofereceu o barco para tentar uma volta. Mais do que inábil, eu simplesmente nunca havia manejado um veleiro. Não consegui andar nem cem metros no vendaval, e quase deixei a geringonça voar em pedaços. Decidi aprender. Ficamos amigos. Fui visitá-lo um dia em São Paulo, na rua Barão de Itapetininga, onde trabalhava com livros. No número 93, encontrei o endereço: edifício Caio Prado. Quando perguntei onde trabalhava o Caio, um senhor muito atencioso respondeu com orgulho:

— Ah, Caio Graco, o nosso presidente!

A editora Brasiliense, um dos marcos da cidade de São Paulo, ficava na Barão de Itapeteninga, 93. Metros adiante, no número 275, estava a Livraria Francesa, onde descobri os montes de livros que nos anos seguintes me arrastariam para lugares que nem em sonho eu suspeitava que frequentaria. Até essa primeira visita ao Caio, não sabia da coleção "Mer", da Arthaud. Tornei-me cliente regular do 275 e acabei migrando das pesadas prateleiras de literatura para as de relatos de viagem, no canto oposto da preciosa livraria. Sem pretender, o Caio foi o responsável por meu primeiro desvio profissional. Por me fazer trocar o modorrento banco onde trabalhava pela vida descalça em Paraty. Uma espécie de mestre por acaso.

Exatamente à época do acidente conheci outro aprendiz do Caio, Luiz, que depois do sucesso da coleção "Primeiros Passos", por sinal meio inspirada numa coleção francesa, a "Que sais-je?", à venda na livraria vizinha, montou sua própria editora. O Luiz me animou a fazer um livro que saiu no mesmo ano, 92. Eu conseguiria depois animá-lo a traduzir alguns dos clássicos polares que eu adorava, todos, sem exceção, comprados na livraria vizinha ao prédio do seu antigo chefe. Foi uma experiência que gostei de ter vivido, essa dos livros.

Sem perceber, quase entrei numa estrada cômoda, de êxito previsível, porém, no meu caso, infeliz. Sentia falta não propriamente de estar no mar, de navegar, mas dos meses de trabalho duro que vinham antes, do desafio de inventar sistemas mais simples, desenhar soluções novas, da luta eterna contra os atrasos, das discussões com inventores exóticos nem sempre normais, do formidável transtorno existencial que a construção de um barco acarreta.

Um dia, em São Paulo, num desses curiosos eventos de empresas farmacêuticas, conheci uma morena bonita, de costas retas e opiniões seguras. Convidei-a para conhecer Paraty. Gostei muito do seu nome: Marina. Confessei-lhe meu plano de um dia ter uma marina... de barcos. Desconfiada — ela já conhecia a cidade, talvez a estratégia do convite estivesse errada —, ela nunca aceitava. Um dia, aceitou. Nada de asfalto. Fomos pelo caminho que sempre gostava de fazer, pelo trecho de terra da serra de Cunha. Lama, pedras e mata que mais parecem uma cachoeira seca do que uma via propriamente transitável. Entre solavancos e paradas, tempo para contar os casos pitorescos da estrada, agora chamada Real. Os desvios escondidos do antigo caminho do ouro, a bica da sorte, que nunca secou, o mítico bar envolto em eterna neblina, o Fecha Nunca, que fechou, as tocas de pernoite, onde dormia quando fazia a viagem a pé. Mostrei o lugar onde, dirigindo uma Veraneio movida a gás de cozinha, capotei cinco vezes serra abaixo com o meu advogado, dr. Rafael Abondanza, levemente alcoolizado, e uma porca viva dentro do carro que quase nos devora de desespero. Mostrei a gruta onde, arrependidos, passamos a noite, com a porca uivando e nós queimando, para não morrer de frio, as úmidas e redentoras páginas do Guia Levy de São Paulo — ao menos as que a porca não comeu...

Eu recém havia terminado as obras de pedra do meu primeiro cais e o restauro da antiga rampa por onde puxava as canoas. Os muros acabados em juntas secas ficaram como os que se faziam no passado. Faltava plantar os coqueiros. Bem em frente ao cais, ao lado do *Paratii*, estava o *Rapa-Nui*, o veleiro da minha primeira incursão antártica. Os dois barcos cúmplices, prontos para partir. Mostrei para a Marina o arsenal de ideias que havia em volta daqueles barcos. Não usá-las, não fazê-las procriar num projeto novo era mais triste do que se fizessem naufrágio.

Logo na entrada da cidade havíamos passado por um caminhão vendendo mudas, a maioria de espécies exóticas, uma pena. Eu não queria plantar mudinhas de coco-anão e precoce, as que crescem reto e pouco. Queria as de coco baiano, imponentes, que custam um pouco mais a deslanchar e que fazem curvas e copas majestosas. Fazíamos essas mudas em Jurumirim, num lugar úmido atrás da casa vagabunda, sempre com sementes caídas do velho coqueiro da praia. O Hermann era o mentor do pequeno viveiro. Naquele dia, um primo dele, o Ralph, forte e meio desastrado, estava em Paraty, e veio junto ajudar a transportar as mudas. Fui com um bote de trabalho, que usávamos para buscar cimento e pedras. Descalços, andamos no mato até as mudas. Havia algumas maiores, cujas raízes já buscavam o chão. Vamos levar essas três, eu disse. A Marina, de sandália, biquíni e máquina fotográfica, observava a operação. Embarcamos os três cocos e seus brotos altos no bote laranja para uma viagem de no máximo oito minutos até o local de plantio. Fim de tarde de outono, dia cristalino, o sol quase se pondo atrás da cidade. A morena de porte sempre elegante sentou-se à minha frente de pernas cruzadas e costas para a proa — ainda de havaianas e biquíni verde de florzinhas. Com o corpo inclinado para fora da borda do bote, empunhava uma pesada Nikon F2 mecânica e não parava de bater fotos. Passou uma lancha grande, de uns vinte metros talvez, dessas banheiras de plástico que não conseguem planar e fazem ondas destruidoras que varrem a baía. Eu já estava acostumado. A Marina não. Gritei alto: se segure, que vai balançar! Estava com o motor de popa grande, um Suzuki 40 de dois tempos, ensurdecedor, e a Marina não ouviu. As ondas chegaram, o balanço foi forte. De costas, mal apoiada, com o peso da máquina para fora, ela se desequilibrou, bateu o rosto na parede da onda e em frações de segundo foi arrancada para trás, com Nikon, havaianas e tudo, deslizando de barriga sobre a borda. Foi muito rápido. Sugada para trás pela velocidade da água, passou, graças a Deus, por fora do motor e do hélice. Segundos depois, quando eu completava a curva para ir resgatá-la, descobri que ela não estava no mar, longe, atrás, como eu imaginava, mas continuava presa ao barco, ao lado do motor, lutando desesperadamente para escapar do hélice. Parei, perplexo. O primo do Hermann tinha uma expressão de pavor na cara. Eu não entendia como um mínimo biquíni tinha resistência para arrastar uma pessoa, esquiando daquele jeito... até descobrir o que tinha acontecido. A Marina continuava na água presa em algo, também sem entender. A queda foi tão súbita e rápida que a barriga dela, ao correr pela borda de alumínio, encontrou o cunho de amarrar cabos e acabou perfurada duas vezes, de fora para dentro e de dentro para fora, formando uma alça de pele que não se rompera.

O Ralph gritava alguma coisa, eu não ouvia nada, fiquei surdo, só pensava em tirá-la dali. Ao trazê-la para bordo, foi ainda pior. O cunho não soltou a alça da barriga, que estava não só enganchada como torcida numa volta completa. Até hoje não sei de onde tirei tanta calma e frieza. Devolvi a Marina ao mar para poder virá-la e desfazer a alça e icei-a para bordo com os dedos enfiados por dentro da barriga para desenganchá-la do cunho: quase não saía sangue. Não estávamos longe da Santa Casa, na beira do rio Perequê-Açu. Puxei a corda de partida do motor, que, milagre, pegou, e fomos para o rio. Um bom pedaço de barriga estava aberto: dois cortes grandes. A menina, valente, não dizia nada. O Alemão gritava: Rápido, mais rápido!!! Segundos depois fiz meia-volta, e o Ralph, perplexo, não entendeu por quê.

— Não dá, não vai dar, a maré está baixa, a gente vai carregá-la no raso, com lama nos joelhos, são uns duzentos metros... Todo esgoto da cidade vai espirrar na ferida aberta... Vamos para o veleiro. Protegemos os cortes e depois a levamos até um carro.

Doía, doía de verdade ver a dor que ela segurou resignada, sem gemer. Minha irmã apareceu no *Paratii*, me ajudou com as bandagens e em seguida fomos para uma marina que tinha um cais mais ou menos decente, para um carro e para o ambulatório da Santa Casa, onde a Marina foi costurada. Nenhum órgão vital fora atingido. Voltamos para São Paulo, dirigindo no escuro. Eu estava transtornado. Nunca imaginara causar tamanho sofrimento a alguém. Gemendo baixinho quando pegava um buraco, ela não perdeu o humor provocativo. Queria saber se em Paraty era normal enganchar moças daquela maneira nos cunhos das voadeiras, se eu tinha visto todas as suas tripas, se o médico que a costurara tinha caprichado nos pontos, se eu não podia parar para comprar pamonha na bica do Curió...

Eu não conseguia parar de pensar. Sentia a sua dor. Havia cometido um erro grave e estava cercado de outros erros, com os quais me acomodei e que até aquele dia nunca me propus a corrigir.

Como era possível uma cidade nascida para ser porto — onde um bom terço da população, o turismo e a economia se movem em barcos ou em função deles — não ter um só lugar apropriado para embarque e desembarque em qualquer maré?

Um aeroporto à beira do porto, ao lado da rodoviária, entre o rio e o mar, que não tem acesso a nenhum dos quatro? Uma Santa Casa de Misericórdia à beira de um rio navegável sem conexão com o rio a não ser pelo tubo do esgoto que despeja nele? Um cais público que não flutua, onde cidadãos e turistas se equilibram entre pranchas, marés e acidentes para entrar e sair dos barcos? Nem uma única rampa pública, nenhum ponto de conexão entre um carro, um ônibus e um barco, nenhum estacionamento de transição, nenhum banheiro público, rádio, ambulatório, nem mesmo um bar no cais por onde a renda da cidade entra. (Mesmo que fosse para limpar com pinga as feridas dos passantes.) Nenhum acesso ou calçada adequados a um portador de muletas, de cadeira de rodas, a uma maca com rodinhas, a um carrinho de bebê ou de supermercado. Um código de obras que condena calçadas largas e que impede, com os postes na calçada, a passagem de cadeirantes? Uma cidade à beira-mar, como tantas no Brasil, que dá as costas e o esgoto ao mar só por tê-lo tão fácil e próximo. Uma cidade que cria dificuldades para quem vive do mar ou vem por ele. Uma cidade porto, num porto natural, que se acha no direito de assorear seu porto e de não o dragar, de assorear seus rios e de usar desculpas ecológicas para não aprofundar seus leitos, mas que neles deita às claras todas as suas sujeiras. Uma cidade planejada, histórica e tombada, que não tem plano nem projeto para seu futuro. Uma cidade linda como poucas, que vive da sua beleza, e pelo menos uma desculpa não tem, como outras: não é e nunca foi pobre. Um grande mistério brasileiro.

As feridas da Marina logo fecharam. Restou um belo par de cicatrizes. E eu cheguei a uma conclusão cristalina. Fazer um barco novo não era suficiente, e nem ficar reclamando do passado, ou da cidade. Era necessário fazer algo, ir além, identificar e admitir os erros passados, pôr em prática no mínimo as soluções que eu conhecia. Em vez de reclamar dos problemas do porto, eu deveria fazer um, ainda que pequeno, com barcos organizados em linhas flutuantes e não em poitas. Um porto de turismo normatizado, como há em todos os cantos do planeta e ainda não no Brasil. Um porto onde as boas ideias de portos concorrentes, em vez de serem escondidas, fossem expostas e reproduzidas, como as mudas do coqueiro velho de Jurumirim. Comecei a fazer contas.

Era tão simples fazer a conta, e eu nunca havia feito: um barco como o *Paratii*, com quinze metros de comprimento e quinze de amarra em torno da poita faz, com o movimento de marés e o vento, um raio de trinta metros, consumindo uma área de 2800 metros quadrados de mar e não utilizando nenhum serviço, não proporcionando nenhum emprego. Num atracadouro flutuante o *Paratii* ocuparia 35 vezes menos: oitenta metros quadrados. E mais: sem ferir o leito do mar, geraria serviços, emprego e bem-estar. Era necessário parar com o hábito criminoso, erradamente estimulado por leis ambientais, de prender barcos em poitas, em círculos de desperdício de espaço público, com correntes arrastando embaixo e eternamente erodindo o fundo.

O acidente do bote laranja foi uma espécie de centelha para as ideias que até então, meio acomodadamente, eu guardava. Não havia como esquecer. A cada saída do bote laranja, em cada manobra de encostar num trapiche e amarrar o cabo eu tocava no fatídico cunho de alumínio fundido e pensava na ferida que ele causara, na dor da Marina, na sorte de nenhum órgão ter sido afetado. Resolvi dar um fim definitivo ao negócio de criar vacas e tratei de começar a obra com a qual sonhara por tanto tempo. Não seria a do barco propriamente, mas a obra de um estaleiro onde pudesse aprender mais sobre barcos, onde pudesse fazer e desfazer soluções até que ficassem perfeitas. Construir uma maternidade de barcos onde recursos e ideias pudessem ser compartilhados. Muito simples o plano. E ousado, para alguém que não tinha um só risco sobre papel do futuro barco. Os papéis e desenhos não tardariam a aparecer, mas os papéis e projetos de um porto ideal eu tinha. Faltava apenas o lugar em Paraty. Mal plantei os coqueiros que vieram a bordo do enganchador de moças — como o apelidou a sua única vítima —, o lugar que eu namorava para restaurar como porto apareceu. A fazenda do engenho da Boa Vista, que no passado fora alambique e porto. Havia um gigantesco trabalho de restauro de muros e casario a ser feito, mas era uma oportunidade que eu não teria uma segunda vez. Comecei meu barco pelo porto que um dia lhe daria abrigo. Literalmente quebrando pedras e erguendo velhos muros.

4

O PLANO DE LINHAS

No papel parecia imenso. Talvez fosse mesmo, mas terminadas as semanas de contas e cálculos deu para perceber que a estratégia estava certa. Seria em alumínio, um material que resiste a feridas melhor que outros. Sem maquiagem ou tinturas. Eu não queria simplesmente um barco grande. Queria o menor barco em que pudéssemos eliminar o uso de lastros inertes e inúteis como chumbo. A proposição do problema era simples, a resposta complexa. A *forma* como solução para a estabilidade era uma saída, e nesse caso um catamarã, em vez de um monocasco, resolveria o problema. Mas não havia relatos de catamarãs em regiões polares, e no caso de outra invernagem, a menos que o barco saísse da água, seria um desastre engavetar gelos entre os cascos. A outra saída era o tamanho. Grandes navios não têm lastro fixo ou não dependem tanto dele para navegar. O dilema era quanto apostar em estabilidade de forma, quanto em tamanho. Havia também a saída pelo movimento, em que a estabilidade é dinâmica, depende da velocidade, mas engenheiros navais não gostam dessa solução. Aviões e bicicletas funcionam assim. A canoinha *Max* também: parada, não tem cristo que se equilibre em cima; andando rápido, torna-se estável. Mas o exemplo não convenceu nenhum especialista em hidrodinâmica.

As características que aprendi a observar nas canoinhas de Paraty subitamente faziam sentido num casco ultramoderno, que talvez passasse das cem toneladas. Canoas, em geral, são feitas para serem puxadas e têm ainda outra característica, que especialistas navais nunca consideram: estabilidade no seco. Eu queria um barco de grande autonomia, mas que pudesse ser puxado numa estiva ou encalhado numa praia — como uma canoa ou jangada —, e que ficasse apoiado com uma certa dignidade, em pé, quando no seco. Para isso, em vez de uma quilha ou um quilhote central que o faria tombar de lado, como acontece com a maioria dos veleiros no seco, poderíamos dar-lhe apoios, dois, como trilhos, que manteriam o casco equilibrado. Embora dotados de apenas uma quilha rasa, saveiros baianos e cúteres maranhenses têm essa propriedade de fazer embarques e desembarques sem depender de portos, apenas encalhados na maré baixa. O barco torna-se o próprio porto.

Acabei optando por uma solução casada entre forma e tamanho. Quando descobríssemos o tamanho em que um veleiro poderia dispensar por completo o lastro, sua capacidade de carga aumentaria brutalmente. Teríamos então um pequeno navio a vela, ou um grande veleiro de carga, e como essa carga poderia ser transformada em autonomia, as viagens longas em lugares remotos adquiririam uma nova dimensão. Por outro lado, um barco sem lastro poderia usar uma bolina leve e retrátil, e assim navegar em águas rasas que os veleiros normais não podem frequentar por conta de suas pesadas quilhas de metal fundido. Mais que tudo, um barco assim poderia encalhar por acidente, o que não é raro em regiões não cartografadas da península, ou de propósito, pelo simples prazer de descer a pé numa praia remota ou desembarcar no seco uma tia atrapalhada. A verdade é que pensar nos problemas de um veleiro sem estar aprisionado pelas regras clássicas de estilo era uma delícia.

As investigações em outros tipos de objetos flutuantes, boias móveis, lâmpadas incandescentes, balsas, lixo à deriva nas ondas do mar ou pedaços de plástico estagnados nos rios fétidos de São Paulo tornaram-se uma obsessão que passei a cultivar com certo prazer. Tudo que se deslocasse sobre a água me interessava. Era complicado explicar interesses tão retrógrados e às vezes malcheirosos. Num passado ainda próximo, quando eu era cem por cento inexperiente em barcos e no modo de fazê-los navegar, meu interesse quase acadêmico por veleiros normais foi frutífero, fazendo-me andar um bocado de milhas. Dessa vez eu sabia que era necessário pensar de um jeito diferente.

Durante a minha incursão como tripulante do *Rapa-Nui*, ao deixar Ushuaia rumo ao Brasil tive uma demonstração interessante sobre a versatilidade de cascos e quilhas. Saindo do canal de Beagle, entramos numa pequena angra, a baía Téthis, outrora entreposto de peles de foca. O Oleg, do *Kotick*, conhecia o lugar e mostrou o caminho. A variação de marés no interior da baía passa de três metros. Assim que ancoramos, a maré começou a descer. Os dois barcos ficaram no seco. O *Kotick*, com quilha e leme retráteis e fundo chato, parou em pé. O *Rapa-Nui*, detentor de um quilhote fixo, central, ficou de lado, inclinado. Foi quase impossível dormir num ambiente a 45 graus de inclinação. Havia ainda o risco de, na maré seguinte, o tombo se dar para o lado mais baixo da baía, e nesse caso a água cobriria o convés e bastaria uma gaiuta mal fechada para que o barco afundasse. Era óbvia a vantagem da quilha retrátil do *Kotick*. O problema era que todo o chumbo necessário à estabilidade estava nela, uma dúzia de toneladas, para cima e para baixo, consumindo cabos de içamento, guinchos pesados, roldanas, um transtorno permanente. Na época do *Paratii* preferi não optar pela hipótese de encalhe no projeto, que àquela altura já sofrera tantas mudanças, mas agora era diferente. Num casco muito maior, a ideia de abolir quilhas de chumbo e adotar uma bolina leve para evitar a deriva lateral com ventos contrários era tentadora. Restava desenhar um sistema confiável de leme que também pudesse ser recolhido, e teríamos então uma máquina

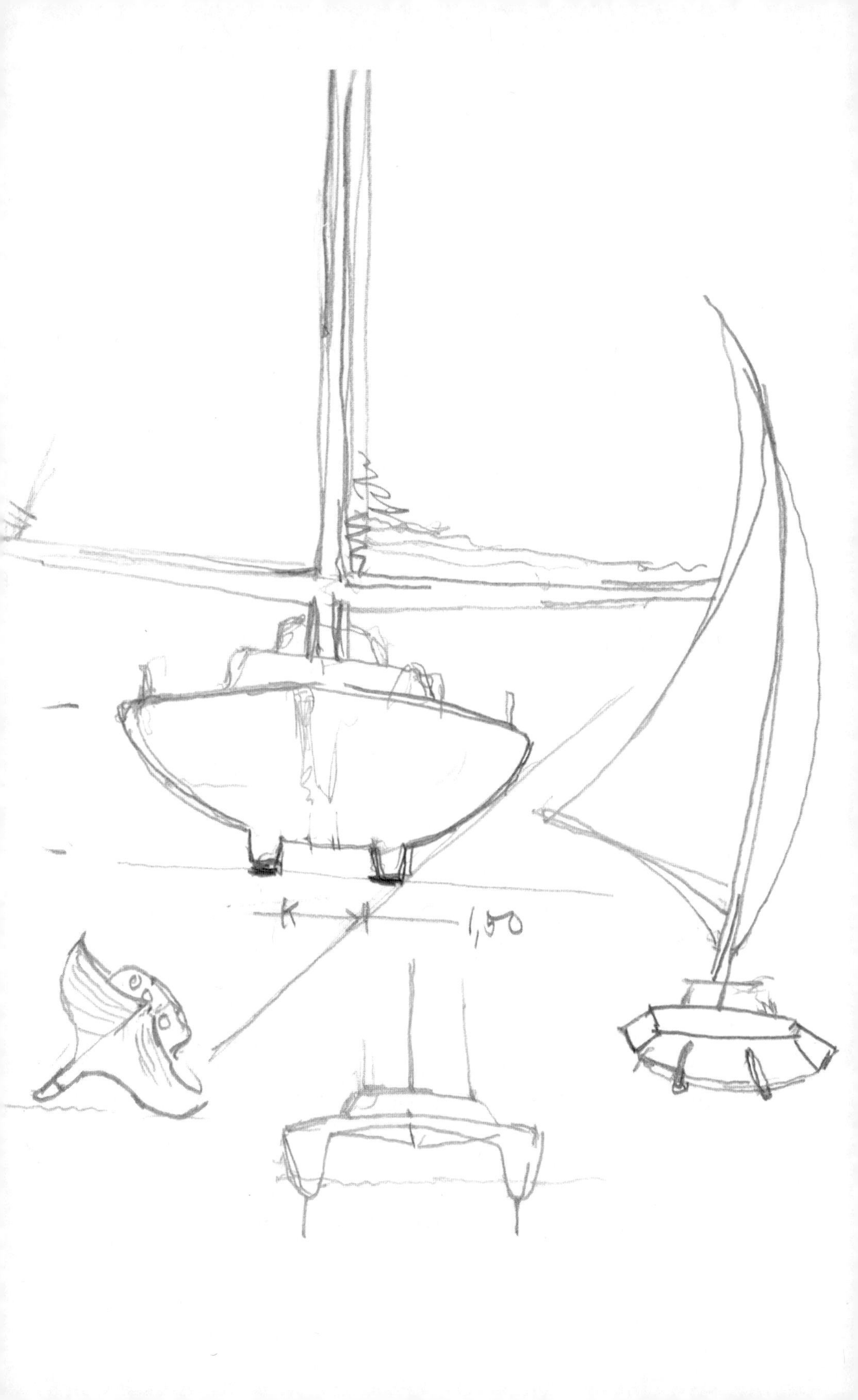
1,50

de viajar quase nórdica, rápida como um *drakkar* e cargueira como um *knorr*.

Todas essas considerações sobre as qualidades marinheiras do futuro barco foram sendo introduzidas de maneira mais ou menos livre no anteprojeto que o Thierry, um experiente construtor de barcos incomuns, preparava. Algumas ideias eram absurdas, outras primitivas, mas nenhum de nós se importou muito. A única preocupação séria era que as soluções fossem confiáveis e de simples execução. Ao menos nessa fase, quando existe a plena liberdade de pensar e desenhar, eu não queria seguir o senso comum dos barcos que já conhecia. Havíamos decidido que o projeto definitivo do casco e do plano vélico deveria ser encomendado na França, com algum projetista que já tivesse experiência em desenhos não convencionais. E o barco menos convencional de que eu já ouvira falar tinha saído do escritório naval da dupla Bouvet & Petit, de Vallauris, cidadezinha de ceramistas onde nem há mar... O barco se chama *Antarctica* e é um monstro de alumínio sem pintura nem frescuras, projetado para viagens polares.

Fizemos uma lista de escritórios e projetistas a serem consultados, juntei minhas economias e fui com o Thierry para a França. Os primeiros da lista foram os projetistas do *Antarctica*. Do minúsculo ateliê, numa rua tão estreita que nem carro ou carroça passam, saíram projetos surpreendentes. O recordista por dez anos da volta ao mundo em solitário — e sem escalas —, o *Ecureuil d'Acquitaine*, pilotado por Titouan Lamazou, foi desenhado pela dupla. Também o gigante de composite *Tag-Heuer* e barcos-escola de baixo custo. O último foi o imponente casco cinzento do *Antarctica*. Os franceses da rua estreita, quando souberam de nossa intenção de fazer, no Brasil, num estaleiro a ser ainda construído, uma espécie de utilitário polar de alumínio a vela, foram tomados de um certo entusiasmo destrutivo que quase me assustou. Conceitualmente, o barco francês *Antarctica* era muito semelhante ao que eu pretendia fazer aqui, porém fora construído em menos de onze meses.

Durante nossa conversa no ateliê da rua estreita, o Olivier Petit, quase em tom de gozação, desfiou uma lista impressionante de erros e barbaridades de projeto que eles haviam cometido, e de soluções complicadas que não deram certo. Adorei ouvir aquilo. O Thierry achou que eles eram loucos. Senti confiança na atitude autocrítica, quase humilde. Sabiam ter feito um projeto único e ousado, mas sabiam reconhecer os erros. Grande parte dos problemas do *Antarctica* foi causada pela pressa. Havia um cronograma exíguo, um orçamento milionário e pouco tempo para pensar. "Bem, esse não é o nosso caso", pensei. "Temos um cronograma vasto, um orçamento inexistente e todo o tempo do mundo para pensar." Fechamos negócio. Eles trabalhariam no risco os seis primeiros meses, até eu conseguir recursos para pagar o projeto. O detalhamento e a parte estrutural seriam feitos por nós, no Brasil. Comemoramos com duas rodadas de Ricard esverdeado, no boteco da pracinha, bem ao lado da escultura do homem e do carneiro, do sr. Picasso, o ilustre morador de Vallauris. Era inverno e fazia frio. Eu acabara de assumir mais uma dívida, só que dessa vez não senti frio na barriga. Pus o *Rapa-Nui* à venda, a casa velha em São Paulo também. Paciência. Em algum momento alguma criatura interessada em escunas azuis ou casas velhas teria que aparecer. Tinha a certeza de ter dado um passo importante. A completa ausência de estrelismos e vaidades, comuns entre grandes projetistas, e a concordância em trabalhar cooperadamente me agradaram muito.

Em algumas semanas chegaram os primeiros esboços. Por coincidência, o barco ganhou as dimensões clássicas de um *drakkar*, o barco de assalto dos vikings, também conhecido como Longship, ou navio dragão: 28 metros de comprimento, 8,5 metros de largura. O *Antarctica* levava ainda algum chumbo de lastro, cinco ou seis toneladas. Optamos por eliminar. Nosso lastro seria formado por carga útil e dispensável, ou seja, dele não dependeria a estabilidade final do casco. Trinta toneladas de combustível ou suprimentos, 28 de carga, quase o próprio peso nas costas... A ideia do pequeno cargueiro em lugar de um mero grande veleiro, simples e leve como canoa, forte como rebocador, com autonomia para anos inteiros longe de casa, tomou forma, ganhou desenhos e cálculos, e — ainda que fosse apenas no papel, ou melhor, no monitor — tornou-se real.

5

A PROFECIA DO GREGO

Encerramento da copa de 94, a dos Estados Unidos, domingo em Paraty. Finalmente estava inaugurando o atracadouro do *Paratii*, na ilha das Bexigas, próximo ao galpão onde agora repousavam decentemente a *Rosa* e as canoas menores. Apesar do meu desinteresse completo por assuntos futebolísticos, era uma final. Eu queria de qualquer jeito assistir o último jogo no cais recém-terminado, bem na ponta, sobre o mar. Na ilha não tem luz elétrica, e por isso a Marina teve a ideia de ligar o geradorzinho do barco, encostado de popa no cais, e puxar uma extensão. O aparelho de TV, emprestado pelo Luiz, na cidade, ficou no meio do cais, apoiado sobre um toco de peroba, resto da obra, no piso mesmo. A maré subiu tanto que encostava nas pranchas e fazia um ruído engraçado de água espremida por entre as tábuas. Sol de inverno, cristalino, mar quieto, como se também quisesse assistir, estávamos sentados no chão de tábuas com um divertido casal do Paraná. Um pouco adiante, numa das poitas que o Hermann havia fabricado, o *Rapa-Nui*. A cidade ao fundo, a uma milha apenas, na calma de um domingo futebolístico histórico.

Depois do memorável encontro antártico de dois barcos cúmplices, em Dorian, dos anos e agruras passados para que os juntássemos, bordo com bordo, sob o som — e o cheiro — dos gentoos, vê-los ali, prosaicamente próximos, como se nunca tivessem deixado as águas calmas de Paraty, era um espetáculo especial, difícil de explicar para quem não o testemunhou. A Marina, que acabaria conhecendo os pinguins de Dorian, sabia que aqueles eram os últimos dias dos dois barcos juntos. Eu precisava urgentemente vender o *Rapa-Nui* para poder iniciar os trabalhos do estaleiro em Itapevi, contratar as primeiras pessoas. Havia a combinação com o Thierry: eu deveria assumir as obras de alvenaria do estaleiro e as fundações enquanto ele fazia os desenhos preliminares. E havia o compromisso firmado com o escritório naval na França, o projeto definitivo. Pelo menos eu não começaria do nada absoluto. Tínhamos o *Rapa-Nui*, um belo e testado barco que, na pior das hipóteses, pagaria uma parte dos desenhos e um início de estaleiro.

Não era por acaso que os amigos do Paraná, Gregório e Shirley, estavam assistindo ao jogo sentados no piso de um cais de madeira. Eles namoravam ardentemente o *Rapa*, desde o tempo em que o barco andava com o Patrick, entre Rio e Bahia. Queriam fazer uma proposta agrícola de compra futura, própria de quem conhece os ofícios de plantar soja ou feijão. Se a safra for boa, se o preço da saca não cair...

Procurando pela extensão elétrica no porão do *Paratii*, encontrei algumas garrafas de tinto, sobreviventes do inverno no Sul. Abrimos uma, era um dia especial. O vinho ainda estava bom. Abrimos outra antes do jogo. Surgiram os inescapáveis assuntos das safras, de campanha à Presidência, de casamento... e, por fim, da aposta que eu, que abomino apostas, havia feito dias antes. O Brasil jogava tão mal no início da Copa que, por provocação, eu dissera para a Marina: se esse timinho de convencidos aí ganhar alguma Copa, eu juro que me caso com você!

O Gregório, ou Grego, já um pouco alegre, com um gesto levemente desequilibrado, levantou-se, ergueu o copo de vinho e disse, num tom profético:

— Amyr, vou te dizer o seguinte: o Brasil vai ser campeão, você vai se casar com a Marina, o sr. Cardoso será o presidente, a safra de soja do Paraná será um sucesso, e esse *Rapa-Nui* será meu!!

Quase na mesma ordem, porque eu demorei um pouco para cumprir a minha parte da previsão, foi exatamente o que aconteceu.

A venda do barco azul para o Grego de certo modo foi o verdadeiro início do meu pequeno navio. Pensei em me desfazer do *Paratii* também e acalmar um pouco as contas, agora bem pesadas, de um projeto de cem toneladas, cinco vezes maior que o do *Paratii*, mas acabei decidindo seguir o conselho do Hélio Setti no dia em que conheceu o *Paratii*:

— Separe-se de tudo na vida, meu amigo, menos do seu barco.

Falávamos sobre valores marinheiros na minha última noite em São Paulo, antes de embarcar para uma ausência de 22 meses. Ele me entregou uma carta para abrir no mar e uma pequena escultura das ilhas Solomon, um Noosa-noosa, trazido da sua circunavegação no *Vagabundo*. Não era para dar sorte, era só para poder cobrar a sua integral devolução no meu retorno.

Vinte e dois meses e duas semanas depois encontrei o Hélio, igual e divertido como sempre. Combinamos buscar a estatueta ainda amarrada na coluna de boreste do salão do *Paratii*. No dia seguinte, bebendo cerveja e dando gargalhadas com os amigos, o Hélio teve um aneurisma fulminante. Foi-se do jeito que viveu, alegre, contando histórias do mar, cercado de amigos. Foi um dos poucos que praticaram de fato essa estranha noção de valores dos verdadeiros navegadores. Não teria o mínimo remorso de abrir a machadadas o barco da sua vida, seu único patrimônio, para evitar um acidente ou salvar um gato preso. Ao mesmo tempo, por dinheiro nenhum aceitaria se desfazer dele, mesmo que necessitasse desesperadamente.

Incontáveis os casos que conhecíamos de naufrágios em que homens ou famílias perderam todos os bens que possuíam por culpa de um retentor ou de um mínimo vazamento da descarga — e logo em seguida, das cinzas e destroços, conseguiram reconstruir a vida e voltar ao mar. Uma das histórias preferidas do Hélio, e que ele tinha planos de reeditar, era a do *Liberdade*. Em 1887, época do declínio dos gigantes e velozes clippers e da ascensão da fumacenta e morosa navegação a motor, Joshua Slocum, um dos últimos grandes capitães de vela, naufragou na entrada de Paranaguá, perdendo seu navio, o *Aquidneck*. Sem tripulação, sem recursos, com a ajuda da esposa Henriette e dos dois filhos, construiu com os destroços um casco a vela de 35 pés e voltou para Washington depois de uma extraordinária travessia de 5 mil milhas. O nome do seu barco foi uma homenagem à proclamação da abolição. Dez anos depois, em Newport, Slocum entraria para a história ao completar a primeira circunavegação em solitário da Terra, no pequeno *Spray*, um *sloop* de 37 pés que ele reconstruíra três anos antes. Continuou fazendo travessias em solitário anualmente, até desaparecer, em 1909, aos 65 anos, numa viagem à América do Sul. É o patrono de todos os navegadores solitários e circunavegadores do mundo.

Não senti um único fio de remorso ao transformar o *Rapa-Nui* em desenhos e tijolos de um estaleiro. Era um projeto pelo qual fui apaixonado e com o qual aprendi muito, mas não era o barco da minha vida. Com o *Paratii* era diferente. Talvez eu nem tivesse me encantado tanto no início, mas depois de todas as aventuras do seu projeto e de uma década de convivência intensa, sabia que da alma do seu casco vermelho nada, nem mesmo um aneurisma, me separaria.

De um lado de uma Brasília creme em avançado estado de decomposição, o Paulinho, com seus cento e poucos quilos, desembarcava pixotes, ponteiras, alavancas, macetas e a "sexta-

-feira", uma poderosa marreta de seis quilos de cabo longo. Do outro lado saía o seu esquálido ajudante com a bolsa de pólvora. O mesmo processo de trabalho em pedra que por anos usei em Paraty para refazer os muros de contenção no engenho da Boa Vista servia agora, em Itapevi, para o desmanche das pedras embaixo do futuro galpão. Todos os dias cortando à mão as pedras soltas, e, quando fosse o caso, dando um "fogo" em uma que estivesse presa ou muito enterrada. Terraplenagem difícil, a do lugar que o Thierry escolhera para fazer o galpão, mas lentamente a obra avançava.

O estaleiro era um sonho comum. Poderíamos muito bem alugar um espaço ou contratar a caldeiraria com terceiros se estivéssemos fazendo um projeto normal, se houvesse recursos, se não se tratasse de uma obra complexa. Não era o caso. O processo escolhido para a construção — em alumínio e com as costelas dobradas a frio — não era convencional. A obra seguramente levaria anos, passaria por interrupções e modificações que nenhum estaleiro normal aceitaria. Trabalhar num lugar próprio, de baixo custo de instalação, onde pudéssemos abrir crateras no piso para instalar lemes e bolinas, fazer e refazer as tarefas até a perfeição, seria muito mais econômico e seguro no longo prazo. Os desenhistas franceses haviam proposto um método construtivo que me pareceu interessante e que resolvi considerar, já que nem uma chapa de metal havia ainda, nem máquinas para soldar alumínio. Em vez de cortar chapas de alumínio para fazer as cavernas — ou costelas — do casco, uma a cada cinquenta centímetros, eles sugeriram o uso de perfis extrudados, como longos *tagliatellis*, que seriam dobrados a frio diretamente sobre os desenhos das cavernas. Processo novo e pouco conhecido em construção naval, no Brasil era novidade completa. No nosso caso, já que de qualquer maneira teríamos que formar mão de obra, permitiria considerável economia de soldas, traria maior precisão e melhor acabamento à estrutura. Curiosamente, esse método de construção lembrava o dos antigos barcos de madeira, em que as cavernas eram dobradas no vapor.

Por outro lado, existia o problema de escala. Não apenas para a encomenda do alumínio, mas para o processamento e a soldagem. Quanto mais conseguíssemos padronizar processos e materiais, mais viável se tornaria a operação toda. Precisávamos de volume de trabalho. E uma vez ainda o *Rapa-Nui*, embora já vendido, traria uma contribuição importante. Antes que o Grego confirmasse a compra, surgiram três interessados no barco: um comandante da TAM, o Ary; um jovem de Londrina, Luís Alberto; e um piloto amador que fabricava parafusos, Julio Fiadi. Nenhum fechou negócio, mas depois de seguidas inspeções e conversas animadas a bordo do barco azul, os dois primeiros tornaram-se os primeiros clientes do planejado estaleiro. Decidiram construir seus barcos no galpão nascente, passo a passo, e ainda por cima concordaram em usar o método de dobragem a frio que decidi aplicar no *Paratii 2*. O terceiro, o Julio, viraria fornecedor, um amigo especial e, finalmente, tripulante. O Thierry ganhou dois projetos para executar — o *Hozhoni 51* e o *Londrina 41* —, e antes que chegássemos ao teto da capacidade do estaleiro, um terceiro, maior, com dezoito metros. Com 120 toneladas de alumínio para ser processado e soldado, a operação tornava-se viável.

Quase oito anos depois da famosa reunião na Alcan para cancelar o primeiro pedido de chapas do *Paratii*, no mesmo endereço da avenida Paulista 1106, no mesmo andar, fui recebido do mesmo modo direto e franco.

— De quantas toneladas você precisa desta vez?

— Bem... sessenta — respondi, sem graça.

— E os outros barcos?

— Sessenta, também.

Eles concordaram em estender o acordo anterior e se prontificaram a laminar todas as chapas. Barcos em alumínio já não eram tão raros. Só havia um problema: eles não tinham as ferramentas, espécie de molde, para esmagar os perfis extrudados. Tudo o que eu tinha eram os desenhos das seções, fornecidos pelos projetistas na França, e a especificação de ligas. A Alcan concordou então em também desenvolver as ferramentas e fabricar os perfis do novo processo. E havia ainda os arames de solda especiais. E, não completamente incomodados com a avalanche de dúvidas que eu ia despejando, ajudaram a organizar na fábrica, e mais tarde no próprio estaleiro, os cursos e o treinamento de soldadores.

O apoio silencioso da Alcan ao projeto e o empenho muitas vezes anônimo de funcionários que se desdobravam para solucionar os problemas que surgiam significaram muito mais do que o valor dos materiais. Foi no fundo um voto de confiança de poder incalculável, que nos levou a encontrar poucos mas fiéis colaboradores. A Aços Villares, que tanto empenho dedicara ao projeto do *Paratii*, ofereceu os salvados do desmanche de sua unidade em São Bernardo do Campo. Recolhemos cinco carretas de sucata, numa espécie de corrida contra o tempo, entre máquinas de demolição e paredes caindo, para que a área da fábrica fosse entregue limpa e pudesse dar lugar a um hipermercado francês. Cenário fantasmagórico de destruição, nuvens espessas de poeira branca da alvenaria desabando, centenas de sucateiros arrancando tudo que fosse metal. Triste, também. A Villares era uma fábrica de fábricas, referência no Brasil no setor de infraestrutura, de lá saíram monumentais motores de navio, geradores, locomotivas. De todo modo, a sucata que conseguimos salvar transformou-se em estrutura, cobertura e fechamento do galpão-estaleiro. As máquinas velhas da unidade de pontes rolantes foram recuperadas ou trocadas por equipamentos menores. Vigas antigas de aço, laminadas, de várias bitolas, tornaram-se bancadas, monovias, suportes, gabaritos, prateleiras. Uma antiga calandra foi reformada, ampliada e ganhou uma oliva "louca" no rolo superior para poder fazer curvas complexas em chapas planas. O "torno do Lula", que ganhou esse nome em alusão ao dedo supostamente amputado do ilustre sindicalista que trabalhou naquela unidade, foi uma das últimas coisas a seguir para Itapevi. O primeiro carregamento de chapas chegou num caminhão Mercedes 1111 que não conseguiu passar pela ladeira de terra para chegar até o estaleiro. Foi rebocado por uma Patrol amarela da Prefeitura, que prometeu alargar e pavimentar a estrada se conseguíssemos o asfalto. Conseguimos no Rio Grande do Sul, com a Ipiranga Asfaltos.

As primeiras máquinas de solda foram emprestadas pela Esab, e nelas foram treinados os primeiros soldadores. A White Martins forneceu os gases e depois a linha eletrônica de equipamentos de corte e solda, que exigiu mais treinamento de regulagens e operação.

Tecnicamente falando, o termo "estaleiro" não é glamoroso como parece. Não se refere ao prédio onde são feitos navios, mas ao plano ou piso onde são fixadas e referenciadas as cavernas de um casco. Esse piso deve ser rigorosamente plano e estável, sob o risco de dele nascer um barco torto. Em vez de construir um piso resistente para cascos de sessenta toneladas, o que custaria uma fortuna, fizemos uma paliçada de vigas de madeira cravadas no chão de meio em meio metro, coincidindo com as futuras cavernas. O bate-estacas era movido no início do dia por uma corda puxada por mãos nuas. No fim do expediente, por braços suados e mãos cheias de bolhas. As vigas foram interligadas por travessas aparafusadas transversalmente, criando uma superfície descontínua a sessenta centímetros do chão, mas impecavelmente plana. O Ramiro e sua fiel vira-lata de guarda, a Xuxa, tornaram-se os primeiros funcionários do curioso empreendimento. Transeuntes que se dirigiam ao fórum de Itapevi, vizinho de parede, frequentemente ficavam intrigados com o contrassenso de fazer objetos flutuantes tão grandes àquela distância do mar.

— O dilúvio, o dilúvio virá! — era a nossa resposta.

Quase veio um dilúvio verdadeiro quando fomos dobrar os primeiros perfis extrudados. A concordância da Alcan em extrudar a família de perfis foi decisiva. Economizaríamos quatro cortes, duas aparas e dois cordões de solda ao longo de todas as cavernas, quilômetros de soldas e cortes a menos. E além do tempo ganho teríamos cavernas sem deformações e com cantos arredondados e absolutamente regulares. Um acabamento perfeito, estruturas mais leves e mais resistentes. O projeto dos perfis eu trouxe na minha sacola da Mag-France, uma empresa especialista em pontões de alumínio extrudado e construções navais, indicada pelos projetistas do barco. Os franceses nada haviam cobrado por esse projeto. Quando chegou o primeiro carregamento de perfis em Itapevi começaram os testes de dobragem. Para espanto geral, nossa dobradeira de sessenta toneladas não dobrou perfil nenhum. A primeira pergunta que me fizeram foi: Quem inventou essa idiotice de dobrar cavernas a frio? Se entrar em pânico resolvesse, eu começaria a puxar tufos de cabelos na mesma hora. Liguei para o Olivier, depois para a Mag. O problema era muito simples: nós deveríamos comprar uma calandra especial para aqueles perfis. Eles tinham. Para pronta entrega e financiamento imediato. Uma pequena fortuna e meses de burocracia. Paramos tudo em Itapevi. Todos se puseram a pensar. Calandras ou dobradeiras rotativas francesas eu não importaria nem por cima nem por baixo do meu cadáver. Em menos de duas semanas nasceu uma dobradeira de perfis caseira que funciona até hoje. Por aproximadamente um 250 avos do preço da máquina francesa.

Apesar dos avanços, a empreitada na qual me lançava não resistiria ao mais otimista plano de viabilidade econômica que algum afortunado economista pudesse propor. A retrógrada legislação trabalhista do Brasil não permitiria que trabalhássemos numa escala menor. A legislação tributária, também retrógrada, inviabilizava a construção em escala comercial. E por último, se fosse para exercitar bom senso e prudência econômica, o correto seria fazer uma poupança, tricotar em casa ou apodrecer ordenhando as vacas que me restavam em Paraty.

Optei por correr o risco e insistir no plano do estaleiro, claramente consciente do tamanho dos problemas e do volume de compromissos. Desde a primeira visita aos franceses de Vallauris, meu objetivo ficou claro. Eu não pretendia, em nenhuma hipótese, repetir erros anteriores que tive o privilégio de estudar. Não podia me dar esse luxo. A principal razão de começar o projeto de modo tão trabalhoso era uma só: fazer um trabalho sem erros, sem concessões de qualidade. Corrigir quando fosse necessário. Voltar atrás se fosse o caso. Formar mão de obra especializada, projetar e criar as soluções ou equipamentos que não encontrasse prontos. Coisas que num estaleiro convencional, de terceiros e sob contrato, eu jamais poderia fazer. A não fazer rigorosamente bem-feito, eu preferia não fazer barco nenhum. Às chapas e perfis empilhados dentro do galpão, que por causa da cor das telhas recuperadas ganhou a cor verde, faltava acrescentar umas 100 mil horas-homem de trabalho para que se transformassem em casco. E, sobre o casco, montanhas de peças, sistemas, soluções, promissórias, suor. Imaginar os vultos metálicos que deveriam brotar desse caos deslizando no fino gelo do Sul ou nas mais escabrosas pancadarias do Drake soava como um cálido e distante sonho. Quando eu saía do prédio verde, surdo, às vezes, com o barulho de fritura dos bicos de solda e as pancadas estremecedoras do sr. Ivo calandrando chapas na marreta, sabia que dentro daquele galpão não havia lugar para devaneios. O mar de verdade não era o dos vagalhões de espuma do Sul, mas o das tarefas e obrigações dentro do galpão. Tupias e marteletes gritando sobre as chapas, aparas voando, retalhos de sucata caindo, e os arcos de luz azul dos cordões de solda fazendo os olhos arder. Um bocado de gente aprendendo, trabalhando, corrigindo.

Quando a estridente sinfonia metálica cessava, no fim do expediente ou nos domingos de sol, eu podia ouvir o som das folhas dos eucaliptos que cercam o prédio e o fórum. Som de calmaria, de tempo estagnado, de nada para fazer. Um som que em Paraty, em outros tempos, eu adoraria ouvir. Agora, nunca.

6
MASTROS DE BAMBU

Estava deitado sobre o convés com a cabeça apoiada numa das gaiutas e as mãos por baixo da nuca fitando o céu estrelado de um sábado. A lua, escondida no nascente por trás da ilha, começou a aparecer. Conversávamos sobre estrelas. A Marina tinha acabado de fazer um curso no planetário de São Paulo e me desafiava com constelações que eu não sabia identificar. Não é raro que usuários de astronomia para orientação entendam pouco de estrelas e constelações. Em navegação astronômica trabalha-se sempre com estrelas selecionadas em tábuas e listas, cinquenta e poucas, apenas nos horários do crepúsculo, nos poucos minutos em que os astros mais brilhantes — e o horizonte — são visíveis simultaneamente. Sempre gostei mais de navegar pelo sol, e por essa razão minha cultura estelar é precária mesmo.

Continuei imóvel, olhando o céu cortado pelo mastro negro e seus doze apóstolos, como eu chamava os doze cabos de aço que sustentam o perfil. A luz prateada da lua subindo por cima do morro logo alcançou o tope do mastro, onde estão a biruta e um indicador de vento. Doze cabos, 24 terminais Norseman e Gibbs inox 316L, lindos de morrer. Em todos vão pinos e cupilhas. Quando levantamos o mastro pela primeira vez, no

Guarujá, montei cada um deles com a concentração de quem desarma uma mina. Uma operação delicada, que não quis delegar a ninguém. Penso sempre nelas, as benditas cupilhas. Uma única mísera cupilha fora do lugar faria partir um apóstolo, e o santo mastro desabaria. Contei para a Marina, tentando fugir do assunto das constelações, o drama que foi pôr as mãos no mastro depois de dezoito meses de atrasos burocráticos em Santos. E depois, já na baía Dorian, perfeitamente congelado e livre de preocupações com mastros ou cupilhas, o pânico que passei no dia em que um dos vendavais de inverno provocou ressonância no estaiamento e fez o barco tremer até eu pensar que todos os cabos, cupilhas e terminais fossem explodir. Só mais tarde descobri que essas pecinhas cheias de compromissos entre si têm obrigatoriamente que trabalhar sob tensão, e nunca folgadas, como eu, por ignorante prudência, as deixara.

Estávamos apoitados na baiazinha do poente, a oeste da ilha, próximos a um grande bambuzal. O vento começou a balançar os bambus, produzindo um som curioso e sonolento. Era um vento de terra, vindo da cidade, que rodou o barco e nos aproximou ainda mais dos bambus. Fiquei pensando, quase por brincadeira: será que não daria para fazer um mastro de bambu? Não encontrei uma resposta imediata, mas a questão era interessante. Algumas das touceiras eu plantara ainda garoto, com a ajuda do sr. Gaspar, que depois me ensinou a fazer as mudas. Aqueles que ouvíamos naquela noite, balançados pelo vento, eram da espécie *Bambusa vulgaris vittata*. Quando garoto eu não sabia, só os plantei por ingênuo nacionalismo, porque grandes e verde-amarelos, têm o nome popular de bambu-brasil. Na época eu desconhecia o extraordinário papel social e econômico dos bambus no mundo; simplesmente gostava da planta. Nem desconfiava que se tratava de uma gramínea. Na verdade, a espécie é asiática, não tem nada de brasileiro. Perto de onde estávamos, porém, um pouco ao norte dos pés verde-amarelos, há um exemplar, o único, de um bambu gigante do qual nunca consegui fazer mudas. A espécie, também exótica, *Dendrocalamus giganteus*, veio da China e tem o nome popular de bambu-balde.

Não tive êxito nas mudas, mas fiz um monte de outras coisas com as impressionantes varas. Bem ao lado dos coqueiros plantados após o acidente da Marina, acabara de construir um pequeno rancho, que ganhou o nome de Escritório. Foi feito de improviso, com toras do bambu-balde, piso de areia e cobertura de sapé. Ficou um lugar tão agradável, com vista para a cidade e a centímetros do mar, que nos fins de semana acabou sendo nosso lugar preferido.

Antes mesmo do primeiro verão, visitantes inesperados frequentaram o escritório. O casal Alain e Françoise, do veleiro suíço *Dahu*, que eu havia encontrado dois anos antes nas ilhas Féroe, ancorou um dia bem na frente do escritório. No frio luminoso das ilhas nórdicas, mostrando fotos e contando histórias de Paraty, eu nunca poderia imaginar que alguém seria capaz de fazer um desvio de rota tão espetacular, quase 10 mil milhas, só para visitar um distante brasileiro, vizinho de porto por algumas horas. De Paraty, Alain e Françoise pretendiam voltar pela costa brasileira e seguir via Panamá para as ilhas francofônicas do oceano Pacífico. Pois exatamente sobre a tosca mesa do escritório acabei por convencê-los a continuar para o Sul. Desvio por desvio, já que estavam ali, por que não seguir até a Patagônia? O Alain concordou que de fato valeria a pena conhecer os canais fueguinos e suas geleiras. Desconfiei que se tudo corresse bem até Ushuaia eles parariam no Micalvi, no lado chileno, encontrariam os outros veleiros, ouviriam suas histórias sobre o mundo dos gelos e da luz e acabariam caindo na tentação de ultrapassar a borda do Drake até a Antártica. Eu tinha, num caixote plástico no barco, todas as cartas náuticas da península Antártica. Fui buscar. Abri sobre a mesa. Eram as inglesas, do Almirantado, lindas.

— Levem! Nunca se sabe, talvez vocês precisem. E eu tão cedo não me livro de estaleiros e dilúvios...

Eles riam como se eu estivesse falando absurdos, rogando uma praga. Insisti até aceitarem. Um ano depois eles voltaram para devolver, sobre a mesma mesa da casinha de bambu, as minhas cartas, cheias de anotações antárticas, felizes da vida por terem realizado a viagem que nem em sonho imaginavam fazer. Desceram de fato até a Antártica e viveram a grande experiência da vida deles.

De bambu também, mas de outra espécie, fiz meu primeiro curral para ordenha de vacas. Pusemos feixes de varas finas amarradas onde normalmente se usariam esteios e mourões de madeira de lei. O mesmo curral, próximo a um farto bambuzal (e que, por essa razão, custou exatamente o trabalho de amolar a foice e o facão), para incredulidade de vizinhos e curiosos, serviu ainda, por bons anos, para o manejo de búfalas leiteiras da raça Murrah. A flexibilidade dos bambus continha melhor os brutamontes durante a lida do que a rigidez de esteios de candeia e tábuas de ipê.

A ideia de uma estrutura simples e resistente como o bambu para servir de mastro era tentadora. Sem cabos caros e pecinhas complicadas, mastros autoportantes não são ideias novas. Canoas, jangadas e outros barcos regionais usam há séculos, mas em veleiros eu não havia encontrado nada que inspirasse verdadeira confiança. De todos os setores do barco novo em Itapevi, o único que não me empolgava era o dos mastros. Apesar da minha inépcia para cálculo estrutural, de tanto estudar e usar o poste metálico plantado no *Paratii*, eu não teria dificuldade para desenhar a mastreação e o plano vélico de um barco maior. Conseguimos desenhar, para os mecanismos vitais do futuro casco, uma longa lista de ideias simples e impecáveis. Os mastros, no entanto, seguiam a velha receita que todos os barcos usam. Claro, com tecnologias novas e mirabolantes — como terminais de titânio, barras de monofilamento, têxteis compostos em vez de metais —, mas no fundo era o mesmo velho e complicado conceito de um punhado de cabos segurando um poste. Eu não parava de pensar na genialidade das jangadas cearenses de piúba, infelizmente já extintas. Duvido que um engenheiro da Nasa, usando os mesmos materiais, sem usar uma só peça de metal, lograsse construir um barco para orçar, como aquelas jangadas, até quarenta graus de contravento. Sem usar leme, que elas de fato não têm, ou metal, nem na âncora. Imensos mastros de pedaços de gororoba emendados com linha e mais resistentes que um moderno de fibra. Estranho mesmo esse mundo das modernidades tecnológicas, onde se emburrece tão rapidamente. Onde tão rapidamente se perde a sabedoria simples.

Um mastro de bambu seria mesmo uma maravilha... Em tantas ideias me perdi que não notei quando a Marina pegou no sono.

Antes que o sereno nos ensopasse por completo ou que um colmo de *Dendrocalamus* maduro desabasse sobre o convés, puxei-a pelos ombros e descemos para dormir.

7

AS PÁGINAS DOBRADAS

Navegação noturna pelo canal de Beagle entre a ilha Picton e Puerto Williams, no lado chileno. Pelo mesmo trecho, ida e volta, já havia navegado como aprendiz do *Rapa-Nui*. Oito anos, minha nossa, em que mais coisas aconteceram do que num século inteiro.

Naquele momento eu deveria estar a caminho de Vallauris, para um encontro de trabalho com os projetistas do novo *Paratii*. As obras em Itapevi seguiam em regime econômico, mas firme. Os franceses estavam adiantados nos desenhos, queriam mais definições, uma reunião e, claro, algum pagamento. Graças à proposta de fazermos o detalhamento da estrutura no estaleiro, acabaram cobrando muito menos do que o normal, e eu não tinha mais argumentos para adiar a viagem. Dias antes de eu seguir para a França, a Ana Maria, minha fiel colaboradora de tantos anos, recebera um convite marítimo desestabilizador da empresa chilena que operava o navio *Terra Australis* nos canais patagônicos, entre Magalhães e o cabo Horn. Ofereceram-nos seis lugares a bordo do navio, e, apesar de andar com as contas no último furo do cinto, aceitei. Fomos todos: a Ana, a Marina e nosso amigo Rodrigo. Não era o momento apropriado para cruzeiros marítimos de nenhuma espécie, mas a oportunidade de rever os canais e de talvez encontrar alguns dos veleiros voltando da Antártica era tentadora, e uma semana de atraso não mataria ninguém. Seria uma viagem de ócio explícito — e raro —, na companhia de um grupo divertido de amigos, num lugar que daria um trabalho danado para se visitar de outra forma.

O navio seguia pelos canais estreitos sem que tivéssemos a mínima responsabilidade com manobras, baixios, turnos ou sopros catabáticos. As comidas saíam prontas e impecáveis do restaurante, e ninguém precisava enfrentar a tortura de lavar louça. Logo depois do jantar, em pleno canal de Beagle, a Ana e alguns passageiros que estavam na proa procurando estrelas começaram a gritar. Queriam que eu saísse voando... Estavam vendo um objeto suspeito no céu... Acabei olhando também, com certo descaso de incredulidade, e de fato vi, por alguns segundos, um astro, ou disco, um pouco menor que a lua, em movimento. Logo depois desapareceu. O meu parecer de que poderia ser um piloto argentino ou americano, que simplesmente desligou as luzes na aproximação de Ushuaia, em vez de um marciano, não agradou nem um pouco. Voltei para a sala de proa e para a leitura de umas páginas que haviam se tornado alvo permanente de gozações por parte do Rodrigo.

Mesmo que fosse um disco voador de último modelo, naquele instante nada me causaria maior espanto do que o artigo que estava lendo. Achei numa revista francesa comprada logo antes de embarcar no *Terra Australis* uma reportagem sobre a patente inglesa de um mastro revolucionário em fibra de carbono. Umas oito páginas, que arranquei da revista e estava devorando pela trigésima vez. Na matéria também havia fotos e croquis. Para onde quer que andasse, eu levava, para reler, as páginas dobradas em quatro e enfiadas no bolso traseiro direito da calça. Difícil crer. Tudo o que eu sempre sonhei como mastro de um barco, numa solução quase escandalosa de tão simples... Autoportante, exatamente como um bambu gigante.

Em poucos dias eu estaria em Vallauris dando o aceite nas

plantas definitivas dos projetistas franceses. Se alguma mudança tivesse que ser feita, o momento era aquele. E, pior do que no caso de discos voadores, não havia como confirmar se o assunto da revista era real.

No dia seguinte atracamos no cais militar de Puerto Williams, lado chileno do Beagle. Tínhamos apenas um par de horas, e antes de correr para o museu Martín Gusinde ou de tocar com os dedos a proa do *Yelcho* — o barco que reuniu Shackleton aos seus homens na ilha Elefante —, saí arrastando a Marina na direção do *Micalvi*. O antigo cargueiro alemão de 850 toneladas, afundado nos anos 60 na baía interior de Puerto Williams para ser transformado numa espécie de clube náutico, se tornou parada clássica de praticamente todos os veleiros que descem ou retornam da península Antártica. Poucos lugares no mundo propagam fofocas sobre barcos viajantes com maior eficiência. À distância, contra a moldura dos Dientes de Navarino nevados, vimos mastros conhecidos. Talvez o Oleg e a Sophie estivessem atracados junto ao velho casco. Nem bem pisamos no convés do *Micalvi*, encontramos o Alain Caradec, outro personagem folclórico dessas latitudes. O barco era mesmo o *Kotick*, mas o primeiro, que o Oleg vendera para o Alain. Também um Damien de quinze metros, calejado e bem conservado. O antigo barco do Alain, outro *Damien* de aço, o *Basile*, conheci nesse exato lugar, anos antes, voltando da Antártica a bordo do *Rapa-Nui*, durante uma operação gastronômica em que consumimos uns trinta quilos de *centollas* frescas e uma caixa e meia de Pouilly Fuissée... e que não me lembro bem como terminou.

Em segundos estávamos no salão aconchegante e cheio de gente de um cúter francês, enchendo copos de tinto chileno, trocando nomes de sujeitos e veleiros, pedaços de histórias, resumindo décadas inteiras em segundos. A Marina, que não fala francês nessa velocidade, deve ter ficado tonta antes do primeiro gole de Gato Negro, o vinho oficial dos franceses. Ninguém tinha visto o *Paratii*, e, meio envergonhado, acabei confessando que estávamos num navio de passageiros atracado no porto.

— Bahh!! que vergonha! — exclamou um dos franceses.

— Que fazer? — respondi espalmando as mãos. Mas o francês tinha razão. Nesse meio, o dos barcos que navegam fora das rotas comuns, os cascos por fora andam maltrapilhos, enferrujados, amassados. Por dentro são bem equipados, confortáveis e aquecidos. Andam entupidos de livros, histórias, objetos curiosos, às vezes crianças. Há problemas de todo tipo, e com frequência risco, mas em todos vive-se intensamente.

Nas precárias instalações ao redor do simpático *Micalvi*, barcos lendários cruzam amarras com viajantes anônimos. Nenhum de seus tripulantes se mostra por isso especial. O tamanho de seus cascos ou façanhas mede-se menos por pés ou milhas navegadas e mais, muitas vezes mais, pela alma dos que vão dentro. Não sei traduzir com justiça o significado desses encontros imprevistos e barulhentos entre navegadores que se conhecem há anos, ou minutos. Ao nosso lado, apoiando o traseiro no fogão do Alain, estava o Loick Peyron, talvez o maior detentor de vitórias em regatas em solitário do planeta. Experiente dobrador do cabo Horn, só que sempre em competição, estava ali, paraquedista, como nós. Viera de avião apenas para visitar os canais, de carona com seus compatriotas locais. Lembrou-se da visita que recebi, no final da invernagem do *Paratii*, do seu irmão Stéphane, que estava a bordo desse mesmo barco do Alain, tentando filmar manobras de prancha a vela para um comercial ou qualquer coisa sem graça do gênero. E do susto, logo em seguida, quando o *Kotick*, surpreendido por uma pancadaria ao sul de Deception, capotou de frente e quase matou seus ocupantes e respectivas pranchas antes do tempo. O estaiamento resistiu, e os mastros não foram perdidos. Olhei para o teto do salão procurando marcas da capotagem. Fora as cicatrizes do dia a dia de um barco bem vivido e a fuligem do aquecedor diesel — o mesmo Reflex que tenho no *Paratii* —, não havia nada que denunciasse o acidente. O assunto dos mastros, especialmente ao sul dos cinquenta graus de latitude, é perturbador. Todos ali tinham histórias de algum mastro perdido, arrancado ou partido. Sempre por razões insignificantes, cupilhas fugitivas, terminaizinhos cansados, trincas escondidas. Contavam às gargalhadas suas burradas e desventuras, que, bem sei, em qualquer outro lugar seriam retratadas como tragédias épicas. Contavam sem dramas, sem um fio de heroísmo.

Gosto desse jeito desprendido, meio despudorado de zombar da própria sorte que têm os franceses. Os dos barcos, pelo menos. Enquanto caçadores de recordes passam com seus veleiros modernos, para depois proclamar em clubes europeus ou americanos suas proezas no *temível* cabo Horn, nas *tenebrosas* ondas do Drake, Alains e Olegs vivem e trabalham aqui, com recursos mínimos, mas com raras habilidades. Levam estudiosos, turistas, alpinistas do Drake para o Sul. Regularmente. Levam e trazem. Vivem do respeito e da admiração por paisagens únicas que um dia os arrastaram para cá. Vão nos fins de semana velejar nas "pedras", o Horn uma delas. Falei do artigo que havia dias me devorava, do mastro inglês rotativo, sem cabos nem nada. Ao vivo, ninguém conhecia. A única coisa que descobri foi que a ideia era antiga e que a estranha solução de usar uma retranca fixa no mastro, como uma cruz invertida, e fazer o conjunto todo rotacionar, fora usada num famoso catamarã de competição da década de 70, mas com os estais. Não havia muito tempo; e se não voltássemos logo para o navio eu fixaria residência em Puerto Williams, como acabavam de fazer Janette e Klos, o casal do vizinho *Santa María*, ou iria à falência sumária.

Exatamente na hora em que íamos embora entrou pela gaiuta do *Kotick* o amigo Skip Novak. O Skip é um americano residente na Inglaterra, mas que considero um bretão. Vive cercado deles e transita por dois mundos diferentes: o das milionárias regatas de oceano e o dos espartanos barcos de exploração. Participou como comandante, por três vezes, da regata de volta ao mundo mais tradicional do planeta, até se encher do ambiente social-burocrático das competições de luxo e descobrir o mundo dos que navegam por conta própria. Ao tempo em que eu construía no Brasil o *Paratii*, o Skip, inspirado pelas ideias do Oleg e de seu primeiro *Kotick*, construía o seu *Pelagic* num galpão abandonado de Ocean Village, perto de Southampton. Fizemos juntos nossos mastros na empresa Proctor, por coincidência projetos idênticos, e muitas vezes dividimos impressões sobre as agruras técnicas e financeiras de construir barcos não convencionais. O Oleg já lograra passar para um *Kotic II*, por sinal construído no Brasil, heroicamente, numa pequena oficina em Dois Córregos, interior de São Paulo. O Skip também tinha planos idealistas de tentar fazer um barco novo, maior, de dois mastros. Numa das visitas que fez à capital paulista, na casa de um amigo comum, o Cacau Peters, apostamos uma espécie de corrida para ver quem concluiria primeiro o seu projeto e tiramos uma foto engraçada, batida pelo Cacau, cada um segurando a sua pastinha de desenhos. Pois o bendito americano morava no Reino Unido, precisamente em Hamble, onde estava a fábrica de mastros citada na reportagem do meu bolso. As páginas já iam se desmanchando de tanto manuseio, mas não tive dúvida: saquei de novo para confirmar. A fábrica era mesmo em Hamble, típica cidadezinha do sul da Inglaterra, dessas minúsculas, pacatas, onde em cem anos só mudam as cortinas das janelas e as flores dos vasos. Eu estava seguro de que o Skip devia conhecer todas as entranhas e antecedentes dos mirabolantes mastros autoportantes.

Pois não conhecia. Conhecia o Damon, o lugar da fábrica. Os mastros, não. Não havia mais tempo para investigações, e eu estava me tornando chato por causa das surradas páginas. Dobrei-as outra vez e voltamos para o navio. E para o Brasil.

8

AS PÁGINAS ABERTAS

A Marina ficou em São Paulo, eu segui para a França com uma pequena mochila nas costas. E com os restos mortais das páginas dobradas. Consegui comprar uma conexão para a ilha inglesa depois de resolver que antes de propor uma mudança drástica no projeto da dupla Bouvet & Petit eu deveria promover uma investigação surpresa no negócio suspeito de mastros ingleses. O certo seria ter antes agendado um *appointment,* como dita a etiqueta saxônica. Não quis. Àquela altura dos acontecimentos, estava tratando o assunto como caso de polícia, o tal Damon como depoente-chave.

Descendo a rodovia M3, ao volante esquerdo da menor viatura que pude alugar no aeroporto inglês, segui direto para Hamble Point, endereço do fabricante de mastros.

Existia mesmo a fábrica Carbospars, embora ela se assemelhasse mais a uma grande oficina instalada em vários galpões baixos no meio de uma marina pública. O pior é que eu já conhecia o lugar. No terreno baldio bem em frente à fábrica uma vez, no passado, eu havia pernoitado no decrépito Land Rover de uma brasileira voluptuosa que morava em Londres.

O escritório, separado das instalações, ocupava duas lojas da marina. Sem formalidades, fui muito bem recebido pelo sr. Roberts, que me levou para uma visita às unidades de laminação e montagem. Impressionavam a exiguidade e a bagunça das instalações para um trabalho tão refinado, mas ao mesmo tempo dava para sentir no ar o cheiro de competência. Funcionários, poucos na verdade, imundos de cola, resinas, pó de lixa nos cabelos, fabricando peças de centenas de milhares de libras esterlinas. Mais impressionante ainda conversar com eles. Garotos uns, velhos outros, muito poucos tinham menos de uma volta ao mundo nas costas. Todos, como amadores ou não, haviam tripulado veleiros de provas oceânicas nos quatro cantos do mundo. Bem ao lado da construção térrea e baixa onde ficava o acanhado escritório estava atracado o imponente catamarã *Enza*, da Nova Zelândia, que sob o comando de Peter Blake acabara de quebrar o recorde de volta ao mundo sem escalas, em 74 dias, recorde estabelecido um ano antes por Bruno Peyron, o outro irmão do Loick, que dias antes eu encontrara no *Kotick*, em Puerto Williams.

Damon Roberts, o diretor da fábrica, era casado com uma brasileira de Minas Gerais. Havia passado dois anos trabalhando nas obras de Itaipu. Arranhava o português. Convidou-me para conhecer o *Enza*, em que fizera um sem-número de alterações, adicionando componentes em fibra de carbono. Eu não sabia mais o que perguntar. Só queria tocar por alguns segundos o casco, os cabos, as velas. Parei em silêncio, em sinal de respeito, diante da histórica roda de leme, a mesma trazida semanas a fio por Blake e Robin Knox-Johnston.

São mesmo estreitos esses caminhos dos barcos de oceano. Em abril de 86, em Punta del Este, numa das paradas do *Rapa-Nui*, fui flagrado quase indigente pelo Peter Blake em carne e osso. As botas de borracha que eu usara na Antártica haviam sido perdidas num acidente quase trágico a bordo, e eu não tinha sapatos. Ele me viu saindo descalço do *Rapa-Nui*, maltrapilho como um navegador francês, no elegante cais em que faziam escala os belíssimos barcos da regata de volta ao mundo. Verdadeira passarela, onde velejadores bronzeados desfilam reluzentes os uniformes dos seus patrocinadores. Soube que vínhamos da Antártica, e pediu, timidamente, para conhecer o meu barco.

— Não é meu, mas seja bem-vindo.

Para mim, foi como se o Ayrton Senna pedisse para conhecer meu combalido Toyota Bandeirantes sem capota. Na época, Peter Blake já era um dos maiores nomes da vela de todos os tempos e estava comandando o favorito *Lion New Zealand*. Ficou impressionado com a robustez do *Rapa-Nui* e com as fotos de paisagens paradisíacas feitas pelos Jourdan na Geórgia e na Antártica. Eu fiquei impressionado com sua simplicidade e atenção. Por influência involuntária dele, acabei fazendo amizade com um dos tripulantes do veleiro belga *Côte d'Or*, comandado por outro velejador lendário, Eric Tabarly. Dedé, um francês meio palhaço que eu voltaria a encontrar trabalhando no *Pelagic*, me salvou de inúmeros constrangimentos ao me presentear com seu velho par de tênis. Tinha no mínimo umas 50 mil milhas de uso — e aspecto correspondente —, e calcei-os, ininterruptamente, como se fossem troféus, até o dia em que, de volta ao Brasil, terminaram confiscados pela mãe da Ana Maria, por discutíveis razões de saúde pública.

Passei a noite num apartamento do clube náutico de Hamble — bem menos interessante que o Land Rover de anos antes —, e pela manhã, depois de quitar uma multa por ter parado com o para-choque duas polegadas além da faixa do estacionamento onde eu era o único veículo, segui para o encontro com os franceses em Vallauris. Na saída da cidade, entrei na Satchell Lane e parei na frente do número 93, a casinha geminada de tijolos vermelhos onde mora o Skip. Ele ainda estava nos canais patagônicos com o *Pelagic*. Deixei um bilhete embaixo da porta. Os mastros estranhos eram mesmo pouco conhecidos e ousados, mas existiam, pareciam confiáveis, e eu tinha gostado da ideia de fazer um *Paratii 2* mais simples e moderno.

Às nove horas do dia seguinte eu estava novamente na porta do escritório da Petit & Bouvet: a rua estreita, a passagem medieval e o predinho geminado de dois andares em pedra que mais lembrava uma velha adega. O Olivier já me aguardava. Cumprimentei rapidamente os estagiários que trabalhavam na parte de baixo, sob arcos de pedra e sem janelas, e subimos para a prancheta no mezanino. Eu levava uma pasta com alguns prospectos da fábrica inglesa de mastros, mas não me contive. Saquei do bolso traseiro as páginas dobradas já em decomposição avançada, coloquei-as sobre a prancheta do Olivier, abertas bem na foto que mostrava um veleiro branco com a imensa cruz invertida em cima e disparei:

— O que você acha deste negócio aqui?

O Olivier deu uma risadinha maliciosa sem me responder, e começou a puxar de umas gavetas grandes um monte de projetos. Senti um enorme alívio quando vi os desenhos. Todos de barcos usando os estranhos mastros. Os projetistas do escritório francês eram incompreendidos adoradores do sistema inglês, haviam feito vários projetos, mas nunca um de seus clientes tivera a ousadia de adotá-lo ao encomendar um barco. Eram tantas as vantagens e tão incomum o desenho do sistema que os clientes, desconfiados, terminavam optando por sistemas convencionais. Era caro, também, mas, depois da visita à fábrica em Hamble e de varar noites fazendo contas, eu concluiria que no meu caso, o de um barco ainda inexistente a ser construído num país onde importar um penico ou uma esquadra de helicópteros dá mais ou menos o mesmo trabalho, havia vantagens importantes. Se o projeto do casco e o plano de manobras levassem em conta desde o início o uso do sistema, o valor maior dos mastros seria largamente compensado pela economia em reforços estruturais, catracas, *stoppers*, desvios e centenas de traquitanas caras que normalmente entopem o convés de um veleiro. Eu teria um convés limpo, absolutamente livre de equipamentos em que tropeçar. Poderia andar de bicicleta fazendo voltas no casario... transportar postes, canoas, vacas ou pessoas sem atrapalhar as manobras de velas, todas aéreas. Lembrei de uma foto do *Damien II* velejando nas Falkland, com o Jérôme ao leme e pelo menos 150 carneiros viajando no convés, indo de Beaver Island para Port Stanley.

O súbito ânimo do Olivier, de refazer todos os desenhos e apostar numa solução completamente nova, contaminou o ar da sala. Ele tinha dúvidas técnicas que eu não sabia responder.

— Vamos telefonar para o inglês, Amyr.

O Damon atendeu. Contou que o barco maior das minhas fotos dobradas, o *Fly*, tinha setenta pés e um mastro de 36 metros de altura, muito próximo do que ele imaginava para os do *Paratii 2*. Se quiséssemos, ele poderia agendar uma visita. O barco estava em Oban, Escócia, na entrada sul do lago Ness, em escala depois de uma travessia recorde do Atlântico Norte, comandado por um casal de septuagenários...

Senti vontade de beijar as mãos dos velhinhos e de ter setenta anos para celebrar travessias oceânicas em destilarias escocesas!!

Era preciso ir ver, e se possível velejar o tal *Fly*. O Olivier concordou. Parecia irresponsabilidade pura, no momento em que o estaleiro tomava forma e sugava todos os centavos que eu era capaz de produzir, afastar-me ainda uma vez para experimentar barcos esquisitos na Escócia. Mas o fato é que eu me tornara um especialista em transformar projetos, e não ia perder a oportunidade de conhecer o *Fly* em ação. O Thierry, em Itapevi, ainda não estava informado das mudanças que eu planejava. Em tese, passar de mastros convencionais, presos por cabos de aço, para perfis autoportantes era simples e lógico. Na prática, um transtorno: centenas de horas de projeto a refazer. Os mastros livres se posicionariam bem à frente do ponto de apoio normal; teríamos que alterar o projeto estrutural e o arranjo interno, que já estavam definidos. Combinamos então, os três, um encontro em Glasgow e uma travessia das Highlands para Oban.

Santa decisão. Em Hamble, o Damon mostrara sua patente

aplicada em alguns veleiros ancorados na marina. Eram todos pequenos, e na verdade nenhum com milhas suficientes para provar sua confiabilidade. O *Fly* completara meia dúzia de travessias do Atlântico. Passamos apenas um dia nos *firth* escoceses, um dia decisivo de manobras. Com vento nervoso, garoas e rajadas, o simpático proprietário no comando tirava finas de destilarias e barcos precavidos, fazendo evoluções que dúzias de atletas velejadores não teriam como superar em ousadia. Não poderia ter sido melhor.

Descobrimos um problema do sistema, no cabo que segura a vela de proa. O Olivier deu uma solução simples: os futuros mastros teriam que ser laminados com uma acentuada curva para trás, para pré-tensionar o cabo, exatamente como faz o mastro de gororoba de uma jangada cearense. A encrenca cuja foto andou semanas no meu bolso funcionava mesmo. O projeto do meu veleiro com as cruzes invertidas e as curvas de carbono ficou um espetáculo.

9

O TESTE QUE FALTOU

Existe uma curiosa correlação entre beleza e eficiência dinâmica, no ar ou na água. Projetistas de aviões com frequência insistem que aviões feios voam mal. Não ligo a mínima para assuntos de beleza, mas em barcos acontece algo parecido. Talvez porque a essência da beleza esteja na simplicidade absoluta, e a simplicidade de linhas é o que faz um casco andar bem. Ou porque a beleza agrada aos sentidos, e nada agrada mais num barco do que o movimento limpo, sem arrasto, sem desperdício de energia. O projeto do *Paratii 2* ficou simples, limpo, aerodinâmico. O Stickel, o Neco, exímio projetista de bólidos voadores e hábil sobrevivente de suas invenções aerodinâmicas, gostou e acabou fazendo uns desenhos muito interessantes de como ficaria, quando pronto, o casco. Com os mastros impressos na escala correta, o desenho ganhou um ar de bólido aeronáutico. Não era por acaso que a patente inglesa para essas estruturas autoportantes se chamava Aerorig. O Neco é um desenhista gênio, que vive num ciclo circadiano invertido, e com quem nem sempre é fácil encontrar, por causa dos horários estranhos. Prezo muito suas opiniões. Ninguém no mundo é mais engraçado do que ele, nervoso e ligeiramente gago, descrevendo os desastres aeronáuticos de algumas de suas criações: planadores orgânicos de alta velocidade, asas voadoras, flutuadores anfíbios. Imitando os gemidos cortantes do vento, estruturas em colapso, o rosto deformado pela pressão aerodinâmica, *ailerons* com as mãos, profundores com os pés, turbinas com as bochechas, um verdadeiro performista. Tive a honra de ser seu cúmplice em alguns projetos, em outros quase fui vítima. Mesmo acidentes terrestres o Neco conseguia transformar em aéreos.

Em 1986 fomos juntos à Namíbia visitar o deserto do Namib e os amigos que dois anos antes tinham me ajudado a desembaraçar o *I.A.T.* — o barquinho com cara de tamanco holandês que eu usei para remar até o Brasil. Viajávamos no teto de outro decrépito Land Rover, o do amigo Gunther, quando o Neco, numa lombada de areia vermelha, decolou em direção às dunas do deserto de Kalahari. Não entendi como não morreu. Outra vez, em São Paulo, na represa do Juqueri, perto do famoso hospício homônimo, um acidente aéreo se transformou em submarino. Depois de inúmeras tentativas de fazer decolar uma asa voadora presa ao bote inflável preto do *Paratii*, o nosso instrutor de voo, Luizinho, piloto talentoso mas nadador medíocre, espatifou-se no meio da represa e afundou. Pulamos na água gelada de roupa e tudo, eu e o Neco, e nadamos mais rápido do que medalhistas soviéticos para resgatar o Luiz antes que se afogasse, e também o engenho voador. Enquanto aguardávamos pelados ao sol de inverno, para que as roupas secassem mais rápido, o Neco imediatamente vislumbrou a solução de um catamarã em alumínio para voos anfíbios. Poucos meses depois, na represa de Americana, os flutuadores do catamarã, construídos na Levefort, a fábrica do bote laranja com o qual fisguei a Marina, ficaram prontos. Funcionaram e voaram lindamente. Tão lindamente que o esquálido e aerodinâmico Luizinho, eufórico com a performance anfíbia, exagerou num dos pousos, a barra entrecascos quebrou, e ele novamente desapareceu numa explosão de espuma no meio da represa. Foi salvo de afogamento certo pela segunda vez.

No fundo, sabíamos que diante do que estava para ser feito em Itapevi todas essas desventuras de aprendizado eram experiências de risco banal. Fazer funcionar o estaleiro, produzir obras confiáveis para terceiros, treinar mão de obra especializada, gerir e sustentar financeiramente uma operação complexa por um período longo eram tarefas de risco muito maior do que todas as aventuras do Neco somadas. Muito menos atraentes, também. Os fantasmas de cascos moribundos de projetos abandonados e estaleiros falidos não eram fruto da imaginação. Eu tinha fotos e dados sobre o assunto.

A França, mãe da ousadia arquitetônica em construções navais, passou por um movimento curioso a partir da década de 1970. A circunavegação errante e solitária de Bernard Moitessier produziu um livro — *La Longue route* — que influenciaria a cultura e o espírito de desprendimento dos franceses. Por outro lado, o tom intimista, sensível, sem um fio de pieguice aventureira, do relato da Sally Poncet, no clássico *Le Grand hiver*, também colaborou para isso. O inverno a sós com Jérôme, ao sul do Círculo Polar, e o filho nascido a bordo na solidão da Geórgia foram um ato filosófico maior que qualquer aventura. Na mesma década de 1970, outro bretão ilustre, de poucas palavras, inovador e determinado, Eric Tabarly, iniciaria uma série de conquistas em provas de oceano que perduraria por três décadas. Sob a influência desses relatos e do ambiente político da época surgiu, sobretudo na Bretanha, uma legião de construtores amadores que sonhavam partir pelo mar em busca da liberdade.

Milhares o fizeram, sem recursos nem experiência, às vezes com crianças pequenas, animais de estimação ou sogras, como reza o folclore sobre os franceses. A posição estratégica das nações francofônicas e antigas colônias ajudou, facilitando a necessidade às vezes complicada de encontrar empregos temporários para prosseguir. Raríssimos desistiram depois de partir. No entanto, dezenas de milhares de barcos, os dos sonhadores de menor convicção ou senso prático, nunca foram concluídos por seus armadores originais. Acabariam fazendo navegar terceiros, ou consumidos pelo tempo.

A construção amadora tornou-se um negócio, os cascos abandonados, um mercado. O mundo náutico amadureceu. Descobriu-se que marinas e portos de lazer, ainda que minúsculos ou isolados, tinham efeito positivo e multiplicador na economia e no turismo. A atracação de embarcações em estruturas flutuantes padronizadas, normatizadas e conectadas a serviços — ao invés de deixá-las espalhadas em poitas sem nenhum controle, como se estimula no Brasil — diminuiu o dano ambiental, o número de acidentes, o custo da manutenção e o do seguro. Qualificou mão de obra. Levou à despoluição de rios, velhos portos e baías ocupados desordenadamente.

A França virou referência no mundo náutico, criou os parâmetros e as normas que faltavam. Resgatou a cultura, a memória e a história, que alguns choravam ter perdido para os saxões da ilha em frente. Transformou portos decadentes em destinos turísticos, marinas, museus, núcleos de preservação. Viu surgir um negócio bilionário que, ainda mais que o turismo, só funciona em escala mundial: o do afretamento de embarcações consignadas e o consequente ciclo virtuoso de atividades relacionadas. Escolas de vela aos milhares, compra compartilhada ou consignada de barcos novos que podem ser usados por equivalência em bases espalhadas pelo mundo, crescimento das indústrias náutica e turística, leis ambientais mais eficazes acopladas a novas tecnologias de saneamento.

As escolas de vela e marinharia ultrapassaram a dimensão esportiva ou do lazer e abraçaram a função educativa e de formação. Tornaram-se obrigatórias, não no sentido legal apenas, mas também para a viabilidade econômica dos projetos. Eventos esportivos e culturais, regatas em solitário ou tripuladas, competições, exibições de técnicas tradicionais ou de tecnologia, não só cresceram como foram exportados para todo o planeta.

Hoje, verdadeiros bólidos singrando oceanos em velocidades há pouco tempo impensáveis pulverizam a cada ano novos recordes. Estruturas que contrariam a lógica, materiais compostos de aplicação aeroespacial e soluções testadas em condições extremas rapidamente tornam-se disponíveis para os usuários leigos ou do negócio do turismo. Menos de uma dúzia de homens e mulheres, a maioria vivos e navegando — almas gigantes de calos nos dedos e pele enrugada, usando botas de borracha e capas surradas —, foram, talvez sem saber, com as suas histórias quase precárias de coragem, os responsáveis. Quase todos bretões.

Esse movimento tem enorme probabilidade de acontecer no Brasil, onde, melhor do que ter feito errado, nada foi feito. Mais do que na Europa, aqui haverá, ao lado do econômico, um grande benefício social.

O *Paratii* foi de certo modo a minha experiência de aprendizado amador.

Ao admirar a beleza dos desenhos do Neco, a harmonia dos perfis imensos e curvos em fibra de carbono, ficou evidente que uma decisão importante como a escolha de solução tão incomum já não poderia ser teórica. O barco novo, com mastros que mais pareciam asas, se tornara um barco alado. Por mais que a estética sugerisse eficiência ou funcionalidade, por mais que a ideia de fazer algo diferente contaminasse os envolvidos, agora não seria eu a única vítima. Os espaços de construção do estaleiro estavam completos, e dos cinco mastros a serem instalados nos futuros barcos, apenas um seria convencional, com cruzetas, terminais, apóstolos e todo o resto. Encomendamos as maquetes dos barcos a um sujeito extremamente habilidoso de Campinas que um dia encontrei perambulando em Paraty, o Marcos. Ele as fez em massa plástica, com todos os detalhes estruturais e os mastros aeronáuticos.

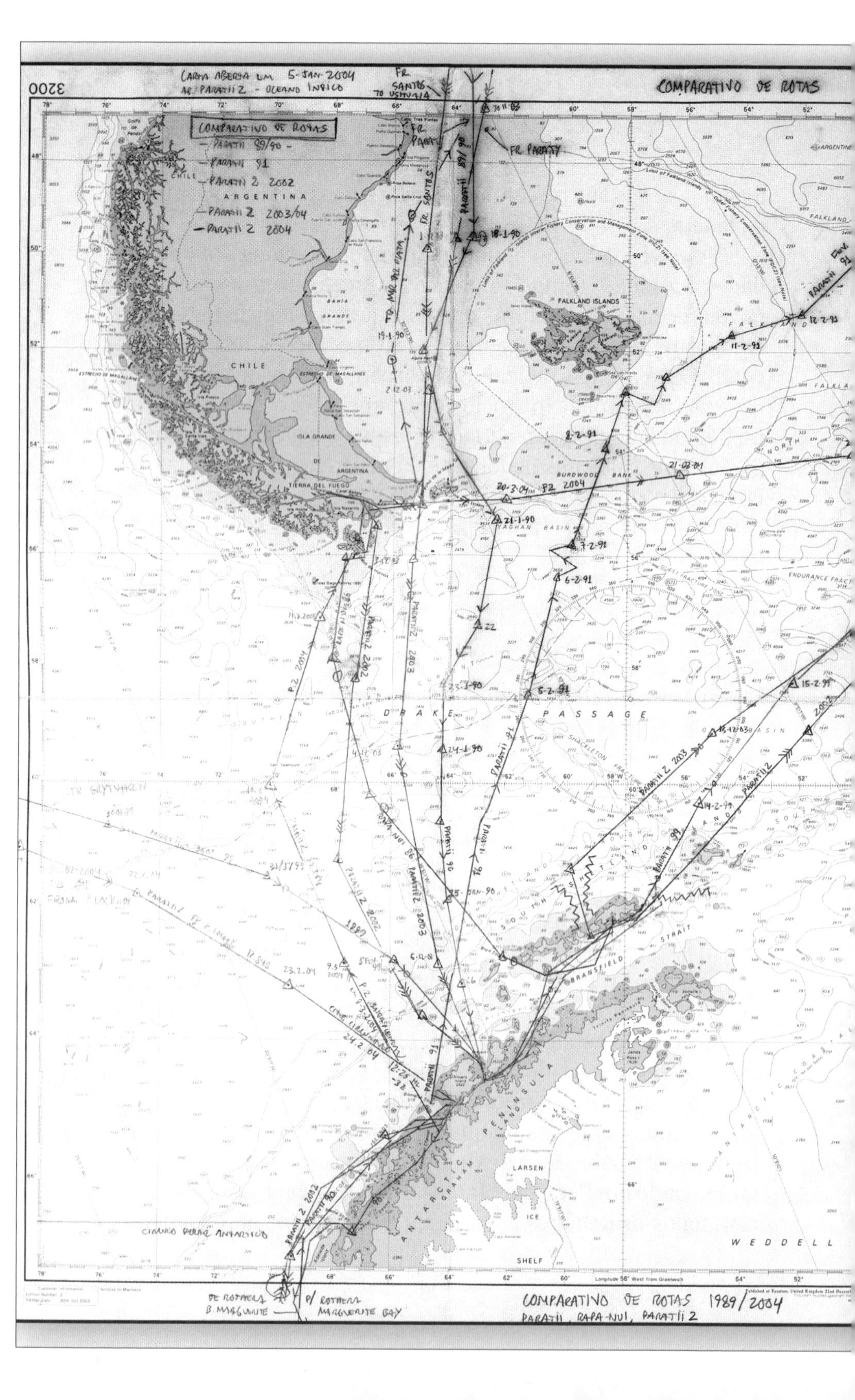

CARTA ABERTA EM 5-JAN-2004
AB. PARATII 2 - OCEANO INDICO
COMPARATIVO DE ROTAS
COMPARATIVO DE ROTAS
- PARATII 89/90 -
- PARATII 91
- PARATII 2 2002
- PARATII 2 2003/04
- PARATII 2 2004
FR. PARATY
ARGENTINA
CHILE
FALKLAND ISLANDS
DRAKE PASSAGE
BRANSFIELD STRAIT
LARSEN
ICE
SHELF
WEDDELL
CIRCULO POLAR ANTARTICO
DE ROTHERA
B. MARGUERITE
P/ ROTHERA
MARGUERITE BAY
COMPARATIVO DE ROTAS 1989/2004
PARATII, RAPA-NUI, PARATII 2

MPARATIVO DE ROTAS 1989/2004
SOUTHERN OCEAN
FALKLAND ISLANDS
TO
SOUTH SANDWICH ISLANDS
AND
GRAHAM LAND
SCALE 1:3 750 000 at lat 55°00'
DEPTHS IN METRES
HEIGHTS IN METRES
Mercator Projection
From the latest information in the United Kingdom Hydrographic Office, 2003.
SCOTIA SEA
SOUTH SANDWICH ISLANDS
SOUTH ORKNEY ISLANDS
WEDDELL ABYSSAL PLAIN
MAURICE EWING BANK
FALKLAND RIDGE
SOUTHERN OCEAN CURRENT
ANTARCTIC CONVERGENCE
BY CAPE TOWN
TO RIO DE JANEIRO
TO PARATY
P/ PARATY
P/ DORIAN
11.090 MN
3200

Móveis e desmontáveis. Um espetáculo. Os dois primeiros clientes do estaleiro, o comandante Ary, do veleiro *Hozoni*, e o Beto, do *Londrina*, optaram pelo sistema, ambos claramente convencidos pelos belos prospectos ingleses e por confiar na minha escolha para o *Paratii 2*. O Thierry endossou a ideia. O novo mastro significaria uma razoável simplificação estrutural em relação aos outros barcos que projetara. Ele conhecia tudo sobre mastros autoportantes e laminação, apenas não tinha visto um ao vivo antes da nossa velejada escocesa em Oban. Eu vira alguns, outros em gestação na fábrica inglesa, mas não entendia nada de fibra de carbono ou de seu modo de laminação. O Luc Bouvet e o Olivier Petit teriam a chance de aplicar no *Paratii 2* uma ideia que defendiam, mas que não fora posta em prática na França. É claro que gostaram da mudança no projeto. Foram mais além. Trataram, politicamente, de convencer os ingleses a alterar o desenho da seção principal do mastro, então cilíndrico e grosseiro, para um perfil aeronáutico tipo Naca, com curvatura acentuada no tope, e assim corrigir o problema que havíamos visto na Escócia. Foram oito meses de insistência para convencer os donos ingleses da patente.

A euforia em torno dos mastros começou a me preocupar. Eu havia envolvido um número razoável de pessoas na ideia e queria ter certeza de que não tomara uma decisão errada. O fato de o Skip — morador notável da cidade em que os mastros eram construídos, frequentador do Checker's, o famoso pub isolado na floresta infestado de navegadores — não conhecer o sistema me incomodava.

O Damon mandou os primeiros desenhos modificados e alguns requisitos estruturais. Aventou a possibilidade de fornecer os materiais e a tecnologia e de coordenar a laminação, que, se fosse o caso, poderia ser feita no Brasil. Pensei nos amigos do Neco em São José dos Campos, laminando peças aeronáuticas sofisticadas para a Embraer. Nos ases de laminação que hoje fazem os melhores aerogeradores do mundo em Sorocaba.

Pensei no Marco Landi, especialista em materiais compostos, que já havia construído barcos e mastros de referência em fibra de carbono. As peças teriam 33 metros de comprimento e um arco de quase dois metros de flecha. As maiores autoclaves para cozinhar carbono eram da própria Embraer e tinham 15,5 metros. Teríamos que construir um forno destrutível.

Antes de avançar em novos problemas, porém, cheguei a uma conclusão básica em relação a uma dúvida que me atormentava: quem já usara um perfil daqueles na Antártica? Ninguém, ainda. Seria preciso fazer um teste com o bendito sistema, e antes de aceitar toda e qualquer encomenda. Não desisti da ideia nem mudei os planos que já estavam feitos. Tínhamos todos os subsídios possíveis para acreditar nos ingleses. Apenas preferi não alimentar ilusões miraculosas sobre a ideia.

Havia ainda pelo menos dezoito meses de trabalho em caldeiraria até que chegasse o tempo de encomendar mastros ou equipamentos de convés para os barcos que estávamos construindo no estaleiro. Com esse tempo, se algum evento desabonasse o uso dos novos mastros ou a confiabilidade da sua patente, voltaríamos atrás imediatamente. Faltava um teste de verdade. Não uma viagenzinha pelo Atlântico ou uma passagem sorrateira pelo Drake, fugindo das depressões com agilidade, poupando material. Faltava um teste de resistência e uso pesado em condições duras, em latitudes altas. Alguém teria que fazer. Algum barco de algum país com a santa cruz de carbono espetada em cima teria que fazer, e só então eu trocaria mastros convencionais por cruzes aladas.

10

FALTAS E VENTO: 1997—1998

No fim de 1996, comemorei meus 41 anos de idade no estaleiro. Fizemos o churrasco costumeiro para o pessoal com um pouco de antecipação. Alguns amigos foram de São Paulo. Festa simples, com gente simples, em pleno canteiro de trabalho, terra solta de buracos que abríamos no piso para fazer entrar eixos, bolinas, lemes, chapas empilhadas, máquinas ainda quentes, e as formas estranhas e gigantes dos quatro corpos metálicos que iam nascendo. Bem ou mal, o estaleiro se encheu de trabalho, cresceu e deu forma aos desenhos que brotavam da impressora. Meu pai, com suas suíças espessas e seu olhar forte, finalmente apareceu para conhecer o trabalho estranho que fazíamos. Batia com a bengala na estrutura de um dos cascos, impressionado:

— Forte, Grandão, parabéns, muito forte!!

A voz rouca e profética de sempre, o sotaque árabe que alguns amigos se especializaram em imitar, debilitado por quase sete décadas de fumo, bateu forte até que voassem as brasas do cigarro de palha que insistia em trazer nos dedos. Tivemos que impedi-lo de acender fósforos entre tantas garrafas de gases industriais e máquinas de soldar. Comuniquei-lhe que a razão da festa não era um aniversário ou o final do ano, mas a decisão de cumprir a promessa do cais da ilha em Paraty e casar com a Marina. Já era tempo. Com o seu modo solene e severo, beijou a Marina na testa e exigiu que no churrasco seguinte ela lhe levasse netos. Disse no plural. Rimos, porque normalmente netos não vêm em pencas, são feitos um a um. Casamos.

No churrasco de encerramento do ano seguinte havia grandes novidades. O chapeamento principal dos quatro barcos foi concluído. Os vultos arredondados de estruturas transparentes de cavernas e longarinas ganharam pele, chapas calandradas mais grossas no fundo, mais finas nas bordas. Foram construídas rodas de aço ao redor dos cascos, que começaram virados para baixo, para que pudéssemos posicioná-los nos eixos virtuais e iniciar a operação de rotação. Inicialmente tínhamos previsto fazer essa operação de virar para cima cada casco tombando-o para o lado com o uso de um guincho a ser alugado. Como não havia mais espaço disponível, optamos por virá-los em seus lugares, usando a técnica das rodas-gigantes e dispensando o uso de guinchos. O *Paratii 2* esteve pela última vez emborcado. Em duas horas, depois de meses de trabalho de elevação do casco para o centro das rodas, o gigante de metal cumpriu um ritual que se assemelha a um parto: de boca para cima, virou barco.

O sr. Jamil estava outra vez presente, radiante. A Marina havia atendido ao seu pedido do ano anterior. No plural. Tivemos duas meninas, as gêmeas Laura e Tamara. Duas netas a Marina lhe deu, bivitelinas, uma loira, outra morena, queridas de morrer. Foi o último churrasco de que participou.

Antes de ser pai, cuidei dos barcos que fiz como se fossem filhos, achando que sabia o que fosse ter filhos. Não tinha a mínima ideia. Depois das gêmeas, da alegria que descobrimos ao convidar para a nossa existência tão importantes criaturas, acordei. Que filhos, que nada! Barcos não passam de montes burros de metal. Gosto dos desafios que escondem por baixo de suas quilhas e das distâncias que vencem, mas são meros objetos. Não foi desdém pelo que estava fazendo, apenas acordei. Nada no Universo, depois das meninas, tinha a mesma importância de antes. Nenhuma dificuldade parecia intransponível, nenhuma alegria podia ser tão grande. Duas minúsculas criaturas passaram a dirigir nossa vida com a intensidade de uma supernova, com uma clareza que eu não conhecia. Mudamos de São Paulo para um condomínio em Carapicuíba, perto do estaleiro. Muitos amigos diziam que depois de casado, e mais ainda depois das filhas, eu acalmaria essa história de fazer barcos e viagens. Ocorreu o oposto. Simplesmente compreendi o que deveria ser feito e como. A Marina compreendeu talvez melhor do que eu. Ao contrário das mulheres que buscam uma certa segurança doméstica, foi clara quando um dia propus retardar meus planos para que pudéssemos pagar a nossa casa.

— Não. Primeiro você vai acabar esse barco. Eu vou te ajudar, e estas meninas um dia vão viajar nele.

O churrasco de 1998 marcou mudanças e faltas. O sr. Sérgio, sogro do Thierry, que trabalhava na parte contábil do estaleiro, não esteve presente. O querido sr. Guilherme Ferraz, que tanto nos ajudou para que fechássemos os motores com a Mercedes-Benz, tampouco. Ambos faleceram. Meu pai, numa madrugada de chuva torrencial, me telefonou. Segui para o seu apartamento na avenida Paulista. Segurou as minhas mãos com muita força, como faz um pai árabe com o primogênito, explicando com orgulho e calma como eu deveria tratar a Marina, as meninas, os problemas dos meus irmãos. Sorrindo, sem fechar os olhos, sem soltar as minhas mãos, parou de respirar.

As coisas não iam bem no estaleiro. Em breve eu teria dívidas, novos problemas para resolver, e agora um inventário complicado. Achei melhor interromper a construção do barco até organizar os problemas. Em Paraty havia outras obras em andamento: as instalações que um dia serviriam para o meu porto estavam adiantadas. Uma marina ou um centro de apoio náutico. Já era hora. Não havia um lugar onde uma escola de vela, por exemplo, pudesse funcionar, e eu sabia exatamente o que tinha a fazer. Nenhuma escola aconteceria sem que antes houvesse instalações corretas e um negócio sustentável.

Não parecia sensato plantar obras que só dariam frutos em dez anos, quando as contas andavam tão justas — mas assim foi feito. A ilha das Bexigas não era o lugar ideal para uma marina de apoio, mas era perfeito para uma de charter. O lugar existia, ficava na Boa Vista, bem na frente da cidade e a menos de uma milha da ilha. Era a fazenda onde funcionara o último alambique de construção original de Paraty. O casarão do Engenho da Boa Vista, um prédio com dois séculos e meio de existência, numa área que outrora fora porto molhado, estava num triste estado de abandono. Até os sete anos de idade morou na casa a d. Julia Mann, mãe do escritor Thomas Mann. Por intermédio do Luiz Gatti, que construía o meu rancho de canoas na ilha e usava o cais do engenho como ponto de apoio, conheci os proprietários da fazenda. Não tinham interesse em fazer, pelo menos antes de dez anos, nenhum tipo de investimento ou alienação do imóvel. Eu não tinha como comprar a fazenda, mas com o tempo poderia restaurar as construções, refazer os muros dos antigos pátios e quitar impostos atrasados. Muitas das pedras que faltavam estavam lá; outras que fossem necessárias havia em profusão, soltas na lama ou debaixo das lixeiras de bagaço. Não havia em Paraty lugar mais apropriado ou de maior beleza para o que eu pretendia. No Brasil, nenhum lugar com vocação náutica tão autêntica quanto a baía em frente. Faltava ver, como viram índios e portugueses. Fiz um plano de dez anos de investimento e arrisquei uma proposta de locação, os donos acenaram com um contrato de comodato da fazenda desde que eu assumisse todas as contas. Concordei.

Assim começou outra obra, que exigiria que eu fizesse investimentos por uma década, até concluir como eu gostaria a parte náutica. Os benefícios seriam comuns. No dia em que o barco novo estivesse pronto, eu contaria com uma base perfeita, de mínimo custo operacional para ficar no Brasil. Contaria com um lugar para formar mão de obra, atender as escolas de mergulho que já se instalavam na baía e as de vela que, eu acreditava, viriam a ser criadas. Melhor que tudo, poderia trabalhar numa atividade que ensina sempre, que emprega muitas pessoas e que me dá grande prazer — a de hospedar barcos viajantes. Foram passos pequenos e importantes de um trabalho lento, paciente, que foi sendo executado literalmente pedra por pedra.

A construção do casco em Itapevi parou por um tempo, mas não os trabalhos de detalhamento e projeto que acumulavam horas aos milhares. Pilhas intermináveis de desenhos continuaram crescendo. Em cada um havia detalhes que consumiam mais horas, às vezes dias de reflexões. Muitos geravam discussões ruidosas. Era tempo de decidir sobre os mastros, e por mais que procurasse, não consegui saber de nenhum da Carbospars, ou ao menos autoportante, que tivesse sido posto à prova numa viagem longa e reveladora. Um barco holandês de dois mastros subira até o gelo ártico do Spitzbergen, onde às vezes há meses inteiros sem um vendaval de respeito. Muitos barcos novos de projetistas consagrados haviam adotado o sistema, mas nenhum provara as tempestades do Sul. Uma noite, em casa, quando as meninas já dormiam, comecei a folhear um atlas magnífico, que me emprestara o pai da Marina, Mário, velejador experiente e engenhoso construtor de maquetes de navios. Do outro lado do mapa da Antártica, na longitude da Austrália, havia uma anotação em negrito: *The windiest place on Earth...*

— É aí, é para esse lugar aí que eu quero ir!! — exclamei, apontando o mapa com o dedo.

A Marina riu.

— Só faltava...

No Dia das Bruxas, 31 de outubro de 1998, parti de Jurumirim para tentar completar o contorno da Terra abaixo da

Convergência Antártica. Com uma cruz alada novinha em folha espetada no convés do velho *Paratii*. Por falta de barcos-candidatos, decidi fazer o teste eu mesmo.

11

OS DESCOBERTOS DO BRASIL

Fazia todo o sentido do mundo testar num barco pronto e competente uma solução prestes a ser usada em três outros ainda embrionários. Não havia registro de outra viagem tão rigorosa com mastros autoportantes. Se a viagem com o polêmico mastro desse certo, todos teríamos uma espécie de consagração da nossa opção. O *Paratii*, com seu mastro convencional — o velho mastro preto —, fora muito bem-sucedido nas suas quarenta e poucas mil milhas já percorridas. É claro, ouvi toda sorte de asneiras de consultores e especialistas de prancheta: "Em time que está ganhando não se mexe", e outros tantos ditados de gente que acredita em ditados. De todos os que já ouvi, o único que usaria se fosse caminhoneiro é o do amigo curitibano James: "Não existem mulheres feias, apenas homens que navegaram pouco". Alguns, desprovidos de senso estético, achavam feio o sistema. Faltava aos críticos do sistema navegar mais.

A substituição do antigo mastro, se o novo resistisse a 360 graus de navegação austral, permitiria uma rica comparação entre tecnologias. Fiz a cotação com a Carbospars sobre um mastro substituto para o *Paratii*, verifiquei o prazo de entrega, os valores e as adaptações que deveríamos fazer. O mastro novo teria seis metros a mais do que o preto, seria branco, com velas mais estreitas, e estaria apoiado num lugar diferente do ponto de fixação do mastro preto — mais à frente. Quanto, os ingleses não quiseram determinar. Não quiseram assumir a responsabilidade porque temiam um barco desequilibrado, apesar de toda a sua experiência com esse tipo de transformação. Não gostei da atitude. Resolvi o problema na prancheta do Thierry, em Itapevi, do mesmo modo que antes havia decidido refazer o leme do *Paratii*: comparando transparências sobrepostas dos desenhos sobre uma mesa clara. Não foi um método muito científico. Tínhamos os recursos fantásticos do Autocad, mas não os dados práticos do novo sistema. Fizemos uma negociação de argumentos e bom senso e concluímos que deveria haver 145 centímetros de avanço para o novo ponto de apoio. No convés, esse ponto do mastro novo cairia exatamente no centro de uma gaiuta. As adaptações a fazer não eram complicadas; o único problema seria fazer as soldas internas de baixo para cima. No estaleiro, o sr. Ivo tinha a solução para fazê-las sem que tivéssemos que emborcar o *Paratii*. Com o *Paratii 2* parado, à espera de que eu reequilibrasse as finanças, e um pequeno excedente de horas de soldagem, deslocamos uma das máquinas MIG da White Martins de Itapevi para o Guarujá. Num almoço na sede do Bradesco, em Cidade de Deus, o Cândido, meu imbatível adversário dos tempos do remo no Espéria, que competia pelo clube rival, o Tietê, submeteu o projeto de transformação do barco e o seguro da pretendida viagem ao banco. A proposta foi aceita.

Antes de fazer a encomenda do perfil aos ingleses, preocupado com o compromisso junto ao Bradesco, pensando em obter condições melhores de negociação dos mastros, sugeri ao comandante Ary, do *Hozoni*, e ao Beto, do *Londrina*, que fizéssemos os pedidos em conjunto. Todos tinham algum tipo de dificuldade financeira, e como eu já vivera os sintomas da insônia por dívidas em moedas estáveis numa economia imprevisível, insisti. Guiava-me um certo instinto de precaução. Havia no Brasil uma eufórica paridade cambial que parecia eterna para todos os felizes importadores.

Cada um se virou como pôde, os perfis foram encomendados e quitados. Foi um grande palpite. Pouco tempo depois um novo pacote econômico despencou dos céus de Brasília, e a moeda nacional sofreu uma magna desvalorização cambial, que teria inviabilizado a opção pelos mastros em carbono. Por um triz econômico os projetos de três barcos teriam que ser abandonados ou refeitos, e muito do que já estava soldado seria desmanchado. Por questão de dias eu teria naufragado longe do mar e, pior, levando junto dois barcos inacabados e alguns inocentes funcionários de uma instituição bancária séria.

Os riscos de vendavais econômicos não foram os piores percalços. Houve outros, ainda mais sutis, ainda mais distantes de ocorrências climáticas ou cambiais. Cometi erros de estratégia, de avaliação, que quase destruíram meus planos. Erros perigosos, porque simplesmente não eram visíveis no início da viagem de teste. A fábrica inglesa não cumpriu o prazo de entrega, e a partida teve que ser adiada por um ano. Doeu um pouco não poder dizer aos ingleses o que eles mereciam ouvir, engolir os comentários dos amigos dizendo que havíamos sido passados para trás pelos gringos, que agora eu tinha um bom motivo para desistir daquela viagem dura e absurda. Doeu só um pouco, porque ao menos eu era o credor e os faria cumprir a parte deles nem que tivesse que contratar milícias rebeldes no Oriente Médio. Aproveitei o atraso para conferir a parte técnica das modificações, feitas com um esmero quase doentio. Quando finalmente inaugurei, na baía de Santos, o novo mastro com todo o pano em cima, percebi que a viagem seria um teste importante. O barco melhorou em todos os aspectos. As decisões técnicas estavam certas. Todas. Imaginei então que a missão a cumprir seria administrar decentemente o barco, não cometer muitos erros nas manobras e enfrentar com unhas e dentes as geladas tormentas austrais. Imaginei.

Quatro meses antes de partir, em junho de 1998, recebi uma notícia triste. Nunca escondi a admiração que sentia pelo lendário marinheiro de Benodet, o Eric Tabarly. Uma vez na vida, ao menos, pude apertar a sua mão e ser, por uma hora e pouco, tripulante do barco que ele comandava na época, o *Côte-d'Or*, em Punta del Este. Homem impressionante, que vencera as mais importantes provas de oceano no mundo, eu admirava não só seu currículo de vitórias e as inovações que pôs em prática, como também o seu caráter. Tabarly nunca descreveu tempestades ou aventuras, problemas ou sofrimentos. Simplesmente venceu-os. Um homem que fazia muito, que ensinou sempre e que falava pouco. Quase nada. Falava com o seu sorriso forte. Terror de todos os entrevistadores sensacionalistas e jornalistas fúteis que a cada vitória lhe faziam perguntas quilométricas esperando discursos emocionados como resposta. Sempre simples e atencioso, o homem respondia apenas sim ou não. Ele nunca se desfez de seu primeiro barco, o *Pen Duick*, que aos nove anos de idade impedira o pai de vender. Quando viu que o barco que a família não podia manter seria vendido, o garoto que não falava desatou a descrever ao comprador interessado os podres da quilha e do costado — e o barco ficou. Tabarly passou a vida ousando barcos novos e fazendo-os vencer. Construiu uma série lendária de *Pen Duicks* e nunca deixou de restaurar o primeiro. Além disso, nunca se desligou de sua casa de pedra nas margens do Odet, das tradições de sua gente, dos velhos barcos a remo. Na França, sua reputação reconciliou a marinha de pesca com a esportiva e fez os franceses redescobrirem o mar. Recebeu do general De Gaulle a mais alta condecoração do país, mas recusou um convite dele para almoçar alegando que a maré — muito baixa — o impediria de terminar depois os calafetos que estava fazendo no velho casco. Anos depois, o general, que nunca se esqueceu do fato, terminou por compreender que não fora uma desfeita: o mar, para aquele homem, estava acima de toda futilidade política. Fez novo convite: "Sr. Tabarly, se a maré permitir, o senhor aceitaria o meu convite para...". Ele aceitou.

Naquele ano de 1998 seu barco completava cem anos, e uma grande homenagem ao seu famoso projetista, o escocês William Fife III, foi organizada em Fairlie, Escócia. Em vez de mandar o centenário barco, Eric decidiu fazer ele mesmo a travessia para a Escócia. Uma revista de que gosto muito, a *Bateaux*, como homenagem, decidiu fazer uma matéria especial, completa, que, como no caso de um Pelé para nós, nunca havia sido feita. Em vez de contar a vida do grande marinheiro, o texto foi escrito na pessoa do velho *Pen Duick*, narrando a vida do garoto que lhe foi fiel até o fim. Um lindo texto. Mas, ninguém podia adivinhar, premonitório. A revista já estava indo para as bancas quando o acidente ocorreu; na noite de 12 de junho Tabarly foi lançado ao mar numa manobra de velas. A tripulação do *Pen Duick* nunca o encontraria. Foi de fato fiel ao seu primeiro barco até o fim. Todos os grandes ídolos franceses da navegação passaram pelos *Pen Duicks*.

O Thierry me emprestou a revista alguns dias antes de deixar o Brasil.

Uma circunavegação em alta latitude, acima — ou melhor, ao sul — dos cinquenta graus, é uma viagem técnica e tentadora. Quanto maior a latitude, mais horas de claridade para se defender de gelos, e menos percurso a cumprir. Em compensação, haverá mais gelos, ondas e depressões. Quanto menor a latitude, ou seja, mais ao norte, as condições de vento serão mais favoráveis e regulares, e o risco de encontrar gelos, menor. Mas as horas de escuro e o percurso aumentam. Estipulei um prazo máximo para completar a volta: 93 dias. E uma meta de oitenta dias de navegação para percorrer as 14 mil milhas do percurso, o que daria uma média diária de avanço de 175 milhas. Esses seriam o prazo e o período com maior número de horas de claridade. As tempestades, várias por semana, têm predominância de ventos de oeste, favoráveis. Seus centros depressionários, com rotação no sentido horário, também se deslocam de oeste para leste. — Não vai ser difícil manter uma média alta de avanço com tanto vento de oeste sobrando... — imaginei.

Foi muito mais difícil do que eu poderia supor, e por uma razão prosaica, que no início não consegui perceber. Fiz meia volta ao mundo, 180 graus em longitude, para constatar que o grande risco não era a intensidade das depressões ou o seu número, mas justamente o contrário: o número de calmarias. A cada depressão forte, uma rápida e bem-vinda calmaria, até a entrada da próxima sessão de destempero eólico. O barco aguentou bem a passagem das depressões, andava rápido e, excluídos alguns momentos corriqueiros de pânico, tudo correu bem. No entanto, foram as calmarias que quase me obrigaram a desistir bem no meio da viagem. Eram calmarias breves, porém frequentes, que foram aos poucos minando as médias de avanço. Numa viagem curta, essas agradáveis horas de avanço perdido não fariam nenhum estrago. No meu caso, tornaram-se a crônica — plagiando García Márquez — de um naufrágio anunciado. Eu não completaria a viagem no prazo. Teria que avançar no período em que há mais horas noturnas, mais gelo, risco muito maior de colisão. Meu déficit de avanço parecia pequeno, com 168 milhas diárias de média, apenas sete milhazinhas a menos por dia. O pior é que não havia a mínima perspectiva de que a situação melhorasse depois do Índico. Eu estava no limite de velocidade. A partir da linha de mudança de data, no Pacífico, iria gradativamente aumentar de latitude, usar por mais tempo a vela de tempestade, andar mais devagar.

O grande erro foi não ter contratado um serviço de estratégia meteorológica dedicado à rota que eu deveria percorrer. Belo erro. Empenhei-me até os ossos para resolver os problemas imediatos de manobras, ondas e mau tempo, sem um fio de preocupação — ou estratégia — com as depressões em formação que fatalmente me alcançariam. "Não há como escapar", pensava. Estava enganado. Havia um modo de escapar, e quem viu isso foi a Marina. Nem fugir nem enfrentar, o que eu tinha que fazer era inacreditavelmente simples: precisava administrar estrategicamente. Deveria permanecer o maior tempo possível a bordo de cada tempestade, tendo o cuidado de tentar ficar sempre do lado esquerdo ou ao norte do seu eixo de rotação. A predominância de ventos de oeste aumentaria, e a ocorrência de calmarias diminuiria. Muito mais produtivo avançar numa situação estável de desgraciado mau tempo do que ficar à deriva num indeciso tempo bom. Para isso, porém, era necessário monitorar com atenção, sistematicamente, o movimento das depressões ao redor e em especial o das que vinham por trás da minha rota. O velho amigo eólico-sinótico Vilella, tarimbado meteorologista antártico, estava trabalhando nos Estados Unidos para o Weather Channel. Ele passou a mandar para a Marina boletins regulares dos quadriláteros de navegação do *Paratii*. Do estaleiro, o Thierry obtinha boletins franceses e auxiliava nas análises e na definição da estratégia a adotar. A intervalos regulares de algumas horas a Marina me passava primeiro as análises e depois as instruções de rota a seguir. Tornei-me um funcionário público que cumpria o melhor que podia as instruções recebidas. Estratégia simples, que graças ao sistema de comunicação deu certo.

Em 2 de fevereiro de 1999, entrando na península Antártica, alcancei a média de 177 milhas por dia, navegando a maior parte do tempo com velas de tempestade, de modo muito mais seguro e praticamente sem tomar nenhum caldo gelado digno de registro. Entre as instruções da Marina vinham sempre notícias das gêmeas. Quando a propagação permitia ou se o telefone móvel se dignasse a estabelecer conexão com o satélite, eu conseguia ouvir os gritinhos da Loira e da Morena e dar uns bons gritos também.

Ao desembarcar no Brasil, na areia de Jurumirim, para apertar nos braços minhas três alegrias de verdade, tentei gritar. A voz não saía. A Marina, entre fraldas e boletins sinópticos, a 18 mil quilômetros de distância, salvara a viagem.

Passamos poucos dias na nossa casinha vagabunda de Jurumirim. Nem uma semana completa. Foram dias raros, desses em que não é preciso acontecer absolutamente nada para se saber que são os melhores da vida. Alcancei o Brasil a tempo de celebrar o terceiro aniversário da Loira e da Morena. A Marina decorou a praia com bambus e bexigas coloridas. À noite acendemos tochas nos caminhos e todos os lampiões da casa. Poucos e verdadeiros amigos ficaram, o Hermann, o Júlio Fiadi, do *Abutre*, o Fábio Tozzi, que numa de suas palhaçadas colidiu o seu *Brisa* azul-calcinha com a proa do *Paratii* e quase arremessou o Júlio da segunda cruzeta do *Brisa* para a morte sobre o meu convés. O fiel Ronaldo, Tigrão para os íntimos. As gêmeas, agarradas nos meus braços como carrapatos. Os coqueiros, o mato e a costeira que protegi como se fossem filhas.

Não existem meios ou palavras para expressar o bem-estar que produz o fim de uma viagem. O teste estava feito. Um teste e tanto, coroado, nas cinco horas finais da circunavegação, por uma brilhante capotagem, da qual, segundo os engenheiros europeus, o mastro branco não escaparia. Escapou. Como escapou de 25 depressões antárticas violentas, de ondas de oitenta pés e de algumas distrações que pratiquei.

Não era uma viagem qualquer. Um círculo fora fechado ao redor da Antártica em 77 dias de navegação e mais onze de perambulações pela península Antártica, no total quase cinco meses de solavancos, gelos e vento, e a lata vermelha repousava, na calma quase irreal de Jurumirim, pronta para começar tudo de novo. Impecável como se tivesse feito um passeio até Angra e nada mais. E o mastro branco não era também um perfil qualquer. Todas as dúvidas dos anos anteriores simplesmente desapareceram.

Chegar em Jurumirim em perfeita forma e paz não foi apenas a coroação de uma viagem especial, rica de acontecimentos. Ou o deleite cartográfico de fechar um círculo de 360 graus por uma rota que raros barcos frequentam. Maior do que tudo isso foi o prazer interior de ter apostado numa ideia tão escandalosamente simples que todos os especialistas condenaram por antecipação. Tão óbvia que a ninguém ocorreu. O prazer de demonstrar essa ideia com um círculo sobre um mapa. O mastro de bambu, a minha alva cruz alada de ponta-cabeça que chegou a preocupar alguns amigos mais supersticiosos, me trouxe mais cedo e com maior segurança para casa. Era uma peça notável de engenharia e criatividade. E, por último, a sua altura acentuada e o perfil esguio, curvo e limpo fizeram do *Paratii* um barco bonito como poucos.

O engraçado é que mesmo acontecimentos supostamente desagradáveis não chegaram a incomodar, depois que me prendi a uma das poitas de casa. Na primeira noite dormimos em terra, e o barco ficou aberto como ficara por dez anos. Ladrões de galinha, interessados nas aves da praia, entraram no barco e levaram uns poucos pertences. Entre eles a caixa Tupperware com todas as imagens da viagem. No dia seguinte os pertences foram recuperados pela polícia de Paraty, só que a caixa de fitas foi esvaziada no mar. Todas as imagens, horas congelando dedos, foram perdidas. Não lamentei um segundo sequer. Foi quase um alívio.

Por mais que me esforce, não gosto de filmadoras e aparatos do gênero, nem de assistir às parcas imagens que já fiz. Mil vezes melhor é ficar agarrado com as duas mãos a um cabo firme e apreciar plenamente o espetáculo de um belo furacão austral. Sentir cabelos e bochechas serem puxados pelo vento, gritar obscenidades a plenos pulmões, xingar jatos e borrifos salgados, bater palmas para os albatrozes. Por melhores ou raras que fossem as imagens do Tupperware, nenhuma delas jamais reproduziria no papel um pingo do que passei ou vi. Essa obsessão de filmar tudo ao redor, de ver os eventos do mundo por um retângulo bidimensional, graças aos céus não tenho. Em tom de gozação, e tentando mostrar que os registros perdidos não faziam a mínima falta, disparei para a Marina:

— Bom, se você quer mesmo ver os gelos e bichos das fitas, agora temos uma boa desculpa pra refazer a viagem...

Ela riu meio resignada e disse que era uma pena não mostrar às meninas o que eu tinha visto. Pode ser, mas o melhor seria que um belo dia elas vissem com os próprios olhos.

Foi a segunda vez que, sem nos darmos conta, imaginamos nossas filhas entre geleiras e pinguins.

Em Itapevi, livre dos engenheiros pegajosos e teóricos do início do estaleiro, a obra finalmente deslanchou. Depois de quase um ano de construção parada, em que todo o tempo foi consumido desenhando ideias mais eficientes e simples, foi um alívio retomar a obra, pôr em prática os projetos. Os cinco meses de viagem no velho *Paratii* e a experiência bem-sucedida com o mastro autoportante agora produziam uma avalanche de preciosas informações técnicas sobre a obra do seu filho cinco vezes mais pesado — o *Paratii* tem dezoito toneladas e o *Paratii 2* tem cem. Nesse período de ausência, os barcos vizinhos se adiantaram em caldeiraria e chapeamento: estavam todos desemborcados, e dois prestes a sair. O do comandante Ary — feliz da vida por ter escapado do tombo cambial —, em fase de acabamento, seria, dos nascidos em Itapevi, o primeiro a navegar. Todos os dias novas ideias eram introduzidas, baseadas muitas vezes nas ocorrências observadas nos vizinhos menores. O número de horas de projeto já chegara a 7 mil, e naquele ritmo passaria das 10 mil até a virada do milênio.

Era tal o número de soluções melhoradas ou simplificadas que agradeci aos céus por não ter queimado etapas. Por nunca ter tido acesso à totalidade de recursos ou definições. Embora os cascos fossem todos de projetos distintos, as soluções de uns acabavam beneficiando os outros. E os erros sendo evitados. O *Paratii 2*, pelo fato de nascer mais lentamente, foi muito beneficiado nesse processo. O novo problema, que não era exatamente novo, foi o orçamento das obras, que, com a história do choque cambial, simplesmente explodiu. Refiz todas as contas. O problema se concentrava nos novos mastros, que deveriam ser laminados fora do Brasil. Bem maiores que o perfil testado no *Paratii*, eram igualmente curvos e delicados. Um pesadelo para o transportador.

O casco em construção, por prescindir completamente de lastro, ganhou a capacidade de carregar 33 mil litros de combustível, o que lhe permitiria uma autonomia de propulsão e geração elétrica muito grande. Só o porão de proa engoliria uma carreta inteira de combustível, de qualquer combustível. Uma autonomia que nos permitiria um dia usar combustíveis experimentais ou alternativos aos hidrocarbonetos.

O Centro de Pesquisas da Petrobras, Cenpes, órgão pelo qual eu tinha irrestrita admiração, estava justamente desenvolvendo um novo diesel com baixíssimos teores de emissão, para antecipar-se às restrições de emissões que em breve se tornariam obrigatórias. O produto, um diesel verde, tinha alto poder de ignição e resistência ao congelamento e à formação de fungos por acomodação prolongada. Literalmente as qualidades que tanta falta me fizeram em viagens anteriores, quando o remédio era usar querosene de aviação e óleo solúvel, misturados ao diesel em dosagens não muito científicas. O Cenpes é o responsável tecnológico pela grandeza da Petrobras, um desses lugares em que a criatividade dos indivíduos e a competência das equipes se multiplicam. Do aconselhamento técnico com os pesquisadores e especialistas do centro surgiu um convênio de cooperação técnica e um programa de testes de três anos. Todas as reações de combustíveis e lubrificantes sob alta exigência seriam analisadas e tratadas preventivamente. Uma segurança que não tem preço, quando se compreende que, nos lugares por onde eu andaria, sem combustível não existe vida. Humana, pelo menos.

No início do ano, o último do milênio, ocorreu um evento importante na nossa vida. Exatamente às 10h15 do primeiro dia do ano 2000 assisti ao nascimento da Marina Helena, Nina, a terceira alegria da nossa vida. Veio ao mundo decidida e forte, sem que as luzes da sala de parto dessem uma piscadinha sequer, para decepção dos analistas e consultores de colapsos informáticos. O tão temido "bug do milênio", por coincidência previsto para o dia do nascimento da Nina, não aconteceu. Nenhum colapso de sistemas, transportes ou o que fosse. O mundo não acabou. Em casa começou uma nova era. Ganhei um monte de apostas de especialistas que haviam insistido nos riscos estratégicos da data.

Os nove meses da gravidez da Marina foram produtivos. Desde que voltei ao Brasil, no final de março, até o nascimento da Nina, fiz mais de 150 viagens a Itapevi. Não houve um único mísero dia em que uma modificação não fosse feita ou sugerida com caneta piloto azul sobre os perfis de alumínio. Durante o período em que o *Paratii* galopava ondas de oitenta pés, a Marina tomou uma decisão importante. Desfez o negócio de compra da casa em Carapicuíba, próxima ao estaleiro, e mudou-se para uma casinha em São Paulo, próxima de seus pais. Foi de lá que ela administrou a meteorologia e minha recuperação a bordo. Como consequência, as viagens de São Paulo a Itapevi, com o trânsito, ficaram mais longas. Normalmente eu iria de moto, mas a minha velha máquina bicíclica alemã, de cilindros opostos, vazando óleo por todos os lados, já não era lá tão ágil. Eu dirigia uma velha e fiel Toyota, e utilizei o tempo plantado em congestionamentos e marginais explicitamente para pensar. Durante os expedientes em que pude escapar, escondido nos fundos do escritório, confisquei tempo para escrever mais um livro. Não gostei, a princípio, e acabei jogando no lixo mais de dez capítulos. No final, consegui esvaziar a carga de oito canetas Bic e meia, compradas no Ponto Doce, o minúsculo armazém do Luiz, na esquina. A Marina escreveu um diário de terra que ficou interessante e embarcou no mesmo volume, e assim nasceu, com capa azul-escura, a história que gostaríamos um dia de contar para nossas meninas.

Filhas, livros e árvores, tudo de novo, se fossem essas as obras necessárias para realizar um ser humano, Deus do céu, como seria tranquila a vida. Havia muito mais a fazer. Terminar as obras em Paraty, de algum modo concluir o meu porto, desenhar um sistema de flutuantes mais resistente do que os que vinha usando. Prover de fraldas e comida o complexo feminino que se instalara em casa. E, claro, tirar, com ou sem dilúvio, o bendito barco de Itapevi. Apesar da montanha de compromissos, de tudo o que faltava fazer, passei a gozar de um estranho bem-estar. Não era o otimismo gratuito de quem acredita que tudo se resolverá, mas uma certa clareza quanto ao que faltava fazer e decidir. Evidente que terminar o *Paratii 2*, descer a serra e fazê-lo flutuar no mar seria uma conquista especial, muito maior do que qualquer viagem absurda que eu pudesse praticar. O assunto dos mastros era grave e não estava solucionado. Eu estava cercado de obras em andamento e de contratos que exigiam recursos cada vez maiores. Uma vez mais, se fosse pensar como um economista cauteloso e analisar as contas responsavelmente, não deveria dar mais nem um único passo à frente. Mas, ao entrar em casa e me atirar ao chão para ser soterrado por criaturinhas tão especiais, ao levar as gêmeas e as Marinas para passear no estaleiro ou na futura marina de Paraty, desvendei um modo novo de ver os problemas. O trabalho do estaleiro era magnífico, contagiante. Não era, contudo, a razão da minha existência. A razão da minha existência eram essas quatro criaturas. Se por algum motivo não pudesse terminar o barco, os mastros, ou o que fosse, não seria o fim: faria da carcaça de alumínio a maior casa de bonecas do mundo, dos muros de pedra um parque, dos terrenos de Paraty florestas e bambuzais. Os meses que passei escrevendo, sempre em dúvida sobre se não seria mais produtivo trabalhar em vez de encher folhas de papel com palavras, foram piores do que quebrar as pedras de Itapevi. É verdade que quebrar pedras é uma atividade muito mais saudável e fácil do que escrever. Os resultados é que são diferentes. Pedras são bonitas quando inteiras, e o resultado de quebrá-las nem sempre serve para alguma coisa. Com escritos é diferente.

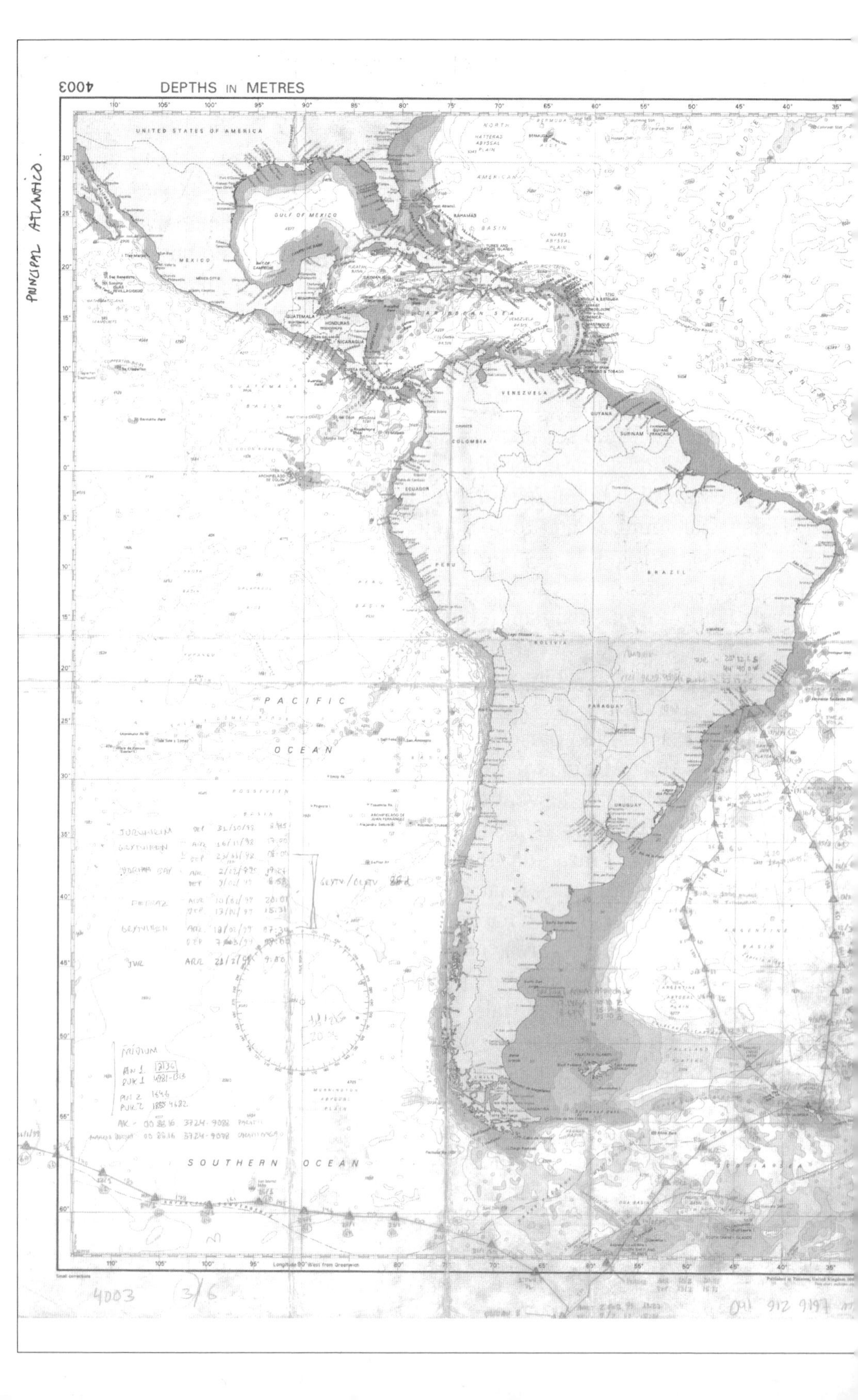

DEPTHS IN METRES
UNITED STATES OF AMERICA
GULF OF MEXICO
MEXICO
BAHAMAS
CARIBBEAN SEA
GUATEMALA
HONDURAS
NICARAGUA
VENEZUELA
GUYANA
SURINAM
COLOMBIA
ECUADOR
PERU
BRAZIL
BOLIVIA
PARAGUAY
URUGUAY
PACIFIC
OCEAN
SOUTHERN OCEAN
Longitude 90° West from Greenwich
4003 (3/6)

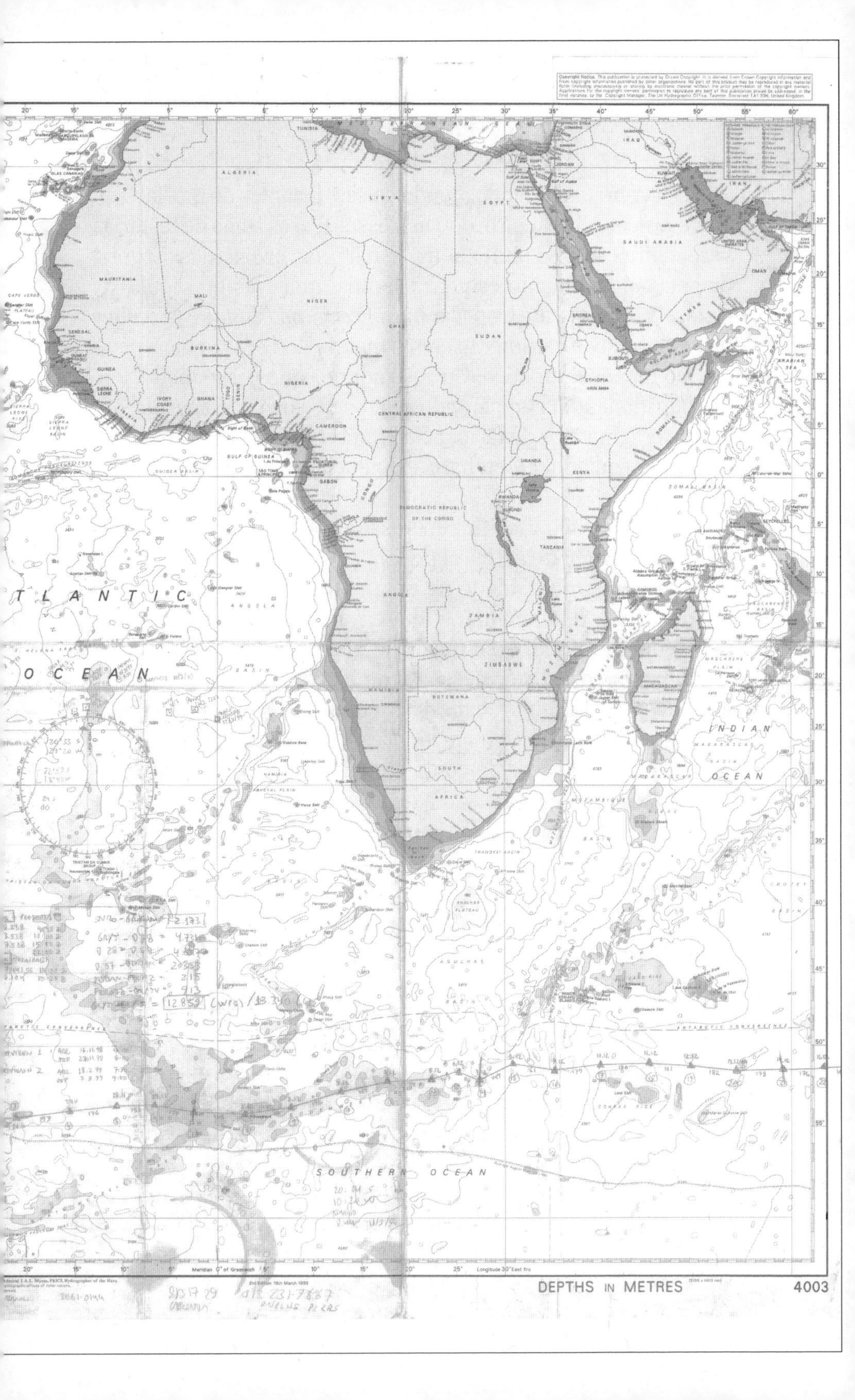

MEDITERRANEAN SEA
TUNISIA
ALGERIA
LIBYA
EGYPT
JORDAN
IRAQ
KUWAIT
IRAN
SAUDI ARABIA
UNITED ARAB EMIRATES
OMAN
YEMEN
MAURITANIA
MALI
NIGER
CHAD
SUDAN
ERITREA
DJIBOUTI
ETHIOPIA
SOMALIA
SENEGAL
GAMBIA
GUINEA
SIERRA LEONE
LIBERIA
IVORY COAST
GHANA
TOGO
BENIN
BURKINA
NIGERIA
CAMEROON
CENTRAL AFRICAN REPUBLIC
GULF OF GUINEA
GABON
CONGO
DEMOCRATIC REPUBLIC OF THE CONGO
UGANDA
KENYA
RWANDA
BURUNDI
TANZANIA
ANGOLA
ZAMBIA
MALAWI
ZIMBABWE
MOZAMBIQUE
NAMIBIA
BOTSWANA
SOUTH AFRICA
MADAGASCAR
COMOROS
SEYCHELLES
ARABIAN SEA
SOMALI BASIN
MASCARENE BASIN
MOZAMBIQUE BASIN
MADAGASCAR BASIN
ANGOLA BASIN
CAPE VERDE
ATLANTIC
OCEAN
INDIAN
OCEAN
SOUTHERN OCEAN
AGULHAS BASIN
AGULHAS PLATEAU
TRANSKEI BASIN
CROZET BASIN
CONRAD RISE
ANTARCTIC CONVERGENCE
TRISTAN DA CUNHA GROUP
Meridian 0° of Greenwich
Longitude 30° East fro
DEPTHS IN METRES
4003

Descobri o mar lendo. Lendo coisas distantes do que faço ou escrevo. Cordel primeiro, depois Pessoa, livros ruins de histórias verdadeiras, outros muito bons de histórias inventadas. Esgotei os neurônios de tanto estudar escritos franceses do século XIX — tarefa inútil —, até tropeçar num *Pêcheur d'Islande* e perceber que em Paraty o casamento com o mar de Loti era tão mais natural, tão menos dramático. Curioso admitir que desse modo, lendo, questionando, comparando relatos cheios de exageros com outros enigmáticos de tão concisos, aprendi mais sobre navegar do que em qualquer vintenária existência à beira da praia.

Antes de chegar ao fim do pesado volume *História trágico-marítima de Portugal*, parei de ler.

Intrigante a brevidade de uma empresa tão ousada como a portuguesa de além-mar. Uma empresa ainda incompreendida, cujo mérito foi bem maior do que os brasis do caminho. Pena mesmo que os professores de história que tive tivessem lido tão pouco. Pena a excessiva competência comercial dos portugueses e de seus financiadores. Guardaram tão bem seus segredos, os tesouros de conhecimento que construíram, que os levaram consigo. A ousadia de abrir mão de um caminho fácil, sem a vantagem da ignorância logística permitida no Norte, onde as distâncias intercontinentais são pequenas; a coragem de adentrar um hemisfério ao sul que não oferecia o comodismo de uma estrela polar a indicar latitude e direção; o uso de uma ferramenta herege em plena Inquisição — o cálculo da latitude pela passagem meridiana; a inauguração, com cinco séculos de antecedência, da mais importante ciência de gestão pública moderna —, o georreferenciamento, usando portulanos e marcos geodésicos (ou quinas); o descobrimento das engrenagens climáticas que regem os oceanos, os anticiclones — o Grão Rodeio, como quase denunciou Camões num de seus versos do sexto canto; o desenho de barcos que até hoje não sabemos reproduzir ou manobrar, porque não restou um só plano de linhas ou plano de velas das caravelas originais...

Foram tantos os ganhos, apesar dos naufrágios sucessivos, tamanha a cobiça, que Portugal consumiu seus homens e navegadores até não mais voltar ao mar. A ganância foi o mal maior. Os barcos que no início de 1500 eram construídos com zelo e madeiras secas, em poucos anos passaram a ser feitos com pressa e madeiras verdes. O cabo de acesso ao Mar Sem Fim, na ponta da África, foi respeitado em suas precisas datas de passagem, até que lucros cada vez maiores anteciparam as passagens de ida e retardaram as de volta ao custo de naufrágios cada vez mais frequentes. As depressões e correntes sul-africanas não perdoaram a troca da ousadia navegante pela prepotência mercantil. A Peste Negra de 1348 retornou a Lisboa em 1569, matando 60 mil pessoas. Acabou-se a empresa portuguesa quando se acabaram os seus navegadores. Acabou-se d. Sebastião na África e, sem herdeiros, foi-se o trono para a Espanha. A obra dos portugueses, imensa, ousada — e breve —, ficou para o mundo, mais do que para Portugal.

No fim das contas, o caminho fácil para o Oriente, que outras nações tentaram abrir pela passagem ártica de Nordeste, iludiu navegadores durante séculos. O indício que enganou a todos, e que só compreendi ouvindo as sucessivas pancadas no casco do *Paratii*, a oitenta graus de latitude norte, era falso, ou melhor, enganoso. As milhares de toras de pinho da Sibéria oriental que desovam todos os anos no norte do Atlântico, no Spitsbergen, na Groenlândia e na Islândia, regiões onde não há árvores, fazem de fato a travessia da Passagem de Nordeste, um fenômeno conhecido como TPD, *Trans-polar drift*. A conclusão era óbvia: se as madeiras atravessavam o Ártico flutuando do Oriente para o Ocidente, os navios deveriam poder passar na direção oposta. No entanto, o caminho das toras não é indício de passagem para navio nenhum. Elas não vêm flutuando pelo mar, mas presas na banquisa, numa deriva glaciar de vários séculos. A ligação marítima com o Oriente só foi possível graças à ousadia da obra portuguesa por um caminho longo, trabalhoso, mas viável, e que perdura até hoje. O caminho pelo Sul.

Antes que a minha obra se acabasse nas encostas de Itapevi ou que eu terminasse meus dias na soleira de um banco, fiz nova parada no fim do ano. Passada a decepção do bug do milênio, só se falava nos quinhentos anos do descobrimento do Brasil. Por mais que eu me interessasse pelo assunto e por mais que insistisse que não houve nenhum descobrimento em 1500, mais eu admirava a consistência ufanística e tendenciosa do nosso ensino escolar. Provocando os amigos reticentes, eu dizia que ia acontecer alguma coisa como as apoteóticas comemorações dos quinhentos anos do descobrimento da América. Sem muito alarde, de repente os gênios de comunicação que idealizaram o evento do milênio se lembraram dos que já estavam nas Américas, das nações índias, da precisão do calendário da civilização maia, das quinhentas cidades do Império Asteca, da arquitetura e da tecnologia agrícola inca, da arte atacamenha, e, no fim, das comunidades de escandinavos da Noruega e da Islândia estabelecidas por quatro séculos na Groenlândia e que de vez em quando vinham buscar lenha na América. E num instante, quando se percebeu que descoberta não foi a América, descobertos foram os espanhóis que vieram dar aqui, encerraram-se as comemorações. Na América do Sul havia, ao tempo em que apareceram velejando alguns europeus, mais línguas, nações e habitantes do que em toda a Europa.

No caso do nosso descobrimento, estranhamente comemorado pelos descobertos e não pelos descobridores, minhas previsões não se concretizaram. Haveria, além do evento em si, uma travessia atlântica, sob o formato de regata, entre a Torre de Belém, na boca do Tejo, e a baía de Guanabara, refazendo até a Bahia o percurso da esquadra de Cabral. Não aguentei, inscrevi o *Paratii*. Muitos barcos dos "descobertos" de cá participariam e deveriam estar na margem atlântica dos descobridores até 9 de março de 2000, data da partida. Do estaleiro de Itapevi, dois participariam: o Ary e seu filho Marcelo, no *Hozoni*, e nós, no *Paratii* menor. Pela primeira vez concedi maioridade ao barco vermelho. Em janeiro, logo após o nascimento da Nina, arranjei o emprego de navegador num rally famoso e polêmico que ia de Dakar até as pirâmides de Gizé. Confiei ao Fábio a tarefa de levar o barco, Atlântico acima, até Lisboa. Ele chamou o Marcão para segundo a bordo, o amigo Luiz Mendes Jr., o Zé Amoroso e mais dois tripulantes que eu não conhecia. Lamentei não estar com eles. Fizeram uma viagem dura mas sem contratempos, cruzando o Atlântico na contramão com os alísios na cara o tempo todo. Quase tive uma taquicardia em Lisboa quando os encontrei vivos e relativamente saudáveis. É uma viagem trabalhosa, que muitos dos descobertos não conseguiram completar. Eu estava feliz. Pai de três meninas, vi as três pirâmides, e agora estava prestes a fazer a mais deliciosa de todas as travessias: o Atlântico ladeira abaixo, a favor do Brasil.

Não sou particularmente doente por rallys, menos ainda de automóveis. Tudo o que desejo dessas máquinas é que me levem aonde quero ir, e que não aborreçam no caminho.

Pois a experiência automobilística na África foi uma bela surpresa. Os quatro carros que usamos, concebidos e fabricados no Ceará, apesar da inexperiência e do apoio subdimensionado, com apenas dois santos mecânicos, completaram a prova. De oito pilotos, só o Fadigatti não entrou rodando no Cairo, por ter quebrado uma vértebra na Líbia. De vingança, no ano seguinte se tornaria campeão mundial de rally com um jipinho igual, um Troller. É uma prova de perícia técnica para mecânicos, pilotos e fabricantes. A maioria das dificuldades não é estratégica nem natural, mas construída por regras, tempos mínimos, percursos e prazos de chegada, que obrigam os veículos a andar muito acima da faixa de segurança. Prefiro as provas no mar. Duram mais, a navegação é sempre estratégica, as manobras dependem de empenho físico e intelectual, mais que financeiro. Quem erra, paga; quem passa da borda, morre. Não há barcos de apoio, resgates contratados, também não há tantas regrinhas burocráticas a cumprir. Ética, segurança e atitudes de companheirismo valem mais que o regulamento da prova. Os poucos grandes navegadores solitários que conheci — como o Loick Peyron, o Marc Tiercelin e a Isabelle Autissier — abandonaram provas e pódios históricos para salvar um colega em perdição. Outras vezes, foram salvos. No automobilismo não existe esse desprendimento. Não me lembro de um único piloto largando a prova para socorrer um colega acidentado.

Seja como for, foi uma rica experiência. Um dos navegadores dos valentes carrinhos brasileiros, o Marcos, organiza o Rally dos Sertões. Apesar da opulência financeira da prova francesa, eventos desse tipo são questionáveis em países que ostentam um grau de degradação humana e social não imaginável no Brasil. Nenhum intercâmbio econômico ou cultural, toneladas de lixo importado deixadas para trás, campos onde se segue a fé do Islã usados como latrina todas as manhãs. Péssimo gesto de esportistas apressados que deslocam diariamente dúzias de Boeings e cargueiros com vinhos e comidas franceses, mas não querem construir um banheiro para não macular o espírito de aventura. Em resumo, pouco de positivo acontece nos países africanos vitimados por receber esses espetáculos de desperdício. Crianças famintas e contaminadas implorando restos de comida ou o plástico vazio de uma garrafa francesa de água não precisam de corridas de carro. Olhando de outro ângulo, a prova brasileira dos Sertões e outras fora do cinturão africano de miséria, ao contrário, geram interesse público, ações sociais, trocas e benefícios para organizadores, anfitriões, fabricantes e espectadores. As provas esportivas brasileiras serão cada vez melhores e mais necessárias. Uma corrida de luxo na miséria africana, entre massacres étnicos e políticos, cada vez menos aceitável. E quem sabe um rally europeu que atravesse o Brasil e siga até Ushuaia — ou mesmo o Rio — não tome um dia o lugar do Paris-Dakar...

Questionáveis ou não, o fato é que provas automobilísticas são infinitamente mais bem organizadas do que as náuticas. Um evento náutico que só ocorre a cada quinhentos anos sofreu de cara um atraso de um dia e uma divisão. Cabral deixou o porto do Restelo na segunda feira, 9 de março de 1500, com 1500 homens, 5% da população masculina da cidade. A Torre de Belém tardaria quinze anos para ser iniciada e o mosteiro dos Jerônimos não estava concluído. Quinhentos anos depois, o presidente Cardoso, do Brasil, com compromissos no Chile, solicitou à última hora o adiamento da partida da viagem comemorativa. A divisão deveu-se a duas instituições portuguesas de vela que se desentenderam quanto à rota — se os veleiros fariam escala na Madeira ou nas Canárias. Já que era uma viagem comemorativa e portuguesa, optamos pela Madeira, onde, além do mais, poderíamos provar vinhos interessantes.

Quinhentos anos e um dia depois da data a ser comemorada, deixamos o cais do Terreiro do Trigo rumo à Torre de Belém, onde se daria a largada. É claro que o pessoal de cerimonial dos dois países nada entendia de vela. Todos os veleiros deveriam postar-se atrás dos navios de Marinha e dos barcos oficiais. A tarefa, com vento a favor e maré vazante, era impossível sem ligar o motor na ré.

— Minha Nossa Senhora de Belém! Uma partida com todos os veleiros sem velas — a motor — para comemorar um dos maiores feitos da navegação a vela? Éramos apenas quatro a bordo. Ficaram, da tripulação da vinda, o médico multifuncional Fábio e o Marcão. Veio também o querido primo Jamil Aun, o Barba, que não é meu primo de verdade, mas um pouco mais que isso. Por ser o único novato em viagens longas, inspirou de início alguns cuidados. Éramos também o único veleiro com todo o pano em cima. Se os cento e poucos barcos estivessem fazendo círculos para passar mais devagar na obrigatória saudação aos presidentes que estavam na parte superior da Torre de Belém, admito que seria um risco. Mas largar a motor numa ocasião tão simbólica? Francamente... O *Paratii*, ademais, manobra com mais precisão e rapidez a vela que a motor. Olhei para o Marcão, tirei a chave do contato e disse calmamente: “Estamos sem motor”.

O Marcos começou como eletricista de motos no porto de Santos até vir trabalhar no *Paratii*. Virou velejador e regateiro insaciável. Quase salivava de prazer. O barco acelerava, inclinava, eu buscava um espacinho à frente e gritava "Jaaaibe looouco!". Um movimento rápido no leme com a mão direita, com a esquerda soltava a escota, a retranca passava como um jato — *zuuuum* — sobre nossas cabeças.

— Segura firme, Barba! Atenção, boooordo! — Deitávamos para o outro lado.

— Agooora, jaaaaibe preso, cuidado com o tranco!

— Novo bordo! Para boreste!

— Bombordo em seguida!

Nada no mundo náutico é mais delicioso do que manobrar em velocidade um barco preciso, nada. Alguns veleiros se assustavam, abrindo espaço; outros iam nos encostando para a margem do Tejo, praguejando preferência. O Barba, ainda sem entender a sucessão de manobras, observava em pé, agarrado no arco traseiro, único lugar onde estava a salvo das passagens mortíferas da retranca. Vestia uma jaqueta branca meio chamativa, com uma grande bandeira brasileira impressa no ombro direito.

Eu sabia que o rio ficava cada vez mais raso junto à Torre de Belém. Também sabia que, para um casco como esse, tocar uma pedrinha ou outra não era o fim do mundo: no caso da histórica torre seria uma honra. A bolina estava abaixada e solta. Quando chegassem as pedras, ouviríamos o barulho.

— Sonda sonora ligada! — gritou o Marcão.

Não tive escolha, passamos a Torre lambendo as pedras. Muito perto. Um grupo de atores com fantasias de época ao lado do monumento branco acenava vigorosamente. Não era de alegria. Todos agitavam os braços, apontando as pedras. Eu não tinha tempo ou interesse de olhar a cara dos presidentes numa manobra justa assim. O Barba, ao contrário, carismático como ele só, fez um aceno diferente em direção à sacada. O presidente Cardoso respondeu com um gesto igual. Eu não sabia o que se passava, me assustei com o estrondo espalmado que ouvi. Foi tamanha a euforia do Jamil quando o presidente brasileiro lhe retribuiu o aceno, que ele duplicou de tamanho, apontou o ombro com a bandeira impressa na direção dos presidentes e bateu nele com a palma da mão esquerda, com tanta força que pensei que ia quebrar o próprio braço. Bateu repetidamente, com um grito ritmado, as veias do pescoço saltando, VI-VA-O-BRASIL, VI-VA-O-BRASIL, VI-VA-O-BRASIL!

Pelo menos havia um médico a bordo.

Ao perder Portugal de vista, encontramos o vizinho de berço do *Paratii 2*, o *Hozoni*, com o mastro branco gêmeo do nosso. Emparelhamos até tocar as retrancas, o Marcão assumiu o leme, eu subi na plataforma do mastro correndo como um rato e passei para a retranca deles. O Guilherme pulou da retranca deles para a nossa. Alguns instantes apenas. O Thierry segurava o leme, com a Nádia na escota para o caso de se enroscarem as velas. O Ary estava feliz como nunca, e eu por ele. Sabia quantos sacrifícios ele e sua família haviam suportado para não abandonar sua obra, para estar ali, na qualidade de feliz descoberto do Brasil.

12

A BATALHA DO MINDELO E O *CISNE BRANCO*

Travessias em águas quentes com alísios a favor têm um sabor sublime para quem já rachou os dentes de frio num contravento antártico. A descida do Atlântico rumo ao Brasil é uma das viagens mais deliciosas que um veleiro pode cumprir na Terra. Uma experiência de causar inveja em qualquer atravessador profissional de oceanos. São 5 mil milhas de ventos constantes e raramente contrários. Dificilmente se encontra mau tempo, ondas grandes nunca. Apenas uma faixa próxima ao Equador, a zona de interconvergência equatorial, tem calmarias e trombas de chuva, numa extensão que pode variar de duzentas a quatrocentas milhas. É quando se passa do sistema de alta pressão do Atlântico Norte, horário, para o do Atlântico Sul, anti-horário. A certeza de que as condições de mar e vento vão melhorar a cada grau de afastamento da Europa produz um indescritível bem-estar a bordo. O Fábio e o Marcão sabiam muito bem disso, depois de tomar no nariz, por mais de trinta dias, essas ondas que agora nos embalavam. O barco sente, também. Com o tempo a favor, por mais forte que seja o vento, não há esforço nem tensão nos componentes do casco.

O único risco que me incomoda nessas condições é alguém

cair no mar. Para um veleiro normal, a manobra de retorno é trabalhosa e exige tempo e perícia, mesmo que se use o motor. Segundos preciosos são perdidos. As chances de resgate são mínimas. Esse era um problema que nunca tive antes. Quando se navega em solitário, cair do barco, em qualquer condição de mar, tem uma só consequência: a morte. Barcos desabitados sempre prosseguem com piloto automático, nada os faz voltar por conta própria para recolher tripulantes desastrados. E, ainda que o poder da mente ou da tecnologia fizesse voltar um barco, a tarefa de embarcar um tripulante cansado e escorregadio, mesmo em mar liso, requer equipamentos e experiência.

Conheci inúmeros casos de navegadores que perderam tripulantes. A maioria em condições tranquilas de mar. Alguns, raríssimos, de tripulantes que foram achados. Prefiro um milhão de vezes estar entre os que caem do que entre os que ficam. Não saberia viver com a culpa de quem não salvou, mesmo que o vitimado que foi parar na água merecesse morrer afogado. Para os que ficam, e especialmente para quem comanda o barco, uma parcela de culpa sempre restará. Quando fui tripulante aprendiz do *Rapa-Nui*, retornando da minha primeira incursão antártica, caí no mar. Por muita sorte, me autorresgatei na popa do barco azul. Minhas botas foram arrancadas pela água quando me segurei com a mão direita no último tubo de alumínio — justamente a mão que não sinto e que não tem oponência dos dedos. Nada disso me marcou. Fiz uma manobra de risco sem cabo de segurança, com mar grosso. A culpa era minha, e se por acaso os quatro dedos que me salvaram não tivessem encontrado nada para segurar, teria morrido merecidamente. Com direito a uma medalha de idiota no peito. Estávamos com a vela balão armada e muito vento pela popa, um resgate seria impossível. Mesmo se eu flutuasse, se tivesse foguetes de sinalização e se os Jourdan conseguissem baixar o balão e voltar atrás, não havia ainda o GPS, o posicionamento de precisão. A hipotermia me deixaria inconsciente em poucos minutos. Não vejo tragédia nisso. Todos morreremos de algum jeito. O que nunca esqueci daquele incidente não foi a hipótese de morrer; foi o olhar do Patrick quando me viu voando de costas para fora do seu barco. Olhar de ódio, tragédia, pavor, não sei. Olhar da culpa que carregaria para o resto da vida.

O *Paratii*, graças ao seu novo mastro, ao contrário de um veleiro convencional, pode fazer uma manobra brusca e imediatamente voltar contra o vento em bordos curtos. Todos os GPS a bordo têm o botão vermelho MOB, homem-ao-mar. Temos boias, balsa, localizadores — o diabo. E, ainda assim, a chance de recuperar alguém que caiu no mar é diminuta. A primeira dificuldade é que às vezes, entre os vários turnos, os demais tripulantes não percebem que um deles está faltando. Quando descobrem, é tarde demais.

A previsão de tempo não era muito favorável. O vento aumentara um pouco, e decidi reduzir as velas para o primeiro rizo. Conversávamos no convés sobre esses problemas de segurança. Lembrei de um barco que conheci em Paraty, ancorado na frente do "escritório" de bambu. Era de uma família francesa com uma história dramática ocorrida entre Portugal e Brasil, no mesmo trajeto que estávamos fazendo. A filha do casal, uma menina alegre, de dezesseis anos, caiu da popa quando lavava as panelas do almoço. Acidente comum: com a velocidade do barco, a panela prende na água e puxa a pessoa para o mar. Era uma hora da tarde, todos viram; imediatamente foram jogadas duas boias na água. Em vez de gritar de desespero, o pai pulou para a mesa de navegação, embaixo. Lindo barco de cruzeiro francês, projetado por algum desses malditos teóricos de varanda de iate clube que insistem em colocar a mesa mais importante de um barco — a de navegação — embaixo, sem vista para o mar. É um erro criminoso e frequente de arquitetura naval, que até o *Rapa-Nui* carregava, e que me recuso a cometer. Enquanto a tripulação corria desesperada para abaixar o balão e começar a manobra de retorno, o pai fazia cálculos de navegação para não perder a posição de referência da filha. Por quatro horas seguidas, não parou um minuto. As boias foram encontradas. A menina desapareceu. Começava a escurecer, o pai não desistiu e voltou ao início dos cálculos. Às dezoito horas a menina foi encontrada. Estava com frio, mas bem. Contou que eles tinham passado ao seu lado diversas vezes. Ninguém a viu ou ouviu, embora gritasse o tempo todo. Adorou estar no Brasil.

São muitas as dificuldades de localização visual: as ondas, que quase o tempo todo encobrem a visão de um ponto na superfície; o *swell* quase imperceptível com tempo bom; a luz do sol e os reflexos contrários; carneiros das cristas, que confundem a visão; a sombra de uma vela; a dificuldade de lotear setores de busca para cada par de olhos... As boias lançadas do barco francês foram afastadas pelo vento, a menina nunca as alcançou.

O Jamil tem duas filhas, o Fábio uma, o Marcão duas. Quando as nossas começarem a navegar, eu gostaria de não precisar mais pensar nessa história de localizadores. Não é possível que até lá não se invente um localizador eficiente, simples e fácil de usar, como um relógio de pulso. Com alarme involuntário de presença — ou distância —, um só canal de fonia, o 16, para auxílio verbal no resgate, e uma luz eficiente. Quem sabe um localizador por satélite. E sem essas histórias de frequências aeronáuticas ou satelitais, que transferem para terceiros o problema do resgate. No caso de localização de barcos inteiros ou balsas em perdição, essas balizas satelitais de milhares de dólares que usamos para cumprir a lei podem funcionar muito bem. No caso de um ser humano caído no mar, falta inventar um equipamento com autonomia e menos de cem dólares de custo que até um cachorro a bordo fosse obrigado a usar.

O vento aumentou bastante no fim da tarde, e o mar ficou chato, com ondas curtas e um pouco de tráfego. Nós, os três que não pretendiam enjoar, ficamos espertamente do lado de fora. O Jamil, que embarcara com a missão de comandar exatamente a cozinha, desapareceu como a menina francesa. Pelo menos estava dentro do barco. Imaginei que àquela altura ele estaria abraçado ao vaso sanitário, já na fase de expulsão de bílis, de tão enjoado. Ninguém queria conferir. Não é vergonha, no primeiro dia de uma travessia, passar mal. E cozinhar com um balanço assim não é tarefa simples nem para um veterano pescador de King Crab, no Alasca.

Ouvimos, vindo da cozinha, o som assustador de um vaso de pressão furado, ou, quem sabe, de um descarrilamento de ferro-gusa. Segundos depois, uma nuvem de fumaça gordurosa saiu pela portinha de entrada. Não se via nada dentro, e o cheiro era suspeito. Antes que alguém se mexesse para averiguar o problema, saiu de dentro da nuvem, buscando o ar fresco de fora, um vulto suado e alegre de avental e paninho de garçom no antebraço. O Jamil ferveu um caldeirão de óleo e lançou dentro uns quatro quilos de batatas de Sintra para fritar. Como se não bastasse o risco, sobre uma prancha de ferro incandescente atirou quatro bistecas portuguesas com dois dedos de altura e um de gordura cada uma. Comemos como gauleses. Por mero milagre, ninguém passou mal. Ficou evidente, no entanto, que teríamos alguns ajustes de segurança a fazer na dieta e nas práticas culinárias.

A única ventania de toda a viagem foi a dessa primeira noite. E o único menu fratricida.

As batatas de Sintra viraram motivo de gozação, no decorrer dos dias. A farta presença delas a bordo tinha uma explicação. Antes de deixar Lisboa, fui com o Barba para Sintra, e na volta passamos por uma plantação de batatas. Não sei por quê, exatamente naquele dia eu estava com um desejo acumulado de comer batata. Comentei, talvez por causa da fome, que era muito bom comer batatas no mar. Ele concordou que seria bom ter muitas batatas frescas a bordo. Eram baratas, compramos três sacos de sessenta quilos. Nos dias seguintes, até a escala do Funchal, não tocamos numa só batata. No simpático porto madeirense, enquanto o Barba se esmerava no fogão, o Fábio conseguiu um fornecedor do tradicional vinho estufado, que tinha tonéis das castas principais: boal, sercial, verdelho e malvasia. Não sabemos até hoje de que castas ele comprou o vinho — a granel. A julgar pelo preço e pela quantidade — duzentos litros de um tipo só, em bombonas plásticas —, não seriam das de que fala o famoso versinho: "As uvas terrantês, não as comas nem as dês, para o vinho Deus as fez". O vinho foi embalado a bordo, indiscriminadamente, em galões de dez litros, com os nomes das castas e os anos de safra — inventados — escritos com caneta piloto em cada galão. O Fábio adorava servi-lo aos visitantes, sempre com comentários sobre os melhores anos e o prato ou a ocasião mais apropriada para cada uva. Como ele sabe que não autorizo bebidas alcoólicas em navegação, tirou o atraso passado e futuro. O *Paratii* virou um bar-restaurante muito frequentado na noite funchalense. Isso para não falar do setor de jogos de azar. As partidas de gamão, que no mar jogávamos uma vez por dia, às três da tarde, hora de Greenwich, no porto viraram torneios sérios entre tripulações, disputados a dinheiro e gritos. Mas nenhuma batata foi consumida.

No porto seguinte, Mindelo, com a fama do Jamil como anfitrião e crupiê crescendo internacionalmente, e como não tenho a mínima inclinação para jogos de sorte ou azar, nem mesmo burro em pé, resolvi fazer uma boa ação e doar um saco de sessenta quilos das batatas de Sintra. Antes que brotassem a bordo.

Nunca, em toda a sua existência de riscos e viagens, o *Paratii* esteve mais perto de ser afundado, e isso por culpa de umas batatas de Sintra.

O candidato beneficiário foi o antigo barco inglês *Clach na Sula*, do casal Vera e Yuri. O veleiro, que foi vizinho do *Paratii* por mais de um ano na Hanseática, pertenceu a um casal de mais de setenta anos que decidira sair numa viagem sem volta até que um dos dois partisse em definitivo. Gostei imensamente de tê-los conhecido. A Vera, atual dona do barco, já manifestara interesse nas batatas, mas não tinha ninguém que as carregasse. — Ok, ok! eu já vou levando — me adiantei. O problema não eram apenas os sessenta quilos: havia uns cinco ou seis barcos entre nós, bordo com bordo, todos branquinhos, desses onde se é obrigado a tirar os sapatos, passar paninho nos pés e não sei mais quantas frescuras que não suporto. Nenhum cristo para ajudar. Saí com os sessenta quilos entre o pescoço e as costas, depois de lutar engenhosamente por cinco minutos para me erguer sob o saco. De cabeça baixa, sem poder olhar para a frente, fui passando para o cais que também era um navio, de borda inclinada, aparentemente projetado para ninguém passar com batatas nas costas. Driblando passadiços, parapeitos, guarda-mancebos, com cabos se enroscando nas batatas, nas pernas, eu suava como um condenado da Guiana Francesa. Um dos meus sapatos escapou e ficou para trás, alguém achou, me entregou, desculpe, agora não posso, depois eu pego. O suor com a terra de Sintra escorria marrom pelo meu pescoço, as escotas cruzadas não deixavam passagem, topei com o dedão do pé sem sapato no trilho de genoa do *Clach*, a Vera ouviu os passos pesados no convés, não sabia de onde eu vinha, espera, aqui não, põe ali, isso, não, mais pra lá, mais um pouquinho, ali... Eu estava próximo da fase anaeróbica de exaustão e meu humor já tinha acabado. Infelizmente, no exato instante em que arriei a carga de Sintra no piso, e, com dificuldade, ergui as costas, entra no barco da Vera um jovem e alinhado oficial da Marinha portuguesa, de uniforme branco polar e cabelo engomado.

— Comandante Klink?

— Sim. Quer dizer, mais ou menos — respondi ofegante.

— O senhor não é o comandante do veleiro *Paratii*?

— Sou sim — respondi, esfregando a testa suada.

— Pois tenho cá um convite do comandante António Dias, do navio-escola *Sagres*, para um coquetel a bordo.

— Ah! Muito obrigado, agradeça ao comandante — respirei um pouco —, estamos todos curiosos para conhecer o seu navio. Vou avisar minha tripu... — Ele me interrompeu, ríspido.

— O senhor não compreendeu. É só para os comandantes.

— Desculpe, eu não entendi. O senhor pode repetir?

— Só para os comandantes, pois!

E era mesmo. Ainda ofegante, senti o sangue subir à cabeça. Eu ia tentar explicar que no meu barco não uso essa hierarquia estanque, que nos turnos cada um é comandante... mas não valia a pena. Só para comandantes, só para cozinheiros, só para vips, fui pensando baixinho enquanto enrolava o convite pelos dois lados. Segurei o meu convite como um diploma e perguntei ao oficial, pronunciando com clareza as palavras:

— O-senhor-me-compreende-bem?

O oficial confirmou com a cabeça, esticado de surpresa.

— Pois então o senhor diga ao seu comandante que ele pode guardar no traseiro isto aqui. O senhor me entendeu bem?

Talvez as palavras não tivessem sido exatamente essas, mas o homem, que tremia quando lhe estendi o canudo, pareceu ter entendido, e saiu gaguejando, sem responder. Insisti, como provocação:

— E por favor, avise ao comandante que sua tripulação é bem-vinda a qualquer instante para um terrantês a bordo.

Francamente, entre tantos deslizes dos organizadores, que não perceberam que nenhum dos tripulantes da regata — ou comemoração, ou o que fosse — era profissional, que todos estavam se ausentando dos seus trabalhos, das suas famílias, pondo em risco pessoas e patrimônio de considerável valor, eu nunca poderia imaginar convite mais impróprio e grosseiro, atitude menos digna de homens do mar do que a de segregar.

Voltei para casa. Não havia ninguém no barco. Precisava desabafar com alguém. É certo que havia feito uma besteira. Do lado de fora estava o Ary. Contei o caso. Ele riu. Certamente eu não seria rebaixado de posto, já que não tenho posto nenhum. Talvez preso por ofender um capitão de fragata. Quem sabe aprender a cantarolar mornas caboverdianas numa cadeia mindelense. Malditas batatas de Sintra! Por que fui responder com suor no cérebro?

Pouquíssimos "comandantes" foram ao *Sagres*. No dia seguinte fomos almoçar com a tripulação do veleiro *Curumim*, também brasileiro, no Clube Mindelense. Difícil imaginar lugar mais simples e agradável. Não era um clube: apenas um restaurantezinho sem telhado, no topo de um prédio de dois andares, na porta do mercado de peixe da cidade. Via-se o mar, a baía do Mindelo e umas duas centenas de veleiros de todos os cantos do mundo, ancorados. Éramos onze, debaixo de um pergolado de galhos tortos e parreiras. Um dos tripulantes do *Sagres* trouxe um recado do comandante português. Imaginei-me posto a ferros para ser jogado numa masmorra lusitana, depois ouvi que havia um pedido de desculpas e um convite para que visitássemos, todos, tripulantes e comandantes, o *Sagres*. Foi tão simpática a atitude, tamanho o alívio, tão luminoso o dia e agradável o lugar e a companhia que o almoço tornou-se uma festa. Tomamos, os onze, doze garrafas de um verde português exepcional. Eu queria me desculpar pela grosseria e explicar minha opinião sobre atitudes discriminatórias, infelizmente comuns no Brasil. Ventava lindamente na baía, uns dezoito a vinte nós de sopro quente e constante, e não se via um mísero pedaço de pano içado, uma velinha cortando a água esverdeada, nada. O vento estava perfeito para nosso mastro-cruz. Não sei vinda de quem, a ideia pegou fogo. Vamos ao *Sagres*! A todo pano!

— Sem motor! — berrei.

Descemos do *Mindelense*, e em minutos as amarras estavam soltas. Oito testemunhas ficaram agarradas no arco traseiro, o Marcão na escota, o Fábio na catraca. Eu segurava o leme, postado no quadrado. Velas em cima, bolina embaixo, motor desligado. Os únicos sons do porto eram o tilintar metálico das adriças batendo nos mastros dos veleiros e as vozes do mercado de peixe. Para escapar do labirinto de barcos e poitas, deixei o barco acelerar adernado em direção ao mercado até a bolina tocar o fundo. As vozes diminuíram, o cais do peixe se encheu de curiosos que observavam a arriscada manobra. Com bordos cada vez mais rápidos, passamos por entre as poitas, os barcos, as pedras, as boias. Uma volta completa no labirinto de obstáculos. E outra. E ainda mais uma. Um barco e tanto, o *Paratii*. Um bom pedaço da minha vida. Morada, veículo, quase um parque para as meninas, parado tem um aspecto imponente, bélico, navegando é ágil como um lagarto. Agora eu salivava de prazer. Além dos comandos de manobra, ninguém soltava um pio. O rebocador, ali, parado.

— Ok, por boreste, vai passar perto, o francês.

— Qual?

— O preto.

— Pela popa, vai. Muito bem! Solta tudo! Jaibe louco, todos abaixados. Passou! Pode ir, caça rápido, mais rápido, caça tudo...!

Eu trabalhava na frente do leme, de costas, o Marcão na escota da retranca; diálogos acelerados, movimentos rápidos.

— Mais leme!

— Não passa!

— Cento e oitenta graus, quando passar o vermelhinho...!

— Pronto!

— Agora, jaibe caçado, tá com você Marcão! Bordo em seguida, caça rápido que nós vamos por cima, muito bem, linda manobra, linda manobra...

De fora da baía avistamos os dois navios veleiros, o *Cisne Branco*, brasileiro, e o *Sagres,* que o Brasil deu a Portugal no passado. Entre eles a caravela *Boa Esperança,* com a mais animada de todas as tripulações. Estavam no porto de carga ao lado da cidade. Fui na direção dos divertidos portugueses da *Boa Esperança* em atitude de ataque pelo costado. Carregados de bons vinhos e já empunhando cálices e bochechas avermelhadas de digestivos, vieram ao convés berrando a cada bordo que fazíamos. Na primeira manobra o bico do *Paratii* passou a metros, bem poucos, do casco português. Os ocupantes da caravela, possuídos de euforia coletiva, urravam a cada nova investida. A cada escapada, levantando bigodes de espuma da proa, menos metros e mais gritos nos separavam de uma colisão. Aos gritos de AAAAtacar, corriam os portugueses pelo convés da caravela como crianças endoidecidas. A cada inclinada do mastro branco, a tarde morna e ventosa do porto se enchia de gritos, vivas, provocações, bonés e quepes atirados à água. Se alguma coisa espetacular pudesse ser feita para estragar a *siesta* daqueles homens, da nossa parte estava feita, e antes que eles começassem a gritar "Às armas", achei melhor voltar. Um rebocador nos comprimiu na saída, as pontas da retranca passaram a centímetros do *Sagres*. Os portugueses urravam de delírio. Voltei para a nossa vaga, pensando numa frase que o Barba, no meio da manobra mais drástica, proferiu em tom solene: "Para um navegador, a distância entre a glória e a ruína completa é um fio de cabelo...". Não quis falar nada até que amarrássemos em segurança, mas não pude deixar de concordar que, dependendo do fio de cabelo, naquele dia eu escapei por distância menor.

A Batalha Naval do Mindelo, como a batizamos, que poderia muito bem ter rendido complicações diplomáticas e materiais ao único barco entrante, fez um certo sucesso. Por muito tempo eu receberia comentários de navegadores passantes, interessados no mastro que fazia acrobacias portuárias em Cabo Verde.

Na quinta-feira, 28 de março, deixamos o Mindelo rumo ao Brasil com um tripulante mais, o Rimantas, e boas recordações cabo-verdianas. Decidimos que caso a passagem pelos penedos de São Pedro e São Paulo ocorresse de dia, e somente se a única poita estivesse vaga, faríamos parada no rochedo oceânico. O Rimantas e o Fábio ardiam de desejo de mergulhar nos penedos, eu de chegar logo à Bahia. Não sei se foi boa ideia. Na madrugada de aproximação, três outros veleiros surgiram no radar com a mesma intenção, e a poita virou objeto de cobiça. Jogar ferro ali é quase impossível, pela grande profundidade. O *Paratii* ganhou por segundos o direito de parada. Ficamos três horas. Na minúscula cabana do rochedo, o Fábio conheceu a

Adri. Em Fernando de Noronha, reencontrou a Adri. Na Bahia, desembarcou por causa da Adri. Desmanchou seu casamento, deixou o Hospital Universitário, casou de novo, foi morar no *Brisa*, que rebatizou de *Quarup*. Foi esse o saldo de uns segundos de vantagem na vida do Fábio: a Revolução dos Penedos.

Na saída de Fernando de Noronha, onde fundeamos só para visitar os amigos do nosso médico, encontramos o barco *Aki Moro*, do casal lusitano Zé e Cristina. O português estava agora transtornado com a ideia de descer à península Antártica e mergulhar com os papuas em águas cristalinas. Separei um pacote de "vírus" com cartas, anotações sobre os ancoradouros secretos que o Jérôme indicara e mais fotos que o Zé não tinha visto. Pacote semelhante ao que levou o casal do *Dahu* ao mundo dos pinguins. O *Aki Moro* é um dos raros barcos de série, em plástico, que eu recomendaria para andar no gelo, um Amel francês muito bem construído, igual ao *Saudade III*, do casal italiano Giorgio e Mariolina, hoje residentes fueguinos. Passamos ao lado deles sem parar. A bordo, a Cristina fazia mais sucesso que cem batalhas do Mindelo: sem o top do biquíni, acenava voluptuosamente nos convidando para um brinde. Houve um princípio de motim a bordo do *Paratii* porque eu agradeci e continuei para a Bahia.

No dia 10 de abril, avistamos a costa de Pernambuco. No fim da tarde, como o vento era contrário, achei melhor dar um bordo para alto-mar e evitar os pequenos pesqueiros. Um reflexo forte entrou no radar. Não era pesqueiro, mas um dos veleiros vindo do horizonte com todas as velas, umas vinte e tantas, na direção dos últimos raios do poente. Pelo rádio, o Marcão verificou quem era: o *Cisne Branco*. Barco belíssimo e fundamental para qualquer Marinha, um navio veleiro é onde se desenvolve a complexa função de administrar pessoas e o conjunto de seus talentos. Novo em folha, estava sendo incorporado à Marinha do Brasil. Seu projetista, o holandês Gerard Dijkstra, trabalhou com a Carbospars nos projetos dos mastros de carbono ingleses que eu pretendia construir para o barco novo. Em Lisboa, com o Jamil, fomos recebidos a bordo com especial carinho pelo comandante Cantuária e pela tripulação, pequena para barco tão complexo. Mas em nenhum ponto da travessia havíamos conseguido ver o barco a caráter, com todas as velas trabalhando. O Cantuária quase nos matou de rir, depois, quando descreveu nossa primeira manobra "de impacto" no Tejo, bem na direção do seu navio, que, julgou ele, terminaria em colisão, escândalo e tribunal marítimo. Depois da Batalha Naval do Mindelo ele compreendeu que os bordos livres pela popa, apesar de assustadores, são inofensivos — e uma das características desse tipo de mastro.

Seis milhas de distância, em rumos convergentes, uma hora antes do pôr do sol. Eu queria a todo custo ver de perto, com luz, o impressionante navio. Alterei o rumo, regulamos as velas, ligamos o motor, fizemos o diabo. Não foi possível. Eles acenderam as luzes de navegação, nós também, e, ao emparelhar, navegando no escuro ao lado da silhueta de três mastros, hipnótica, fantasmagórica, velas e cabos rangendo, ninguém ousou proferir uma só palavra. Dois mil cento e noventa e cinco metros quadrados de panos quase tocando os nossos míseros cem. Podia-se ouvir a respiração do barco entre os rangidos, ver no escuro os vultos imóveis que nos fitavam do convés inclinado, metros ao lado. Eles na arquibancada escura, nós no campo apagado. Diálogo de barcos no oceano, silêncio de humanos, durante minutos seguimos assim, admirando o trabalho dos panos, a singradura das proas abrindo espuma a sete nós. Mil cento e trinta e oito toneladas contra vinte. Eu segurava tenso o leme, atento à pequena distância do costado branco. Uma colisão seria fatal. Não ouvimos um pio, nenhuma ordem de comando, nada. Não sei como aconteceu. Os holofotes de mastro do gigante se acenderam, o convés se iluminou como o palco de um teatro em pleno oceano. Levei um susto. Havia muitos homens, sentados, apoiados, alguns no chão, todos virados na nossa direção. Seguravam os instrumentos nas mãos, compenetrados, e começaram a tocar — e cantar — o *Cisne Branco*, hino da Marinha. Era a banda da Marinha, a bordo do navio homônimo do belo hino. Não estavam todos de uniforme, talvez porque os surpreendemos na exata hora do rancho. O nome do navio, o hino, a letra do hino, a derrota cumprida, a noite apagada, o mar imenso, a terra amada, no dia de chegada da sua viagem inaugural. Um espetáculo surreal, não fossem as mil toneladas de deslocamento bruto...

No último verso da quinta quadra do hino, "os verdes mares, os mares verdes do Bra-sil", as vozes, a banda e as luzes se interromperam num golpe seco de silêncio. Quase me atrapalhei com o choque do súbito escuro nas pupilas. Afastei a proa a tempo de ouvir do navio apagado o grito isolado, anônimo:

—Viva o Brasil!

Cada um seguiu seu rumo noite adentro. A bordo, ninguém abriu a boca.

13

VENTO PERSO

A solução para cumprir o último cronograma do estaleiro veio mais ou menos de um vendaval perdido.

Uma empresa recém-criada da área de comunicação e informática se interessou pelo projeto de Itapevi. Fomos contatados por sua agência por intermédio de um casal de publicitários elegante e convincente. Um japonês e uma senhora de sobrenome árabe. A Marina participou da primeira reunião e relatou todos os problemas de comunicação e conectividade, frequentes em barcos e outros veículos semoventes. Problemas que ela agora administrava com destreza. Ondas curtas, Morse, bólidos eletromagnéticos do passado ainda confiáveis, células terrestres e satelitais, pagers e fones globais, sequestro de altas frequências de satélites abandonados, VHF, UHF, antenas geoestacionárias e orbitais *phone-patch* de meios combinados, o diabo. Foi bem interessante. Eu expliquei alguns dos meus princípios, nada interessantes, quanto a eventuais vínculos com empresas apoiadoras. Não uso bonés, uniformes nem fantasias coloridas de logomarcas. Não sou totalmente contrário ao fato de alguém usar. Apenas não uso. Prefiro passar fome ou navegar pelado do que andar vestido por obrigação para com quem quer que seja. Soa como um perito atestar por coerção um fato, enquadrar por contrato o seu discernimento. As relações que construí com pessoas, fornecedores, parceiros e clientes foram fruto de confiança, suor, bolhas nos dedos e milhares de milhas. São relações verdadeiras e permanentes. Sei que é raro empresas firmarem acordos com a expectativa de construir histórias ou fatos verdadeiros, mas elas existem. Mais raro ainda encontrar homens de comunicação que pensem assim. Mas de vez em quando acontece. Incontáveis vezes deixei de fazer bons negócios e perdi contratos oportunos por não ceder nesse ponto. Não morri de fome e não fizeram falta esses negócios.

A explicação, talvez um pouco contundente para profissionais de criação, pareceu fazer sentido para o casal bem-vestido. A empresa foi criada com um nome de que no fundo eu gostava, mas que era pouco sugestivo para expressar solidez e longevidade num negócio. "Vento" era a marca de fantasia da empresa — ou portal —, que eles tratavam no masculino: o Vento. Eu precisava urgentemente resolver o problema da construção dos mastros, e se o Vento se interessasse por apoiar essa etapa do projeto, seria a nossa salvação. Foi marcada uma reunião com o presidente da empresa, sr. Guilhermino. Eu estava bastante calmo. Havia explicado à agência repetidas vezes que não seria uma reunião de mascates tentando pechinchar descontos, que eu apresentaria as planilhas de tarefas e custos, que não pretendia ganhar um centavo, apenas concluir o que estava iniciado. Falávamos de obrigações e compromissos claros, já do conhecimento de todos, e o resultado da reunião seria bem simples. Sim ou não. Para não parecer intransigente, insisti que se fosse para alterar a proposta já encaminhada, eu preferia agradecer e recusar. A casa velha da rua Guapiaçu, apesar das 34 árvores de madeira de lei que plantei, estava sendo vendida a uma escola japonesa. O apartamento onde morei antes de casar também foi vendido. De um jeito ou de outro eu faria a lata de Itapevi descer ao mar. Deixei o estaleiro mais cedo nesse dia e segui para a reunião no sofisticado prédio de escritórios do conjunto Villa-Lobos. A reunião foi péssima. O sr. Guilhermino, piadista contumaz, a princípio parecia genuinamente interessado em participar do projeto. Depois, em tom de gozação, de modo nenhum antipático, caso se tratasse de um assunto banal, começou a fazer piadinhas e provocações. Eu pensava no suor e dedicação dos soldadores, dos que dependiam daquele trabalho para viver, nos compromissos assumidos, nos clientes do estaleiro, em todos que haviam confiado seus barcos e economias às nossas ideias... Os sujeitos da agência, extasiados com o senso de humor tão brilhante de seu abastado cliente, esforçando-se para rir também...

Eu havia passado o dia no estaleiro, andando entre clarões azulados de solda que queimam os olhos, decidindo cortes e posições de peças, pingando de suor na prancheta do Thierry, depois na dobradeira de sessenta toneladas do sr. Ivo, quase surdo com a gritaria das tupias e o desempeno das chapas. Estava com barro de Itapevi nos sapatos sobre um elegante carpete, numa sala com ar-condicionado, vendo pelo vidro à prova de som o fétido rio Pinheiros e o trânsito das Marginais da cidade de São Paulo, que dali parecia um espetáculo artístico, um rio de luzes vermelhas tremulando de um lado, do outro luzes brancas fixas. Cruzei as mãos e comecei a rodar os polegares. Era uma situação pior do que carregar as batatas de Sintra. Ninguém esboçava uma reação. Não gosto de ser grosseiro como fui na véspera da batalha do Mindelo, mas a graça das piadas foi acabando, minha paciência também, as risadinhas murchando. Não me lembro exatamente quando foi, só sei que me cansei das piadas, das risadas, me enchi e, obra do destino, incorri no mesmo pecado ofegante de Sintra:

— Pois então o senhor, por gentileza, pegue o seu dinheiro e enfie no traseiro. Muito obrigado!

Saí da sala, do prédio, do shopping anexo. Um erro, eu sei, responder sem pensar, sem pesar. Sem fingir, diriam alguns ases de comunicação que conheço. Paciência. Quando cheguei em casa, levei um susto. Uma blitz da divisão de narcóticos da Polícia Federal não seria mais intimidatória. "Você nos fez perder o nosso cliente!". "Isso é uma irresponsabilidade, não vai ficar assim", bradava o japonês da agência. Lamentei profundamente pelo Vento perdido, mas diante do sarcasmo do senhor presidente e do nível das suas piadinhas, uma hora depois do encerramento trágico da reunião, e já bem calmo, ainda não me ocorria uma frase mais apropriada que pudesse ter usado naquela situação. Dois dias úteis depois, recebi um pedido de desculpas e um convite do presidente do Vento para almoçar num restaurante no Alto de Pinheiros, em São Paulo. O contrato foi assinado exatamente como havíamos combinado, e ninguém perdeu nenhum cliente...

14

A VIA-SACRA

A Nina completou um ano no primeiro dia do novo milênio. Mais loirinha do que a irmã Laura, que chamamos Loira. No fim de março, a Loira e a Morena fariam quatro anos. Vertiginosa impressão, essa do tempo que faz crianças crescerem em minutos. À noite, as três foram para nossa cama. Como anjos, dormiram enroscadas nas nossas pernas e braços, enquanto eu fazia um esforço supremo para não esmagar nenhuma filha.

Nos dias seguintes iríamos cortar o cordão umbilical do barco e finalmente deixar Itapevi. A Marina quis levar as três para assistir ao nascimento. Fui antes. Mais uma vez a parede verde com as velhas telhas da Villares foi desmontada. Fechamos o transporte com a empresa de um sujeito espirituoso e empenhado, o sr. Carlos Vinha. Uma carreta de 96 rodas, dois cavalos Iveco de alta potência, um caminhão-guincho e outra carreta menor para levar a cabine e os turcos, que seriam soldados no Guarujá. Para quem não é verdadeiramente apaixonado por caminhões, guinchos e máquinas pesadas, admito que não era uma operação muito mais interessante do que o transporte de uma turbina. Mas eu sou. O sr. Vinha soube que eu era doido por guinchos e carretas e insistiu para que eu dirigisse o cavalo de tração. Dei uma volta sem a carreta na estrada que contorna o fórum, depois a carreta onde ficaria o barco foi engatada no cavalo de tração e começou o trabalho de puxar o casco para cima dos dormentes. A parte traseira do barco ficou orientada para a frente do caminhão. Aos poucos, o gigante de alumínio foi sendo arrastado, de ré, sobre "fogueiras" de dormentes cuidadosamente niveladas, e lentamente foi se deslocando sobre a imensa carreta. Subi no convés. Não era bem um barco. Eu estava pisando sobre sete anos de trabalho e teimosia. A saída do estaleiro foi um marco importante para os sobreviventes do projeto. A instalação que havíamos montado, e que lentamente ficava para trás, ganhou num instante maioridade e independência. Cumprira a sua missão, e em vez de esvaziar-se seguiria com o Thierry e novos projetos que começavam a aparecer. Continuaria formando e transformando pessoas, gerando postos interessantes de trabalho, fazendo barcos ousados e diferentes. No meu caso, funcionaria também como uma reserva técnica onde eu poderia encontrar soluções para inventar novos sistemas ou fabricar as intermináveis pecinhas de que um barco nunca está livre. Mal deixamos o estaleiro, veio uma súbita chuva que lavou o convés.

— O Dilúvio, o Dilúvio está chegando!! Adeus Itapevii! — eu gritava. O alumínio ficou escorregadio como um rinque de patinação. — O sal, agora só falta o sal na água! — lembrei, enquanto me divertia dando curtas deslizadas sobre o piso do barco, de braços abertos.

O período em Itapevi não foi um mar de rosas, mas curiosamente todas as dificuldades, disputas e decisões no fim se transformaram em benefícios duradouros. Mudamos para melhor a vida de um monte de gente. As pequenas melhorias, o segundo galpão e os novos pátios cresceram, valorizaram o lugar e o trabalho feito ali.

Eu sabia muito bem que teria um caminho longo, complexo e oneroso de etapas a cumprir, até poder chamar aquela baleia metálica de barco. Chegar ao mar, montar o interior do barco, equipar, fazer as inspeções legais, fazer chegarem os mastros, armar, navegar até o primeiro gelo. Mesmo assim, cruzar em pé, no convés, a placa de divisa de município e finalmente deixar Itapevi foi uma experiência rodonaval simplesmente deliciosa. Um grande alívio.

A Marina, carregando no colo a Nina, e as gêmeas de mãos dadas no meio do asfalto seguiram a carreta a pé, numa lenta procissão, até sua primeira parada. Três quilômetros desviando de fios, segurando carros, ônibus e caminhões, foi a extensão da primeira travessia, até a entrada da rodovia Castello Branco. Dali em diante todos os deslocamentos seriam noturnos. Previamos dez dias de viagem até o mar. Foram 29.

Sete anos parece um período longo para a construção de um barco, de qualquer ponto de vista. Não foi. Sete anos de especialização em administração de negócios em Harvard não teriam me ensinado o que eu aprendia num só no estaleiro. O ato de empreender, no Brasil, não acontece sob uma perspectiva muito coerente. Em termos práticos, constituir empresa, contratar emprego ou serviços e administrar negócios pretendendo obter resultados, ou pior, lucro, são atividades interpretadas como crime, em que quem as empreende, por antecipação, é o culpado. Não é o que a lei pretende originalmente, é claro, mas esse é o efeito da legislação confusa e paternalista que rege as atividades corporativas do país. O resultado é interessante. Muito mais importante do que tino empreendedor, criatividade ou eficiência torna-se a habilidade de buscar brechas na tarefa de interpretar normas, leis, regulamentos, decretos e portarias, que se entredevoram e se multiplicam como roedores em frenesi. De um lado, perde-se um tempo precioso com a inconstância burocrática. De outro, a necessidade de sobrevivência, os compromissos reais, a vontade férrea de seguir em frente, desenvolvem uma agilidade de raciocínio e reação que escola nenhuma fora do Brasil ensina. Dos sete anos de "formação" em Itapevi, quatro foram de trabalho efetivo — um belo trabalho, que agora repousava sobre oito dúzias de pneus. Três foram de um tipo de aprendizado que o meu diploma de economista não teria atestado em trinta.

Apesar dos infindáveis assuntos a resolver — atracadouros em Paraty, laminação dos mastros, transferida para Mallorca, escolha do local de montagem em Santos, licenças, perícias, requerimentos, laudos, protocolos, audiências —, resolvi acompanhar a procissão pneumática até o batismo seguinte, em Santos. Havia uma certa urgência logística. O comboio seguiria pela rodovia Castello Branco até São Paulo. As cargas das pontes não são padronizadas, os vãos livres também não. Laudos de engenheiros especializados e credenciados pelas concessionárias deveriam ser feitos a cada novo obstáculo. Sistemas variados, de concessionárias diferentes, exigiam procedimentos distintos. A transportadora constatou, junto à Polícia Rodoviária, que duas passarelas novas de pedestres, ainda em fase de instalação, estavam mais baixas do que o padrão das outras pontes. Se não passássemos logo, haveria um encalhe rodoviário complicado. Não existia uma planta de tolerância em medidas para cargas especiais, nem nas prefeituras de passagem, oito ao todo, nem nas empresas privadas de estradas — assim como o Brasil entrara no segundo milênio ainda sem um sistema cartográfico padronizado. Eu sabia que a passagem por São Paulo seria difícil e burocrática, mas é difícil admitir que não há a menor intenção de eliminar as carnavalescas dificuldades enfrentadas pelas cargas especiais, no estado mais rico do continente, para vencer os setenta quilômetros que separam sua capital de seu principal porto. Poucas experiências podem ser mais produtivas para compreender o país do que acompanhar a travessia de um comboio do interior para o litoral. Em pouco mais de meio século, com tantos exemplos de movimentos urbanísticos competentes no mundo, construímos um modelo científico de incompetência em matéria de planejar cidades e legislar sobre elas. No caso dos transportes especiais, uma complexa cadeia de interesses faz com que nenhum dos envolvidos diretos tenha muita pressa em resolver os obstáculos.

De quarteirão em quarteirão, o já lento avanço era interrompido por novas ninhadas de cabos e fios, novas discussões de quem corta o quê primeiro. Em todas as direções, o reino dos "gatos" ilegais e gambiarras de toda espécie. Engraçado que, quanto mais ricos os bairros, piores as improvisações públicas e privadas, mais visível a extraordinária pobreza de normas, padrões e sistemas. Recuos, acessos, alturas, passagens, desníveis, raios, rampas, sinais, guias, muretas, lombadas, bloqueadores — nada segue uma lógica coerente, um padrão. Gozado porque a compilação das soluções para todos esses problemas está num volume da segunda prateleira da estante de livros lá de casa, o *Architectural Graphic Standards*. Um único livro, de mil e poucas páginas, que respondeu à pergunta que eu sempre me fazia na faculdade: por que alguns países evoluem urbanisticamente, mesmo sem um modelo brilhante, e outros vão para trás?

Todos os dias do ano, ou melhor, todas as madrugadas, há cargas especiais em algum ponto da cidade. Todas abrindo rotas próprias, fugindo de pontes baixas, redes de alta e baixa tensão. Não há vias especiais tecnicamente preparadas para a travessia da cidade. Ainda não há um primeiro mísero anel rodoviário que contorne tanta desordem urbana, e muito menos um segundo. Não há uma rede de terminais multimodais de carga, passageiros ou de turismo, nem uma vagoneta férrea que ouse conectar os aeroportos e as rodoviárias da cidade. Placas de orientação e organização urbana, as poucas que existem, não compõem um sistema de comunicação inteligente ou lógico. As bicicletas não têm direito a vias próprias nem a estacionamentos. Motos, menos ainda. Rios navegáveis circundam a cidade — e não há um único atracadouro técnico, inter, trans ou submodal. Não há um único metro de borda d'água urbana, uma única conexão hidroviária.

Nesse breve lapso de poucas décadas, os brilhantes legisladores e projetistas de nossas cidades conseguiram destruir todas as possibilidades de vida hidroviária que cidades no mundo levaram séculos para construir e preservam a todo custo. No Recife, que nasceu do seu porto entre o Beberibe e o Capiberibe, rios historicamente navegáveis foram obstruídos com pontes que impedem uma canoa a vela ou qualquer outro tipo de transporte aquático de passar. Todos os rios, em múltiplos pontos. No Rio, além das pontes castrando as vias aquáticas do Fundão e da Barra, aterraram-se centenas de pontos públicos de embarque da baía de Guanabara. Em Santos, São Vicente, Bertioga e Cubatão, onde havia uma malha de comunicação por canais naturais única no Brasil, e rara no mundo, pretensos planejadores urbanos conseguiram amputar todos os canais navegáveis de uma hidrovia natural outrora eficiente. Todos. Fecharam com pontes automotivas baixas — quando não aterraram — todos os canais que faziam respirar e prosperar a Baixada Santista. Salvou-se o porto, único tronco que, detendo a mais importante extensão de borda de água no Brasil, é um modelo de desperdício de patrimônio urbano. Os canais interrompidos acolheram esgotos, dejetos e por fim moradores desamparados, tolerados mas impedidos por leis ambientais stalinistas de receber saneamento, acesso e serviços. Algum fenômeno perverso contaminou a visão dos administradores públicos brasileiros ao longo desses anos, fazendo-os ignorar o mar e os rios e impedindo-os de reconhecer as formas naturais e lógicas de fazer as comunidades prosperarem.

Grande parte dos mais importantes clubes de futebol começou como clube de remo. Em poucos anos os clubes de remo e regatas trocaram um esporte de determinação e competência na água por um jogo de bola inglês em que a malandragem é o grande atributo. A cabotagem regional e pequena, a pesca artesanal, o turismo náutico, o patrimônio hidroviário, nossa história transoceânica, as canoas da nossa origem — tudo esquecido nos desusos da nossa memória.

São incontáveis os exemplos desse gesto estranho de dar as costas ao mar, os esgotos aos rios. A ilha de São Francisco do Sul, conectada ao continente por um aterro desastrado e criminoso, só pela preguiça de se fazer uma ponte decente. Florianópolis, que com aterros e uma cópia malfeita de ponte suspensa, que não deixa navios ou veleiros passarem, desfez o belo porto que tinha e é motivo de surpresa entre armadores: não quer que nenhum barco e nenhuma espécie de cabotagem prospere, mas se entope de carros, caminhões e ônibus. Rasga-se de estradas, em vez de enfeitar-se de atracadouros. Abre mão da modalidade de turismo que mais gera riqueza no mundo. Porto Alegre, que também fez pontes — um pouco menos baixas —, e que por uma única enchente na sua história escondeu-se atrás de um muro alto e separou-se do porto que está em seu próprio nome. Pelotas, que doou aos ratos e morcegos um dos portos mais charmosos do Brasil. Joinville, que nem sabe mais por baixo de qual ponte se vai ao porto de sua fundação. Em São Paulo, nos primeiros anos alfabetizados da minha infância, ao visitar o escritório de meu pai, no Centro, eu adorava subir e descer pela ladeira Porto Geral apenas para tentar imaginar o porto que estava sinalizado nas placas da esquina: armazéns de mercadoria geral, libaneses mercantes recebendo navios do Oriente.

Porto Velho, onde se atraca num barranco de lama. Porto Seguro e Cabrália, nomes perigosos para todo barco em busca de abrigo, tão ricas que se dão ao luxo de evitar navios e toda forma de turismo ligada ao mar.

No quinto dia de navegação asfáltica, encalhamos na ponte do Jaguaré. Não porque sua altura impedisse a passagem da carreta. Não tivemos permissão para prosseguir enquanto não se encerrasse o feriado de aniversário da cidade. Quatro dias parados, proporcionando, sob o casco, hospedagem gratuita para mendigos e transeuntes cheios de histórias incomuns. Se houvesse no rio Pinheiros portos técnicos, seria possível evitar uma semana de transtornos urbanos com o transbordo de cargas volumosas para chatas, que passariam por baixo das pontes e chegariam ao acesso expresso ao litoral, que por sinal também não existe. E eu, que prefiro mascar ratos a tomar choques, teria evitado uma dolorida descarga elétrica num dos ninhos de fios da avenida Morumbi.

No convés, as ferramentas de trabalho eram rodos gigantes de madeira, usados para empurrar para cima fios elétricos e cabos de todos os tipos. De tempos em tempos algum deles se enroscava em algum dente do convés e, quando não conseguíamos soltá-lo a tempo ou gritar para que o motorista parasse, o show de faíscas começava. Não eram só cabos elétricos. Também havia os de telefonia e TV, os gatos, as ligações clandestinas de tecnologias variadas, os canos de água, as faixas políticas, os cabos de sisal prendendo cartazes políticos, os fios das pipas, com cerol e sem cerol, rabiolas e pipas completas, arames enferrujados, tênis velhos lançados como boleadeiras sobre a fiação... um grande espetáculo de curiosidades urbanas. De cinco metros e pouco de altura, atravessando madrugadas desertas a três ou quatro quilômetros por hora, a cidade torna-se um espetáculo interessante. Pode-se tocar com as mãos as marquises dos sobrados no lado sem postes da calçada. Derrubar com os dedos estalagmites de poeira oleosa acumulada nos parapeitos. Por cima de muros e quintais, tem-se a visão privilegiada do interior das casas, algumas acesas, e dos negócios, quase todos apagados. Quase todos.

Dos inúmeros curto-circuitos que produzimos, o melhor ocorreu na avenida Cupecê, divisa de São Paulo com Diadema. Uns quinze homens da Companhia de Engenharia e Tráfego do município que deixávamos, muitos dos quais já nos acompanhavam havia dias, postaram-se como uma barreira humana à frente do cavalo trator. Bem no meio da avenida. Gritei, de cima, meio inclinado por causa dos fios:

— Meu Deus, o que foi desta vez?

Um deles, creio que o chefe, japonês, respondeu:

— Nada, barco vai deixar município, queremos fazer foto todos juntos!

Foi uma despedida muito simpática dos marronzinhos, como são conhecidos em São Paulo por causa da cor de seu uniforme. Eles também nos alertaram para avançar com cautela na subida seguinte, onde, escondida por um emaranhado maciço de ligações clandestinas de baixa-tensão, havia uma passagem de alta-tensão. Ali, o risco era de curto por indução, sem contato elétrico. De fato, ao alcançar o emaranhado, eu e o Luiz (do Ponto Doce) tivemos que descer. Eu fiquei atrás da cabine do cavalo mecânico, sobre o estepe de borracha, sem encostar em nada metálico. O barco passou quase inteiro quando um fiozinho mais embarrigado enroscou numa das réguas de proteção do convés. Curto, faíscas, o show noturno outra vez. As luzes de algumas casas começaram a piscar até se apagarem. Uma delas, um local de entretenimento adulto em franco entretenimento, apagou-se também. A carreta parou bem na frente do sobrado. Subi com o rodo e, do convés, vi, em vestes coloridas sumárias, algumas das funcionárias abrindo as janelas. "Pronto, agora vão nos jogar garrafas de cerveja e pedras...", pensei. Estava enganado. Uma gritou:

— Olha só, um barco! Um barco enorme! Que barcão!

Virou um coro. Gritavam, acenavam, com incrédula alegria, as mulheres e os seus clientes, os peitos peludos e as barrigas expostos nas janelas dos quartos.

Entre choques sumários e madrugadas de tolerância, consumiram-se 29 dias de Itapevi ao porto de Santos. Na baixada, depois de passar por treze túneis na contramão, descobri, sem muitas surpresas, que as alturas das pontes não conferiam com as das placas. Eu ia com o Carlos Vinha de dia fazer a checagem dos vãos. Ele tinha uma trena telescópica, em fibra de vidro. Me apaixonei, depois de quase ser atropelado embaixo de uma ponte, por uma treninha Hilti a laser que mede até cem metros com alta precisão. O Luiz Pizão, que acompanhou a via-sacra até o fim, foi um grande companheiro. Sem pretender, eu mudaria a vida dele e ganharia um parceiro de trabalho que mudaria a minha profissão. Voz de locutor e determinado como um trator de esteiras, virou especialista em transportes complicados, construção de barragens e muros de pedra, contenção de encostas e viveiros de mudas, plantio de bambus, fabricação de plataformas flutuantes, mudanças, demolições e muitas outras coisas de que eu o incumbi. Fechou seu pequeno armazém, o Ponto Doce, ao lado do nosso antigo escritório vendido, e mudou-se para Paraty.

Em Santos, tivemos que alugar um espaço num estacionamento de contêineres onde pudéssemos escavar uma pequena cratera debaixo do barco para instalar, na parte inferior, os lemes menores. O sr. Ivo, agora na qualidade de parteiro do barco, desceu novamente a serra levando um soldador do estaleiro, as máquinas da White e os cilindros de argônio. Debaixo de um calor maquiavélico, terminou a montagem da cabine, transportada em outra carreta. O Thierry conseguiu agendar na empresa Rodrimar o gigantesco guincho holandês de quatrocentas toneladas, que finalmente içaria a baleia metálica para o mar. No píer 26, o Marcão preparou um espaço para fazer, além da parte elétrica, toda a montagem final. Na quarta-feira, 14 de fevereiro de 2001, começou o içamento.

No instante em que as quilhas e os três lemes pendurados em setenta toneladas de alumínio encostaram na água, puxei para bordo as meninas, que observavam a operação do cais. As correias de sustentação ainda estavam duras como vidro.

A Marina pulou com a garrafa de champanhe que, por tradição, deve ser quebrada contra o casco por uma mulher. Eu estava tão nervoso que me antecipei e estourei de uma vez o espumante na bochecha de proa. E ganhei um abraço apertado.

15

OS TRÊS MOSQUETEIROS CONTRA DAMON E MARCANTON

"Que emoção, Amyr, ver o seu sonho descendo do céu e tocando o mar!", revelou depois uma das testemunhas do espetacular içamento da Rodrimar. Imaginei mesmo, em passado não muito remoto, que o sonhado instante em que o casco tocasse o mar seria um momento simbólico de grande emoção. Quem me dera! Emoção não era o termo apropriado, eu estava mais tenso do que um transformador trifásico. Teoricamente, por razões de segurança, ninguém estava autorizado a ser içado junto com a carga num transporte daquele tipo. Aleguei que precisava verificar a tensão das duas correias que aguentariam todo o peso e subi junto. Pura desculpa. O esforço nas correias de fato impressiona, mas eu conheço bem o produto, a fábrica — a Levtec — e o fabricante — o Chico —, de quem sempre encomendamos alças têxteis de alta resistência para usar no lugar de olhais metálicos. Confiava plenamente nas correias, por mais apavorantes que fossem os estalos produzidos com o aumento da tensão. Na verdade, o que estala é o esticamento da correia no trecho em que ela pressiona o casco. Havia outros pontos críticos além das correias. Um cambão ou viga de dez metros, dois balancins da largura do barco, todos em aço, presos por cabos de aço e manilhas feitas sob encomenda. Mas tudo fora preparado com cuidado e antecedência, e por nada no mundo eu deixaria de ir junto.

Emoção de verdade eu sentiria se o barco despencasse sobre os curiosos, embaixo. Aliás, se fosse para o barco se estatelar daquela altura no piso de concreto reforçado do cais de Santos, eu preferia virar pasta humana do que assistir.

Emoção deve ter sentido o Thierry quando passou pelo teste do qual nenhum engenheiro naval pode escapar naquela hora fatídica: a conferência da linha-d'água. Educadamente, eu lhe mostrei que estava devidamente equipado com um canivetinho Opinel, objeto inseparável de todo navegador bretão, para dissecá-lo vivo se a faixa previamente pintada, de calado leve, não conferisse com a linha molhada. Como do convés, por mais que me pendurasse para fora, eu não conseguia ver a faixa, fitei o amigo — ou ex-amigo, logo saberia — belga nos olhos até que ele fizesse um sinal. Quando ele me olhou, com um leve sorriso e ar de convencido, compreendi que os curiosos do cais haviam sido poupados de um espetáculo desagradável. Seu pesadelo não terminaria tão cedo. Haveria outras linhas-d'água para checar até que embarcássemos quatro toneladas de mastros, dez de montagens internas e trinta de combustível. Apesar de lavar o bico de proa com o estouro do champanhe da Marina (que, honestamente, eu teria preferido beber a dois) e da alegria de poder estar com as meninas agarradas nas pernas num dia como aquele, eu sabia que ainda estava muito longe do meu objetivo. Comemoração de verdade eu faria no dia em que esfregasse a proa e o costado no gelo salgado de Pleneau. Comemoração de verdade, pensando melhor, seria um dia na vida, numa tarde de sol, sentar com as meninas numa pedra qualquer de uma ilha sem nome. Na Antártica.

Nunca expus, antes daquele dia, o desejo de descer em família para o mundo luminoso dos *Pygoscelis*. Talvez brincando, a Marina por duas vezes mencionara a hipótese. Mas um dia, por que não? Por que não, se um dia a ideia partisse das próprias meninas? Não seria numa primeira ou segunda viagem, talvez numa quarta ou quinta, quando o barco terminasse a fase de experiência e ganhasse maioridade para seguir seu próprio caminho ou ser operado por terceiros, quando ele também tivesse completado uma volta ao mundo e, claro, se tudo funcionasse como desejávamos.

De tantas viagens não necessariamente brilhantes que fiz, travessias em canoas que não boiavam, em carroças e cegonheiras enferrujadas, rallys no meio da miséria, regatas inúteis, corridas em bois e vacas e mesmo viagens sérias — ou que levei a sério —, entre todas, nunca uma me pareceu subitamente tão importante.

Começou uma corrida contra o relógio. Até o início de dezembro os mastros deveriam estar instalados, o interior montado, todos os sistemas funcionando. Eu queria cruzar o Círculo Polar no verão seguinte, a tempo de voltar pela Geórgia do Sul. Antes de alimentar a pretensão de fazer viagens longas e uma nova circunavegação, seria preciso cumprir um período de ajuste e acúmulo de milhas.

Nem sempre um bom projeto ou o zelo ao construí-lo garantem que um barco funcione. Réplicas do barco vermelho, talvez mais bem construídas, nunca navegaram bem por causa do detalhezinho do leme. O barco de agora era muitas vezes maior, e as possibilidades de cometer falhas de concepção, construção, detalhamento ou instalação eram enormes. As análises com o novo combustível começariam com o carregamento pleno dos tanques no primeiro trimestre do ano, e depois disso, vivo ou morto, eu teria que levar o barco para o gelo e fazer os testes. Perder o verão significava atrasar um ano, trair a infinita dedicação do pessoal do Cenpes, comprometer as viagens seguintes. Remendar contratos não seria o pior. Muito mais do que isso, eu não queria decepcionar as pessoas que haviam se debruçado sobre nossos problemas com tanto afinco. E havia um cronograma do qual, por razões climáticas, não era possível fugir. A data de mastreamento era outubro, o limite para descer à península, janeiro, e já estávamos em março. Com o casco pelado e sem mastros.

Dessa vez, levamos as máquinas, cilindros e ferramentas para o píer 26, no complexo naval do Guarujá, e o Marcão, com uma experiência bem maior do que no tempo em que trabalhou no *Paratii*, assumiu a montagem. Assumiu a montagem integral, enorme responsabilidade, por exclusão, já que não consegui encontrar ninguém que se comprometesse com prazos tão exíguos. Ele sabia que se tivesse êxito faria parte da tripulação, e que se não tivesse eu o afogaria com prazer. Eu sabia quanto ele desejava navegar no gelo, conhecer as baías escondidas de que tanto ouvira falar.

Enquanto isso, em Paraty, tinha início a fabricação dos flutuantes de concreto e aço que desenvolvemos em Itapevi. Em pouco tempo o Luiz aprendeu todos os segredos de montagem e ancoragem de estruturas flutuantes pesadas. A ideia de montar a marina, que tantas vezes tentei pôr em prática, sem sucesso, começou a dar certo. As dezoito primeiras plataformas, ainda experimentais, foram vendidas para a Porto Imperial, uma nova marina que se instalava em Paraty. Uma nova série, aperfeiçoada, foi iniciada. Depois outra. Uma pequena equipe de trabalho liderada pelo Luiz transformou uma fazenda abandonada num porto bem cuidado. Limpeza de entulhos e lixeiras seculares, plantio de mudas nativas, contenção vegetal de encostas, restauro de todos os muros antigos, seis tentativas de prospecção de água, estrada, pavimentação, banheiros, sistemas elétricos, hidráulicos, de esgoto, de comunicação, de coleta de lixo, vigilância, içamento de poitas, resgate de clientes, licenças, aprovações, contabilidade... Uma avalanche de detalhes que antes eu não percebera. O Luiz entendeu que havia um prazo curto para que tudo aquilo fosse rentável e perene. Comuniquei a ele em tom de ameaça que só deixaria o Brasil de um cais montado por ele, de uma amarra que ele me passasse, o que lhe dava nove meses, até dezembro de 2001.

Em São Paulo, as meninas do escritório, a Soraya e a Regina, se desdobravam, organizando pilhas de notas fiscais, faturas, avisos de pagamentos, prazos. Quando estavam completamente soterradas de papéis eram acudidas pelo Maurício e por seu pai, o sr. Ulisses, que além de contador atuava como nosso radioamador durante as viagens. Nem a Natalina, nossa fiel diretora de limpeza, escapou. O irmão da Marina, Mário, coordenava as encomendas complicadas e infernizava os fornecedores com cotações e cobranças de prazos.

Em Itapevi, no estaleiro do qual eu finalmente estava desvencilhado, trabalhava-se mais ainda, produzindo incessantemente peças, conexões, pianos hidráulicos, suportes, mancais, buchas, desenhos, projetos de sistemas... O Marcão furando anteparas, plantando quilômetros de cabos, pressionado e pressionando engenheiros de todos os tipos, marceneiros, montadores. O Paraná produzindo peças inoxidáveis de chorar de tão lindas, que, lástima, assumiam funções de responsabilidade abaixo da linha-d'água e desapareciam nas catacumbas do barco.

Tudo indicava que cumpriríamos os prazos e que entre dezembro e janeiro o barco finalmente partiria para o Sul, para a sua primeira viagem. Com uma exceção: os benditos mastros. A Carbospars não era ré primária em processos de descumprimento de prazos. O bem-falante e calvo sr. Damon era a simpatia em pessoa. Lembrava esses vendedores de Bíblias e planos suíços de previdência de quem um cidadão pacato só se livra com a morte ou a compra. Eu insistia ao telefone, cobrando a data de entrega dos mastros. Houve mudanças, datas sucessivas, e no fim a boa desculpa: a mudança da fábrica, de Hamble, no sul da Inglaterra, para a nova e moderna instalação nas ilhas Baleares, em Palma de Mallorca. Precisava da data de entrega de uma vez por todas para fazer as cotações, checar escalas, navios, contratar a embalagem que o transportador exigia. O Damon, por meio de um novo diretor, um espanhol jovem e arrogante, forneceu a data de 28 de novembro. Achei que era melhor conferir in loco. No auge da correria, quando eu mal tinha tempo para ir ao banheiro e muito menos para pensar em passeios ibéricos, fui obrigado a me deslocar para a Espanha, para Mallorca, para o distrito industrial de Lucmajor, e verificar o estado dos mastros na fábrica nova. Alguns dos gênios ingleses em laminação estavam lá. Mais exatamente dois. Os outros eram operários locais sem muita experiência com carbono.

A visita surpresa mostrou que havia algo errado. Pequenos sinais que mesmo um bom vendedor de Bíblias não saberia esconder. Os componentes encomendados estavam pagos, mas sua entrega não estava confirmada. Os perfis existiam, mas empoeirados e atrasados. O arrogante Marcanton — o tal espanhol — não me olhava diretamente. A mulher do Damon, brasileira, bonita, esportista, me recebeu com um aspecto esquisito... E, pior, havia muito pouco trabalho para uma estrutura que fazia sentido na Inglaterra quando era enxuta, mas que ali parecia um pouco exagerada em luxo e tamanho. Fui com o Damon entregar uma peça enorme de carbono para um barco lendário que estava no porto, o classe J *Shamrock V*, que pertence a um brasileiro. Não nos deixaram encostar o pé na passarela de acesso. Não ligo a mínima para essas frescuras de acesso normais em marinas de luxo, mas tratar assim o principal executivo de um fornecedor importante também era um sinal estranho.

Voltei ao Brasil decidido a receber os mastros no dia 28 de novembro, mesmo que o mundo caísse em pedaços. Não caiu o mundo, caíram as torres gêmeas em Nova York. Logo em seguida o Marcanton comunicou que a Carbospars não se responsabilizaria pela embalagem dos mastros e que se eles fossem transportados por navio ou avião, perderiam toda e qualquer garantia. O máximo que fariam seria entregar as peças no porto de Palma, e sem embalagem. O que significava que eles só entregariam os perfis se eu pusesse o barco inteiro no porto maiorquino. Imediatamente pensei num jeito de transportar um veleiro de trinta metros, sem velas, para Palma. Sobre um petroleiro, quem sabe... Lembrei do içamento em Santos, o barco pendurado a dezenas de metros de altura por duas correiazinhas têxteis... Nada disso seria impossível. Só proibitivamente caro. No Guarujá, avisei o pessoal: o petroleiro seremos nós. Vamos adiantar o teste dos motores. Vamos a motor para a Espanha retirar esses mastros das mãos desses ingleses de araque. Temos que antecipar tudo em sessenta dias...

A primeira partida dos motores, graças a uma sucessão rotineira de atrasos, aconteceu semanas antes da data-limite para deixar o Brasil. Foram apenas seis horas de funcionamento. Vieram a bordo as minhas quatro mulheres, os pais da Marina, o Marcão e o Bonini, todos, em algum momento do futuro, tripulantes. Passamos por baixo da ponte pênsil de São Vicente, uma das tais obras-primas de urbanistas brasileiros em sua cruzada para destruir vias navegáveis naturais. Com alguns centímetros de folga e quase tocando os cabos elétricos, o *Paratii 2* passou a ponte e depois navegou no porto amputado por outra ponte errada. Foi o único teste. O sistema de leme por cabos não deu certo e foi substituído por um hidráulico, o sistema de escape seco, ajustado na escala em Paraty. No primeiro domingo de novembro, o Luiz cumpriu a sua palavra e soltou as amarras em pé, do meu novo cais flutuante.

Partimos para a Europa. Em Recife desembarquei a Tereza, nossa gentil anfitriã no píer 26, o Thierry e o Roberto Piloto, que vieram prestigiar a viagem inaugural, ou melhor, pré-inaugural, já que estávamos indo para o Norte, não para o Sul, como eu sonhava... Seguimos para a Europa com uma tripulação total de três pessoas. Além do Marcão estava o Zezinho da Ilhabela, competente velejador e pescador de atuns, que, para felicidade da viagem, se revelou um cozinheiro de raro talento. Enquanto os motores do *Paratii 2*, roncando dia e noite, faziam vista grossa para o mau tempo contrário do litoral marroquino, o Mário e o Crespo se adiantaram de avião rumo às Baleares para reforçar o minúsculo exército que eu pretendia usar se os ingleses não cumprissem a palavra.

Com dezenove dias e dezesseis horas fizemos a única escala europeia, em Cádiz. Os dois valentes motores funcionaram como relógios: precisos, confiáveis, econômicos. Passamos Tarifa e Gibraltar com sol para entrar no Mar com Fim de Pessoa no domingo à tarde, 25 de novembro. Na segunda, em vez de fazer o contorno das ilhas, o *Paratii* raspou a língua de areia e mar transparente entre Ibiza e Formentera. Na terça-feira à noite cumpri minha palavra e atraquei em Palma de Mallorca doze horas antes da data combinada. Os ingleses não cumpriram nada, nem prazo nem palavra.

De um lado, eu estava contente. Fora uma travessia impecável para um barco com seis horas de uso. Um trabalho notável dos fornecedores, da tripulação, das meninas do escritório, do estaleiro, em que não houve um milímetro de espaço para erros. De outro lado, ver o Damon no cais do Real Clube Náutico de Palma lacrimejando desculpas esfarrapadas sobre as razões do atraso não me causou nem pena nem ódio. Apenas uma certa lucidez que não tenho com tanta frequência.

Dessa vez, o certo seria demolir o inglês, seu assistente nanico, sósia perfeito daquele menino galego do Quino, o Manolito, e depois entrar com um pedido de falência nas cortes espanhola e inglesa. Fora o sabor de vingança, que na verdade nunca aprendi a apreciar, resolveria muito pouco. Interroguei os dois soldados terrestres, Mário e Crespo, que souberam antes do desastre mas não quiseram me incomodar com uma notícia tão ruim... O Crespo completara uma volta ao mundo de quase três anos na mesma época em que regressei da minha circunavegação no *Paratii* vermelho. Sempre falávamos pelo rádio através da querida d. América. Ele entendia de laminação. Pelo seu relatório sobre os mastros inconclusos, concluí que só nos restava pôr a mão na massa e terminar por conta própria, com as mãos, o trabalho.

Abri uma garrafa de champanhe só para comemorar a primeira manobra ultramarina do *Paratii 2*, que foi um evento de razoável potencial destrutivo e precisão. Tive que entrar na vaga de uma marina onde os espaços são locados por centímetro, com bem poucos de cada lado. De ré, com vento de través, entre duas lanchas que somavam muitas dezenas de milhões de euros, corri o risco de morrer em Palma de Mallorca trabalhando para pagar os estragos. A lancha de boreste, à minha direita, ostentava oito funcionários uniformizados só para polir vigias com flanelinhas combinando com o veludo das defensas. A cara de pavor da tripulação ao perceber que o imenso bólido brasileiro sem mastros nem pintura e de aspecto destruidor ia mesmo entrar, valeu uma travessia do Atlântico. Enquanto os tripulantes, munidos de luvinhas de dedos cortados e camurça, corriam atrás de suas defensas revestidas de veludo para tentar salvar do estrago as pinturas de laca real, sem gritos nem correrias, sem bruscas acelerações, encaixei milimetricamente o *Paratii 2* na vaga estreita. O Marcos e o Zezinho executaram o último ato da manobra — concluindo uma travessia de 5 mil milhas — com uma laçada rápida em cada cunho e o ar indiferente de quem faz isso todos os dias. Se tivéssemos usado ovos como proteção entre o *Paratii 2* e os milionários cascos, nenhum teria se quebrado.

O primeiro amanhecer no porto de Palma de Mallorca revelou um espetáculo incomum. Sete mil megaiate atracados ao redor. Ao contrário do que é feito no Brasil, as autoridades da imigração, da aduana e do município elaboraram uma estratégia para estimular proprietários, armadores e operadores de barcos estrangeiros a deixar seus barcos permanentemente no arquipélago. Não há facilidades especiais de visto ou imigração para pessoas físicas, apenas o estímulo à guarda dos barcos nas marinas das comunidades. Nem um só barco em poitas soltas ou ancorado: todos acoplados a pontões técnicos ou flutuantes. Por menos usados que sejam, embelezam a paisagem, não poluem e representam a principal fonte de negócios e empregos da maioria dos portos com condições para recebê-los.

Do lado interno do mesmo cais onde salvei minha reputação de capitão repousavam diversas frotas de veleiros de charter, separadas pelas bandeiras das operadoras — um dos negócios mais importantes e multiplicadores no mundo do turismo e ainda inviável no Brasil, por um erro ridículo de legislação. Barcos estrangeiros disputados por marinas do mundo todo, no nosso país nunca puderam permanecer mais de três meses. Simplesmente não há procedimento padronizado ou simplificado para a entrada de barcos não comerciais. Cada estado tem suas regras. Comandantes de barcos temem instabilidades legais e burocráticas mais que qualquer tempestade.

Nenhum economista do governo brasileiro sabe que os barcos do porto de Palma de Mallorca, mais de 7 mil, gastam cada um mais de 400 mil euros anualmente e são os grandes responsáveis pela prosperidade econômica e social das ilhas. Nós nos damos ao luxo de perder dezenas de milhares de postos de trabalho em turismo por obra de um detalhezinho burocrático que impede a habilitação legal de tripulantes e capitães. Os pilotos profissionais de carros, trens, jamantas, helicópteros, aviões e carroças podem ser formados e habilitados para trabalho profissional em meses. Os pilotos e tripulantes de máquinas flutuantes são obrigados a seguir os degraus da carreira naval, o que pode significar até sete anos de dedicação exclusiva para poder trabalhar legalmente num barquinho com turistas entre Ubatuba e Paraty. Não existe, como no resto do mundo, a habilitação profissional restrita a turismo ou barcos de até quinhentas toneladas. Ou a simples extensão comercial da habilitação amadora.

O resultado é a ilegalidade generalizada. Pescadores, caiçaras, comandantes experientes portadores da carteirinha de capitão ou mestre onde se lê amador, sujeitos concebidos ou nascidos em barcos, que verdadeiramente sabem e amam navegar, trabalham na informalidade, sem acesso a financiamento, sem seguro, sem perspectiva de melhorar serviços ou prosperar. E sem seguro não existe o negócio de charter ou afretamento, não existe turismo náutico. As capitanias dos portos, no nosso caso já sobrecarregadas de funções e dificuldades, oferecem gratuitamente cursos para os estágios iniciais de habilitação profissional: cinquenta, cem vagas para montanhas de interessados que serão injustamente excluídos de uma atividade em que a falta de profissionais é desesperadora. Marinheiros, maquinistas, ajudantes e garçons sem habilitação profissional invalidam qualquer apólice de seguro. A Marinha alega que seria injusto que eles concorressem com candidatos que dedicam anos de esforço a uma carreira na navegação de pesca ou cabotagem. Concordo, mas nesse caso deveria ser instituída uma nova forma de habilitação, restrita ao tipo de barco ou a uma nova classe de navegação.

Não sou usuário do charter turístico como cliente, mas admiro uma atividade que constrói benefícios em escala tão ampla e que ao mesmo tempo permite a coexistência proveitosa entre empreendimentos minúsculos e gigantescos. Quase todos os franceses baseados na Patagônia ou na Antártica fazem charter: uns para sobreviver, outros pelo prazer de dividir com estranhos a experiência de navegar. Em locais com mais recursos, as operadoras de frotas adotam procedimentos mais complexos e estrutura semelhante à das grandes redes hoteleiras. Os barcos oferecidos em pacotes de locação nem sempre pertencem às operadoras. Muitos deles são vendidos a clientes-proprietários por preços subsidiados em até 50% e com financiamento de longo prazo. O cliente usa o seu barco um determinado número de dias ao ano; em contrapartida, não tem um só centavo de despesas de guarda e manutenção ou com seguros, e pode usar barcos equivalentes ao seu nas várias bases de charter da empresa espalhadas pelo país e pelo mundo. Pode navegar com a família e com os amigos ou com um casal de comandantes que mergulha, cozinha e conhece todos os cantos interessantes do país onde estão navegando. Uma cadeia de detalhes faz o sucesso da operação. A navegação segura, sem quebras e sem danos, é de interesse do proprietário, do locador, da empresa, da seguradora, da marina e do jovem casal comandante. Ao cabo de cinco anos, quando a embarcação retorna à propriedade plena do cliente, ela vai para o mercado de usados em boas condições e por um preço de maior liquidez. Como os deslocamentos são feitos em saltos de pulga entre portos e marinas, estes têm todo o interesse em adotar normas padronizadas em suas conexões de esgoto, água e energia. O trânsito entre os diversos atracadouros remunera melhor todos eles, pois podem cobrar diárias individuais em vez de anualidades, e favorece iniciativas pontuais de turismo, como restaurantes, museus etc., num raio muito maior do que o que é percorrido por um hóspede de hotel fixo em terra. Assim, longe de fazer concorrência a outros empreendimentos, o negócio de charter potencializa todas as outras atividades que sustentam uma região turística.

Os estaleiros que passaram a produzir barcos para charter assumiram uma escala equivalente à da indústria automobilística, com um produto altamente multiplicador de empregos e serviços e muito mais divertido e menos poluente do que o carro. O Brasil é a inexplicável meca utópica dessa atividade. Tem todas as características necessárias, atrativos naturais, culturais e históricos, ausência de inverno e furacões, excelência e preços atrativos em manutenção, mão de obra qualificada, acessível e comunicativa como em nenhum outro lugar. As empresas que já têm muitas bases no mundo querem vir, e outras, nacionais, querem iniciar-se na atividade. Falta apenas o detalhezinho da regularização profissional.

Eu precisava tomar uma providência de regularização legal contra a Carbospars. Comprei um telefoninho pré-pago e, num carro alugado, fui com o Marcos, o Crespo e o Zezinho até o distrito industrial de Llucmayor, para verificar o tamanho do estrago. Pensando bem, se eu soubesse, a caminho, a que ponto os ingleses haviam sido desonestos, teria embarcado na margem oposta desse marzinho finito uma milícia armada para aqueles arrogantes saberem o que é um cliente insatisfeito.

Estacionei o carro na frente do impecável galpão onde se lia Carbospars Ltd. Entramos no escritório anexo, onde me aguardava o Damon e o Marcanton-Manolito. Mais lágrimas e explicações. Fomos ver os perfis. Pelo menos existiam. As retrancas também. Um dos mastros estava na cabine de pintura. Perto de 3600 furos com roscas ainda deveriam ser abertos em cada um, para a fixação de trilhos e ferragens. Segundo o Marcanton, os trilhos, ferragens, suportes, catracas e desvios (todos já pagos) também existiam, mas por alguma razão que ele não me revelou não estavam na fábrica. O mesmo ocorria com as velas da empresa Doyle. Por que não estavam no almoxarifado, prontas para serem instaladas? As desculpas melosas dos diretores quanto aos atrasos de laminação, mão de obra e montagem consegui, a duras penas, engolir. Mas e todos os componentes de terceiros, que há meses já deveriam estar prontos? Tudo cheirava muito mal. E eu simplesmente não estava preparado para ficar indefinidamente na Europa. Se o meu descolorido cartão de crédito quebrasse ou se desmagnetizasse, passaríamos fome.

Quando terminei a inspeção do que estava feito, eu não me senti bem. Estava com o coração acelerado, suando, a boca completamente seca. O estrago era gigantesco. Havia de mil a 1500 horas de trabalho, infelizmente já pagas, para terminar os perfis, mais o trabalho de transporte de Llucmayor até o porto de Palma. Havia a montagem do circo todo sobre o barco, e as centenas de ajustes dos quais, pela experiência com os mastros anteriores, eu sabia que não escaparia. Havia, se tudo funcionasse, o Mediterrâneo no inverno, Gibraltar, 5 mil milhas de volta até o Brasil, poucos dias para preparar e embarcar um ano de suprimentos e, por fim, o caminho ondulado até a Antártica. E, de novo, nem um mísero milímetro de espaço para cometer erros ou atrasos. Nunca antes o plano de rever os gentoos, de passar ao sul do Círculo Polar, pareceu tão distante de ser executado.

O Damon ofereceu um café na sua sala. Aceitei, mas pedi ao Marcão, ao Zezinho e ao Crespo, em português, baixinho, que continuassem investigando os cantos da fábrica para ver se encontravam nossos materiais. O Manolito, cínico, comentou que normalmente clientes não estavam autorizados a acompanhar os trabalhos da fábrica, mas que, para nós, ele abriria uma exceção. Agradeci sua falsa gentileza. Fazia frio. Estávamos às portas do inverno. Antes do café aguado do Damon fui ao banheiro, do lado de fora do prédio. Suava de tensão. Diante do mictório, apoiei o antebraço na parede fria do banheiro. Encostei a testa no braço. Brigar agora não resolveria nada. Eu tinha todos os argumentos do mundo para processar a empresa, exigir a devolução dos valores pagos e mais uma lista de indenizações. De nada adiantaria. Precisava tomar uma decisão estratégica, e rápido. Voltei à sala do inglês. Da parede de vidro que dava para a área de laminação pude ver os três amigos, quase uns mosqueteiros, analisando os longos perfis e formas. O inglês, antes expansivo, propôs que, se assumíssemos o término das montagens, ele se encarregaria de fazer chegarem velas, cabos e peças faltantes em no máximo duas semanas. Aceitei. Tomei o café frio e fui avisar meus mosqueteiros. Eles concordaram em virar operários e passar Natal e fim de ano lutando para que deixássemos o maldito lugar com os mastros funcionando.

No mesmo dia começamos a trabalhar. Ficamos um pouco perdidos no início, pois não tínhamos acesso às plantas de montagem, que estavam com o Marcanton, que por sua vez não queria deixá-las conosco. As ferramentas de furar, abrir roscas e parafusar eram pneumáticas. Estavam desconectadas. O Marcos foi atrás das conexões, instalou-as, e ainda assim não funcionavam. Um funcionário espanhol explicou que era necessário ligar o compressor. O Crespo e o Zezinho foram procurar o compressor. Não ficava na fábrica, mas fora, num contêiner. A porta de acesso ao local onde estava o contêiner estava fechada, tive que dar a volta no prédio para chegar até ele. Encontrei-o trancado com um cadeado. Voltei por onde tinha vindo, perguntando pela chave do cadeado. Informaram que estava com o Marcanton. Voltei para o escritório. O Marcanton havia saído para o *almuerzo*, mas a sua vistosa secretária comunicou, sorridente, que ele deixara a chave do contêiner com o inglês careca, David, que eu conhecia de Hamble. Fui procurar o David e descobri que ele só voltaria no dia seguinte...

Ficou claro então que, passado o vexame, os ingleses lavaram a alma, as mãos, voltaram à vida normal e não estavam dispostos a colaborar. Ficou claro também que havia uma hostil sabotagem à presença de quatro sul-americanos não uniformizados no canteiro de uma indústria dita de ponta. Vivendo a rotina de operários contratados, mas sem o privilégio de fazer furos mediante salário, decidimos trazer todas as ferramentas elétricas que tínhamos a bordo e abrir mão das deles. Agradeci aos céus a ideia do Thierry de fechar um acordo com a Bosch para trabalhar com uma marca apenas. Tínhamos armas para mandar os ingleses às favas... Todas as manhãs, ainda no escuro, deixávamos o porto de Palma para abrir a fábrica em Llucmayor. Todas as noites fechávamos a fábrica, para voltar, exaustos, ao barco. Abri conta num restaurante relativamente limpo próximo à fábrica, onde almoçávamos quase sem enxergar a comida, tal a concentração de fumantes e a falta de janelas. Só ao cabo da primeira semana me dei conta de que os operários não sabiam que éramos credores da empresa que os empregava, e não invasores sul-americanos. O avanço na montagem era visível, só que o clima de má vontade não mudou. Pela centésima vez, cobrei o assunto das velas. O Marcanton no seu aquário de trabalho disse que já havia telefonado para a Doyle Sails e que não era mais problema seu. Respirei fundo, pensei nas batatas de Sintra, fui para a fábrica, e em pleno centro do galpão, para espanto dos funcionários, subi num cavalete. Falei em castelhano repetindo em inglês, com a exaltação de um pastor enfurecido:

— Nós fomos enganados por esta empresa. Pagamos e não recebemos. Estamos sofrendo por isso. Não gosto disso. Meus advogados não gostam disso, e meus primos terroristas não são amadores como esses bascos. Esses mastros sairão daqui por bem ou por mal...

Provavelmente outras besteiras falei. Foi uma pena os dois diretores, isolados nas suas salinhas envidraçadas, não estarem ouvindo, porque daquele dia em diante o tratamento mudou. Os funcionários entenderam o que se passava e começaram a colaborar. Quando tudo indicava que iríamos terminar antes do Natal, surgiu um novo pacote de problemas. Mais um. Fazia parte do contrato o transporte, pela Carbospars, dos mastros, retrancas e velas até o cais da duana espanhola, em Palma, a 25 quilômetros dali, onde se daria a montagem final e o zarpe da Europa. Os executivos da empresa esquivavam-se a todo custo de me responder quando contratariam o transporte e as gruas para a operação, até que o Damon, sem graça, me explicou que só poderia autorizar a saída dos perfis quando eu fizesse o depósito do IVA, equivalente ao nosso tributo ICM. Eu sabia muito bem que, por se tratar de um bem que sairia da comunidade europeia, não havia incidência desse tributo. O Damon, apesar de inadimplente, insistiu que eu deveria providenciar o montante e que eles mesmos fariam o recolhimento. Explicou que na Inglaterra o zarpe oficial do barco configurava uma exportação, e que por isso não havia recolhimento antes, mas que nas Baleares a exportação tinha de ser feita por meio de uma empresa de transporte ou navegação — a menos que o barco fosse classificado na categoria de cabotagem internacional.

— É claro que não é. É um barco de exploração! — respondi.

A outra solução seria pedir um documento da Marinha brasileira atestando que o barco não estava baseado em um porto da Comunidade Europeia, ou melhor, transformar a classificação do barco em cargueiro de cabotagem. Esse documento deveria ter tradução oficial e chancela diplomática, informou o assessor de comunicação da fábrica, Richard Precious, ou sr. Precioso, como o chamávamos. Insisti que não era possível, que nosso contador, o sr. Ulysses, nunca ouvira falar dessa restrição, e que em nenhuma instância eu tivera esse problema antes. O sr. Precioso concluiu que se eu não pagasse, dificilmente os mastros sairiam do galpão...

Liguei para São Paulo e pedi ajuda para o Bráulio e o Fernando, que estavam no escritório, provavelmente surpresos com a violência das tempestades burocráticas que assolam uma viagem antártica. O Bonini pediu ajuda à capitania de Santos, obteve o documento em caráter de urgência, e o encaminhou para o posto diplomático mais próximo, o consulado do Brasil em Barcelona. Larguei as colas, os furos e os parafusos de Llucmayor nas mãos dos três mosqueteiros e fui de madrugada para Barcelona. Atenderam-me com a máxima presteza e atenção, mas o cônsul estranhou a exigência. A tradução do documento foi feita, comi umas *tapas* numa esquina, sem tempo de olhar para as obras de Gaudí, que eu tanto desejava conhecer, e voltei para o aeroporto, para Palma, para o barco e para a fábrica. O invisível agente alfandegário dos ingleses, que aliás nunca foi visto e ao que tudo indica nome não tinha, não se interessou pelo documento, que resolvi não entregar ao Damon e aos amigos dele. No dia seguinte conheci um agente portuário em Palma, um simpático argentino chamado Oscar, que também estranhou as exigências. O Oscar se propôs a marcar uma consulta formal diretamente na sede da Alfândega e a acompanhar o processo. Na manhã seguinte não fui trabalhar com os mosqueteiros, e segui, a pé, para a sede da Duana. Fui recebido cortesmente. Os trâmites estavam certos, o procedimento era fácil e transparente, e não havia nenhum recolhimento para ser depositado em contas inglesas. Aliás, o pessoal da Duana estava mais ou menos farto dos ingleses de Llucmayor. Sob ameaça de interpelação judicial e com a ajuda do Oscar, exigi que o sr. Precioso e o Manolito agendassem a data de transporte e a locação das gruas, uma para embarque em Llucmayor, outra no próprio cais da Alfândega, para onde levamos o *Paratii 2*.

Quando eu estava prestes a alojar a moedinha norueguesa embaixo do pé do primeiro mastro, ainda suspenso, tocou o telefone. Era a Marina, contando que o Peter Blake acabava de ser assassinado durante uma escala brasileira na foz do Amazonas. Fiquei muito triste. Eu o encontrara no Rio meses antes, a bordo do *Antarctica*, o barco que inspirou o *Paratii 2* e que hoje se chama *Tara 5*. Havia uma notícia boa também. O escritório recebera uma confirmação de seguro do banco espanhol Santander à viagem inaugural para a Antártica. Em boa hora. Ou melhor, no último minuto. Eu não achei a moedinha norueguesa e decidi, remexendo os bolsos, colocar uma moeda brasileira de cinquenta centavos. "A partir de agora a tradição vai mudar..."

Às vésperas do Natal voei para o Brasil para assinar o contrato e voltar em seguida. Combinei com a tripulação que, em vez de esperar por mim em Palma, seguisse imediatamente para Las Palmas, na Gran Canária, no domingo cedo, para escapar do assédio britânico. Desespero entre os ingleses, que queriam a todo custo receber a última parcela antecipada, o que não estava combinado.

As velas que recebemos da Doyle foram o pior produto que embarcou até hoje no *Paratii*. Não atendiam à espessura nem às características combinadas e confirmadas por amostras. Como em tese tratava-se de uma empresa séria, deduzi que provavelmente houvera má-fé na intermediação da encomenda. Não havia mais tempo para reclamar, e resolvi me virar com o que estava feito. Minha intuição se confirmou pouco depois, quando foi decretada a falência da Carbospars: fábrica lacrada, todos os moldes e mastros confiscados. Perto do risco que corri, de perder tudo no processo falimentar, o prejuízo que tivemos com as velas e todas as sabotagens anglo-hispânicas foi pequeno. Saímos do fatídico galpão na hora certa.

Em Las Palmas recuperei meu barco, a tripulação e o prazer de estar no mar.

Nesse mesmo porto, em outubro de 1926, amerrissou em situação de emergência o piloto João Ribeiro de Barros na sua pioneira odisseia aeronáutica de ligar Gênova a São Paulo com o anfíbio Jahú. Pena, um feito espetacular de tenacidade e determinação ser tão injustamente desconhecido dos brasileiros de hoje. A história do jovem piloto paulista foi a única lembrança animadora dos meus dias de Espanha. Quando Barros quis fazer o então inédito voo, o fabricante do Savoia-Marchetti recusou-se a lhe vender uma aeronave nova por ciúme em relação a um possível recorde Europa-América do Sul. Barros então comprou um aparelho acidentado da mesma marca, o S55, que o fabricante se comprometeu a restaurar (provavelmente do modo como a Carbospars se comprometeu a terminar os meus mastros). O piloto decolou com mais três tripulantes de Gênova para enfrentar toda sorte de sabotagens. Água, areia e sabão na gasolina, prisão em Alicante, pedaços de bronze dentro do cárter, porca de hélice solta, um tripulante traidor — despedido em Las Palmas —, um entrave diplomático com a Espanha, um presidente da República amedrontado pela repercussão negativa, tentando fazê-lo desistir, malária em Cabo Verde... Barros chegou ao Brasil em Fernando de Noronha, pousando no mar 23 dias antes do voo solitário de Lindbergh, em 28 de abril de 1927. Em 1º de agosto ele concluiu seu sonho, ao descer na represa de Santo Amaro e ser recebido por uma multidão de paulistas. De todas as suas proezas na travessia, eu gostei especialmente de uma que lembrava a história das batatas de Sintra. O telegrama com que respondeu ao então presidente Washington Luiz: "*Exmo. sr. presidente. Cuide das obrigações de seu cargo e não se meta em assuntos dos quais vossa excelência nada entende e para os quais não foi chamado. Ass. comandante Barros*".

Além de não receber nem um fio de justo reconhecimento por parte do governo brasileiro, Barros teve seu avião confiscado no início da revolução de 1930, no Rio, no exato instante em que ia decolar do campo dos Afonsos para o primeiro voo Rio-Paris. Tomaram-no para atacar as forças dos seus compatriotas paulistas.

Muito antes da época em que heróis do mundo todo desapareciam em tentativas de travessias, tivemos nomes pioneiros que voaram e brilharam, embora hoje não sejam lembrados com justiça. Um deles, um jovem mineiro, franzino feito passarinho, que dos 25 aos 35 anos, sozinho, projetou, financiou, construiu e comandou 22 aeronaves que marcariam todos os movimentos seguintes da humanidade. Do ato de olhar no pulso as horas, tomar um chuveiro, fazer voar um *canard* antes que um avião, a repartir suas ideias e ganhos, foi pioneiro e influenciador. Abriu mão das patentes do primeiro verdadeiro avião da história para que fosse construído em série. Abriu mão dos seus prêmios para pagar as penhoras dos desempregados da metrópole onde morou, que empenhavam suas ferramentas de trabalho. Mais que o avião, Alberto Santos Dumont inventou a aviação, o design e o ato de doar o conhecimento privado. Pioneiro maior da navegação aérea a quem, talvez, não tenhamos perdoado o direito de ter pilotado a própria vida.

Ou uma menina que em 1922, aos dezessete anos, já pilotava sozinha. Anésia Pinheiro Machado comandou aviões e voos pioneiros continuamente por mais de meio século, teve o mais antigo brevê de piloto ativo no mundo, e aos 95 anos não morreu voando. Estranha memória a nossa.

16

A LINHA DE PARTIDA

Nenhuma tempestade no planeta poderia ser mais difícil do que o que acabávamos de viver nas Baleares. O tempo sempre ameno e curto de uma descida do Atlântico foi usado na preparação do que deveria ser feito durante a breve escala no Brasil. Estávamos com mais de um mês de atraso e, como sempre, com uma margem inexistente de tempo para cometer erros ou sofrer atrasos. Faríamos uma puxada em seco na Hanseática, no Guarujá; a instalação dos pilotos automáticos seria modificada, e as velas, resistentes como papel higiênico, ganhariam reforços. As listas de tarefas e os itens foram crescendo, só que agora em meio a um tangível otimismo. Navegando, o barco era mesmo uma obra-prima de engenharia. Tudo funcionava de modo impecável, os comandos eram ridículos de tão simples, o consumo, ao ligar os motores em calmarias, muito abaixo da melhor marca com que eu pudesse sonhar. Apesar do sofrimento operário de três semanas com ingleses e espanhóis, no fim a experiência foi produtiva. Conheci, como talvez nenhum outro cliente, os segredos do sistema. Já não tinha a mínima dúvida quanto a sua qualidade e resistência. Foi uma opção ousada e de alto risco, que custou anos de empenho. Por causa dela eu fiz uma estranha volta ao mundo, entre outras experimentações menos charmosas, mas agora eu sabia que a opção estava correta. O leme equilibrado, o balanço perfeito da área vélica, a simplicidade de uma canoa — e uma autonomia que nunca encontrei em outro barco. Faltava o teste final, contra a dureza das pedras de gelo do Sul. O que eu não podia imaginar era que o teste seria tão subitamente antecipado. E sem gelo.

Eu gostaria de ter feito a primeira aterragem em Paraty, mas como corríamos contra o relógio segui para Santos via Ilhabela. Não foi bem uma parada. Às 3h30 da manhã, com as velas cheias iluminadas pelos holofotes de convés e fazendo círculos fechados sem soltar âncora, embarquei o Thierry e o Tigrão. Junto, vieram o Márcio Dottori e o Bonini, especialistas em testes náuticos. Um embarque noturno quase fantasmagórico, na quietude da ilha. Eu queria ganhar tempo e rever, nas poucas horas de navegação até o Guarujá, as listas de providências urgentes, o estado das nossas finanças e a agenda de compromissos, depois de dois meses de ausência. Pela manhã, um pouco antes de entrar no canal de Santos, vi a lancha do amigo Eduardo Fernandes e ouvi sua voz megafônica e grave, quase apagada pelos gritos estridentes das nossas três meninas. Numa manobra atlética, a Marina conseguiu subir a bordo com as três. A Kiki, nossa competente administradora de crianças, exibia orgulhosa um cacho de bananas maduras, amarelas como ouro. Entramos com as velas abertas no canal de Santos.

O barco cumprira suas primeiras 10 mil milhas de navegação com máximo louvor. Eu havia sobrevivido ao mês mais tempestuoso da minha existência. Estava feliz por poder voltar a pensar em problemas reais: tempestades, panelas e ferramentas. Estava feliz por ter me livrado de todas as mentiras, falcatruas e golpes que por pouco não nos derrubaram na Europa. Voltei ao Brasil com uma tripulação diferente. Éramos todos comandantes, operários, faxineiros, proeiros e mecânicos. Tivemos câimbras de tanto rir das insanidades do Marcão, das provocações do Zezinho, das mágicas desvendadas do Crespo. A fúria pesqueira e culinária do Zezinho deixou recordações históricas na cozinha — e na plataforma de popa, que agora parecia uma salga, com atuns, cavalas, dourados e ovas secando...

Teríamos poucos dias, horas contadas e tensas, para preparar a descida do *Paratii 2* à Antártica. Havia uma lista assustadora de tarefas e modificações a fazer, e nenhum tempo para amenidades. Mesmo assim, eu estava contente. A perspectiva de uma viagem dura pela frente, com um equipamento novo, que sempre traz surpresas, e sabendo de antemão que o topo do verão já tinha sido queimado, pouco incomodava. Perto do que havíamos passado, os problemas naturais — ou sobrenaturais — que nos aguardavam eram quase bem-vindos. Não era soberba ou excesso de confiança. Apenas uma certeza inconfessável de que fizéramos um bom trabalho.

O barco era excepcional. Enquanto as meninas corriam e gritavam no convés, abaixamos os panos e, depois de 72 dias de ausência e desventuras, encostamos no mesmo flutuante do píer 26. O dia era 11 de janeiro de 2002, uma sexta-feira de sol.

As gêmeas estavam de férias. Tinham crescido. A Marina estava mais bonita. A Nina no primeiro mês do seu segundo ano de vida. Quase não pudemos celebrar direito, tamanha a algazarra das meninas.

Do píer 26, o *Paratii 2* seguiu para a Hanseática, o saudoso estaleiro onde nasceu o primeiro *Paratii*. Muitos dos antigos funcionários com quem eu trabalhara na construção do barco vermelho ainda estavam lá. Era um dos raros lugares onde poderíamos fazer uma puxada em seco para atacar o primeiro ajuste da lista — a bucha do eixo de boreste, danificada por uma rede na costa da Mauritânia. As meninas estavam presentes, alguns amigos e tripulantes também.

A manobra de tirar da água um casco de cem toneladas é sempre tensa. As obras vivas do casco, a verdadeira alma de um barco, lentamente saíam da água. Inocentemente mantendo as crianças afastadas da carreta, eu imaginava já ter passado por todos os testes. Pensava apenas no dia em que aquele casco que ia se mostrando tocasse um gelo. Quando passei para o lado oposto do barco, ouvi um *crrrrrééééк* (!), em seguida um estrondo, e meu coração quase parou. Não só o meu... A carreta que apoiava o barco quebrou, e o *Paratii 2* caiu de lado sobre a quina de concreto onde estávamos segundos antes... O susto maior não foi o impacto do casco no concreto, mas a chicotada com o golpe dos mastros, que continuaram balançando no silêncio da tarde. Era difícil acreditar que aquilo estava acontecendo. Corri para o lado de bombordo, onde estava o muro de concreto, para ver se havia alguém embaixo. Segundos antes, curiosos andavam em volta da carreta. Ninguém se machucou. Ao passar os dedos entre o concreto vivo e o alumínio do costado, percebi que o impacto não deixou nenhum estrago.

— Muito bem, pessoal, não foi nada, está tudo em ordem. Ninguém se machucou, o barco foi feito para isso.

O sólido muro, de quase um metro de espessura, foi na verdade a salvação. Se a carreta tivesse cedido do lado oposto, onde não havia uma muralha de concreto armado para segurar o leviatã de alumínio, aí sim, o desastre seria espetacular. Além de tombar completamente e espatifar os mastros contra o chão, haveria feridos. O chefe de rampa e o gerente da marina vieram se desculpar. Não havia razão. Foi um teste espetacular da estrutura, e uma sorte grande ninguém se ferir. A Marina percebeu meu indisfarçável alívio, juntou as crianças e fomos todos para casa. O *Paratii 2* dormiu inclinado, com o costado apoiado no Brasil.

Com o passar do tempo, o processo de construção do barco e as intermináveis dificuldades burocráticas fizeram surgir no projeto um curioso grupo de tripulantes. Durante a minha ausência ibérica, o Bráulio e seu infatigável escudeiro Bernardo assumiram o escritório. O Fernando Bonini, o único de nós que realmente velejava, juntou-se a eles logo em seguida. Cada um acabou cuidando de uma categoria diferente de problemas. A Soraya, administrando a rotina burocrática e a comunicação entre nós, tornou-se especialista em um leque de assuntos técnicos que poucos engenheiros conhecem. O Luiz Pizão assumiu a gestão da marina, batizada com o nome de Marina do Engenho, e conseguiu equilibrar as contas. Vendemos pontões do novo sistema para novas marinas e portos vizinhos. Outras e outros copiaram. Era um bom sinal. Uma espécie de padrão começou a surgir. A maior parte dos conhecidos que de alguma forma testemunharam o nascimento do projeto em Itapevi fazia uma ideia totalmente equivocada do nosso trabalho. Mesmo o Bráulio, com toda a sua experiência em administrar negócios complexos, não imaginava a carga de trabalho e de decisões que lhe caía nas costas toda vez que eu estava embarcado ou ausente. O Bonini, que imaginava um dia inaugurar o barco trimando as velas numa raia ensolarada de Ilhabela ou Paraty, entre reuniões e toneladas de papéis, apenas pôde inaugurar as roupas de neoprene que usaríamos para mergulhar na Antártica, e não exatamente num lugar limpo. No dia seguinte ao do acidente na Hanseática, ele se enterrou comigo até o nariz na lama preta do canal para me ajudar a instalar o macaco hidráulico que haveria de endireitar o barco. Passamos horas trabalhando como caranguejos, com lama fétida nos cabelos, até conseguir calçar o equipamento. A posição exata dos mastros no convés, que os ingleses não haviam tido a coragem de nos indicar, o pivotamento sem eixos do leme, o sistema de transferência de tanques — montanhas de pequenas engenhosidades surgiram do esforço de simplificar em vez de sofisticar, da tentativa, quase escandalosa para alguns engenheiros teóricos, de desembarcar tecnologia. As peças em aços finos eram sempre conduzidas ao nosso mestre dos inoxidáveis, o Paraná, que, além de melhorar ou refazer os desenhos, conseguia executá-los em prazos cada vez mais reduzidos. As peças mais pesadas em aços diferentes encomendávamos ao Antonio Gordo, no ABC, que pacientemente vinha buscá-las toda vez que havia algum pequeno ajuste ou uma possível melhoria a fazer. O Gordo deve ter desejado a minha morte por tantas vezes tê-lo feito voltar com novas modificações, e a cada retorno, no entanto, ele parecia mais entusiasmado e atencioso. Fabricou nossas âncoras, uma vez que não encontrei no mercado modelos de trezentos quilos. Num dos fundeios de teste, a âncora de proa não unhou direito. Não parei mais de infernizar especialistas, palpiteiros, pescadores, até descobrir o problema. Eram âncoras do tipo arado, e nas pontas das asas faltou um detalhezinho mínimo, mas crucial: uma invisível torção que o Gordo não percebeu. Voltaram para as mãos e máquinas do Gordo. Nunca houve harmonia instantânea de opiniões entre as pessoas que se envolveram no projeto, ou, digamos, a aceitação pacífica das soluções que já vinham prontas, e talvez por isso o resultado tenha excedido as nossas melhores expectativas. A primeira vez que me dei conta de que tinha uma bela obra nas mãos, que percebi que aquele barco não acabaria seus dias inconcluso em algum terreno baldio ou em eternas modificações, foi naquele dia da lama.

O macaco e a haste completamente enterrados no lodo só eram localizados pelo tato e com um certo esforço. Os movimentos num meio tão viscoso e denso eram lentos. Para abaixar a haste eu apoiava as costas contra o casco, para levantar empurrava os joelhos contra o fundo. Não era uma situação tão fétida como pode parecer graças às roupas de neoprene que vestíamos. Mas o ângulo de visão, do nível da lama, debaixo de um disco arredondado de cem toneladas que parecia pairar sobre nós, era interessante. Eu admirava a beleza do casco visto assim de baixo, tão próximo, as curvas ousadas das obras vivas, o desenho circular formado pela linha-d'água. A cada dez ou doze lentos movimentos da haste, o barco subia um milímetro, talvez menos... A sapata de aço do imenso macaco não apoiava diretamente contra o casco ou contra o alumínio, mas num trilho de madeira que por sugestão do Thierry incrustamos sob os patilhões de encalhe. Duas pranchas de ipê tabaco que instalamos exatamente para poder encalhar sobre pedras ou concreto e proteger o alumínio... Foi uma grande ideia, como foi aproveitar esses patilhões para resfriar os motores por contato, sem água salgada. A operação exigia paciência, e eu seguia observando as formas incomuns do meu disco... o final dos patilhões de encalhe era cortado em ângulo suave exatamente como o chamado corte "em bico de gaita" do toro de uma jangada cearense. E então percebi que por mais que projetistas tomassem por ousadas ou provocadoras as obras vivas e linhas do barco, e o fato de não levar lastro nenhum, não havia nada que de modo ainda mais ousado uma jangada já não tivesse feito. Lembrei que eu tinha a bordo um exemplar da mais interessante monografia sobre desenho que já li. Infelizmente é um desses livros feitos para bancos que não são vendidos ao público. O trabalho de Nearco Barroso Guedes de Araújo, *Jangadas*, é uma obra preciosa. Estava tudo lá. Anos de investigação, análise de formas, estudos de eficiência e performance hidrodinâmica, tudo lá nos belíssimos desenhos do Nearco. Mastros autoportantes de gororoba fizemos — a um custo que só Deus sabe — em carbono. A curvatura regulável da ponta dos mastros, a espadela, o remo de governo em vez de leme, os dois bordos de piúba protegidos embaixo por forras, como eu protegi meus dois patilhões, em forma e função quase idênticos. O conceito de estabilidade de forma que usam as jangadas, de piúba ou de tábua, e no caso destas, a forma do fundo incrivelmente parecida com a do casco onde agora eu apoiava as costas. Pena que projetistas navais não se dignem a macaquear barcos tombados na lama. Pena que a maioria ainda não conheça o livro do Nearco. Eu estava debaixo de uma jangada de cem toneladas que em tudo tentava imitar a genial embarcação cearense... e só nessa hora curiosa é que me dei conta...

Eu não tinha nenhum plano mirabolante para a viagem inaugural; pretendia apenas descer até a península antártica, se posssível ir até o sul do Círculo Polar, no retorno visitar a estação brasileira e depois voltar pela Geórgia do Sul.

O casco completou 10 mil milhas antes de tombar sobre um muro de concreto, sem que nenhum problema sério se manifestasse. No exame em seco, depois que endireitamos o barco, o Paraná constatou que o reparo submarino executado pelo Crespo em Las Palmas fora muito bem-feito e não seria trocado até que ele instalasse, no retorno da Antártica, o sistema definitivo de buchas e anodos. A tripulação seria a mesma da Europa, com uma única substituição. No lugar do Crespo, em irreversível processo de casamento, entraria o Fábio Tozzi. O Bráulio firmou o compromisso de trazer imagens antárticas para uso num documentário. Não me animou muito a ideia de embarcar desconhecidos que certamente dariam trabalho. Desde que não houvesse restrição de rota e prazo de retorno, concordei. Isso significava embarcar duas vítimas desconhecidas sem ter a menor noção de quando ou como nos livraríamos delas. A fórmula quase perfeita, pode-se dizer, para instalar uma tripulação litigiosa e armar um clima de guerra a bordo. Uma fotógrafa do jornal carioca *O Globo*, apaixonada por história natural e Antártica, se candidatou. A fórmula evoluiu ainda mais. A Marina vetou. Em outras circunstâncias, uma tripulação mista seria boa ideia. No caso — uma viagem de ajuste, com possibilidade de problemas técnicos e alterações de rota —, o seu faro feminino prevaleceu. Assim, embarcaram no último minuto o Gustavo Stephan, um fotógrafo mineiro munido de boas lentes e um violão, e um câmera, o Quito, de bom preparo físico, mas ambos sem nenhuma experiência de vida a bordo. O tempo mostraria ainda que dificilmente, em tempo tão exíguo, um barco disporia de tripulação mais bem entrosada.

Deixamos o Brasil do píer 26, e não de Paraty, como eu teria gostado. Não havia tempo. Na saída de Santos, no entanto, a Marina não perdeu tempo, e organizou uma ruidosa despedida, com faixas voadoras, cartazes levantados pelas nossas minúsculas meninas e uma pequena perseguição náutica até a saída do porto. Exatamente tudo que eu abomino. A primeira frase que anotei no diário, na quarta-feira, 30 de janeiro de 2002, foi: "Da próxima vez vamos partir à meia-noite...".

Eu até entendo a euforia da Marina. Nenhuma outra pessoa no mundo sabia melhor do que ela a importância daquele momento. Eu estava tenso com o que faltava fazer, com as quebras e falhas que não podiam ocorrer, com a tripulação pouco experiente e heterogênea, com o risco pavoroso e nada incomum de perder um tripulante ou, no mínimo, os dedos de um que se distraísse nas potentes catracas suecas...

A Marina sabia a vitória que representava, naquele dia preciso, o simples ato de subir os quatro panos nos dois postes brancos e deixar o Brasil. O tamanho dos problemas solucionados, os compromissos quitados, o risco que corremos, anos a fio, provando conceitos polêmicos, vendendo nosso patrimônio, comprando ideias que ninguém testou, testando ideias desacreditadas... As ações trabalhistas, os advogados oportunistas, os golpes de falsos corretores, as mentiras protocoladas, os engenheiros prepotentes, as falências e golpes que quase nos engoliram... O universo de quem constrói objetos flutuantes tem emoções que a mente de um terráqueo normal dificilmente imaginaria.

Eu também sabia quanto daquele barco era fruto do seu esforço e do seu próprio corpo. Aquela moça morena e alegre que um dia arrastei com a barriga perfurada por um gancho de alumínio, acenando sozinha, eufórica, do barquinho do Mingola, conhecia como poucos as obras vivas do barco que partia. Testemunhou os anônimos que em silêncio nos ensinaram e apoiaram, a infinita alegria do sr. Ivaldo a cada encontro na casa dos parafusos, pai inoxidável de todos os barcos que fiz, o carinho do sr. Jaime, pai do Bráulio, que se tornou meu pai judeu quando o meu, árabe, morreu; a vibração do sr. Guilherme Ferraz com os mercedões que ele não viu roncarem antes de ir-se. Conheceu as ações voluntárias, os advogados salvadores, os engenheiros visionários, os idealistas, o apoio de pequenos, incansáveis fornecedores, nossos professores, e de gigantes discretos, como os catarinas da Embraco, de quem nos tornamos colaboradores, os soldadores que mudaram de vida e soldaram a nossa, uns que se foram e outros que seguiram com projetos no estaleiro. Incontáveis os casos nesse outro universo, tão maior que aquele... tantos os nomes de pessoas invisíveis que nos ajudaram. Observando a mulher com quem casei, no seu estilo característico, batendo fotos, dando ordens e acenando ao mesmo tempo, eu finalmente compreendi o quanto dificuldades, almas nebulosas e todos os empecilhos acabaram por contribuir. Se os problemas fossem permanentes ao longo da construção eu talvez não tivesse chegado ao fim, até a linha de partida em que me encontrava agora. Mas se não tivessem existido todos esses problemas, se a obra fosse um extenso e pacífico mar de rosas, se todas as almas fossem confiáveis e todos os recursos estivessem disponíveis, eu teria terminado um barco torto, errado, muito pior do que um inacabado.

Uma dessas almas vivas foi uma pequena empresa de vidros chamada Mokar. Seus profissionais fazem janelas especiais para tratores, aviões e barcos, e fabricaram todas as janelas do barco em vidro trilaminado sobre filme plástico. Essas janelas eram muito melhores do que as que eu usava antes, em plásticos acrílicos ou policarbonatos: estavam sempre translúcidas, não riscavam nunca, e o preço era vantajoso. Durante a fixação das janelas, ainda em Itapevi, eu observava o Carlos, dono da empresa, que tão bem nos atendia, instalando as borrachas que segurariam os vidros e depois puxando com perícia as cordinhas de encaixe das guarnições. Não sei por quê, perguntei-lhe se em caso de uma onda muito forte não haveria o risco de a borracha ceder e o vidro entrar, com onda e tudo. Ele me garantiu que não. Disse que já usara o método, com a secção da borracha em "H" e o vidro suspenso, até em aviões pressurizados. Não havia a menor possibilidade de acidente, garantiu.

Na sexta-feira, dois dias depois da partida, alcançamos o

famoso cabo de Santa Marta. Eu não estava nada feliz. Pegamos uma tormenta elétrica muito forte, e eu temia pelos mastros. Os raios são o maior perigo para usuários de mastros em fibra de carbono. Estávamos no último rizo das velas, num contravento apertado, com ondas razoáveis pela proa. Sol de tempestade, céu amarelado com charutos pretos, mar coberto de espuma leitosa. Na passagem do primeiro charuto, o vento, que era contra, virou e ficou favorável. O barco subitamente acelerou, mas as ondas não tiveram tempo de acompanhar a mudança rápida e continuaram pela proa, fazendo explosões espetaculares de água. Vento a favor, por pior que seja o mar, é sempre uma delícia. Adorei a sensação incomum de avançar com o vento a favor e o mar contra. O Gustavo passava mal na proa, o Zezinho e o Fábio preparavam o almoço, eu estava em cima, com o Marcos. O Quito se esforçava para registrar as explosões sem molhar a sua câmera... Situação rara e delicada, de vento e ondas em rumos opostos. Nisso uma onda maior se levantou, o casco furou a parede líquida e a água cobriu até o posto de pilotagem onde estávamos... uma cena hidráulica, que o Quito por acaso conseguiu registrar. Só que pelo corredor surgiu o Zezinho com a notícia:

— Pessoal, o barco encheu de água! Não temos janela!

Corremos para o salão. A mesa de comunicação, ao lado da minha cabine, estava debaixo d'água. Os computadores nadavam. O impacto da onda afundou o vidro, que continuava preso ao vão da janela, mas aberto, em posição horizontal. Vinham outras ondas. O barco estava aberto para o mar. Subi correndo e mudei o rumo para ficar a favor das ondas, mas fazendo isso o barco voltou ao contravento, e agora o que entrava pela janela aberta eram os borrifos e o vento.

— O piso! Vamos cortar o piso e fazer uma janela de madeira! Rápido! — gritei. O Marcos e o Zé não perderam tempo e correram em busca da serra tico-tico e de uma das placas do piso da proa, do paiol de velas.

— Cadê a trena para medir o buraco? A furadeira, pega a

furadeira também, e mais a broca de meia! Temos que fazer furos para amarrar!

Cada um se lembrou de uma coisa.

— A corda de dez milímetros, a verde, rápido!

O barulho do vento era forte, tínhamos que falar aos berros. Com dois ajudantes por dentro do barco conseguimos dobrar um pouco o vidro e tirá-lo do vão. A fatídica borracha estava inteira.

— Dá pra colocar no lugar! Pega um barbante para ajudar no encaixe da guarnição! — gritou alguém. Enquanto eu ia encaixando a borracha centímetro a centímetro com a ajuda do Marcos, o pessoal foi retirando a água que entrou. Uma só onda fez um belo estrago informático. Uma hora mais tarde o vidro estava no lugar — com três proteções de madeira, para garantir. O barco estava novamente seco e todos nós aliviados, com uma boa história para contar mais tarde.

Quase dois anos depois eu descobriria o quanto aquele incidente foi importante. O Carlos, da Mokar, ficou sabendo pela Marina do problema com o vidro no mesmo dia. Não nos deixou mais em paz. Fez a Marina levar para Ushuaia um vidro novo. Não estava prevista uma escala na Terra do Fogo, mas acabamos concordando. Ela de fato levou, além do vidro, um computador de reserva para o Quito, que teve o seu destruído. Quando o barco voltou para o Brasil, sem que eu pedisse, o Carlos desenhou novas borrachas, agora em formato de "S", fabricou as ferramentas, as borrachas, e vidros maiores, que ficariam apoiados contra o "S" por fora, como eu ingenuamente sugerira no início, e não mais suspensos. Eu até já desistira da ideia de trocar todas as janelas. Ele insistiu. Não me lembro se cobrou a mão de obra. Reconheceu o erro. Refez todo o serviço. Dois anos depois, no meio do oceano Índico, no pior trecho da circunavegação que eu pretendia refazer, com o barco tomando uma sucessão espetacular de ondas secas, eu perceberia que o Carlos, por antecipação, nos salvou a vida.

17

DE VOLTA A USHUAIA

A entrada no canal de Beagle foi difícil, com ventos de quase sessenta nós, borrifos de neve e espuma, nenhuma visibilidade. Entramos às cegas, no radar. O Gustavo, que passou muito mal boa parte da viagem, recuperou-se subitamente e me ajudou fazendo o papel de sonda de pânico. Eu não tinha um segundo de folga no leme para checar a sonda. Ele lia os números no mostrador, com as profundidades diminuindo à medida que nos aproximávamos das pedras. Cinquenta e cinco, cinquenta e quatro, cinquenta... Os números baixavam e a aflição da voz dele aumentava proporcionalmente. Trinta, vinte e oito, vinte e sete, e descendo... Quando baixava de dez, o tom subia, *seeete, seeeeeeeeeis, ciiiiiiiiiiiiinco!!! Descendo!!! Quaaaatro!!!! Deus do céu!!!!! Cinco, seis, sete*, e a voz tornava-se grave outra vez. O Fábio, ajudando com os lemes pequenos, estava impressionadíssimo com a eficiência dramática do nosso colega. Não havia tempo para manobrar e ler todos os instrumentos ao mesmo tempo. Se o Gustavo lesse os números em mandarim ou em hebraico, entenderíamos do mesmo jeito as profundidades. A operação se estendeu por toda a noite e foi um sucesso. Pela manhã, o vento desligou, entramos no porto de Ushuaia com sol. Por trás, as montanhas e os picos nevados.

A Marina estava no cais, acenando uma bandeira argentina ao lado de um pacote com o vidro novo da nossa janela. Estávamos felizes.

Anos antes, também com o dr. Fábio, eu estivera na cidade. Viajava conosco um fotógrafo genial, de aspecto mais ou menos viking, o Pedrão Martinelli. Estávamos supostamente trabalhando num navio russo, o *Professor Kromov*, que tentava solucionar problemas burocráticos para em seguida descer à península Antártica. Como pouco podíamos ajudar, e não querendo atrapalhar a bordo, comprávamos *morcillas*, pão e vinho, para ir comer e beber com os mendigos de uma das praças da cidade alta. Depois, dormíamos na grama. Isso quando não chovia. O humor viking do barbudo Pedro e a infinita capacidade do Fábio de extrair conclusões hilárias das piores situações tornavam qualquer descida ao inferno um passeio inesquecível. Quase foi. Passamos dezoito dias na Antártica, envolvidos com um filme publicitário quase megalomaníaco, na companhia de americanos, argentinos, fotógrafos, alpinistas, *riggers*, mergulhadores e maquinistas que se digladiavam de ciúme, vaidade, egoísmo e outros sentimentos próprios do meio publicitário. Tive uma grande aula com o Fábio. O seu dom de conseguir o entrosamento entre gênios em estado belicoso recorrendo ao bom humor e à simplicidade foi mais surpreendente do que a própria viagem.

O *Paratii 2* ficou quatro dias em Ushuaia. A Marina, que também já tinha no currículo uma descida à península num navio russo, conhecia bem a cidade e logo ficou popular, resolvendo nossos trâmites burocráticos e portuários. Ela não pôde trazer o computador novo do Quito, e quem se propôs a fazê-lo em pessoa foi o Tigrão. A verdade é que esses anos todos temos usado serviços da Fedex unicamente por causa do Tigrão. Não que ele nos atenda melhor do que seus colegas de outras empresas, mas é apenas para prestigiar a "empresa do Tigrão" —

e pelo prazer supremo de ouvir sua série mais recente de episódios cômicos. Pois bem: o Tigrão apareceu pontualmente com seu jeito esquálido, munido do bigode e dos óculos de grau doze, com a encomenda nas mãos. Como sempre faz — e como sempre o proibi de voltar a fazer —, com um presentinho para cada um. Por causa do seu trabalho na Fedex, só pôde ficar algumas horas a bordo. Tenho certeza de que foi até Ushuaia só para dar uma olhadinha no barco que viu nascer e que de um modo sentimental considera seu.

Um grande coração, o Tigrão. O apelido que sem querer lhe atribuí torna-o engraçado só de se olhar para ele. Todos os tripulantes passados ou presentes que o conheceram consideram-no um amigo especial. Os que navegaram com ele fazem sucesso e provocam ataques de riso contando as aventuras do Tigrão. Nenhuma viagem em que o convidei a embarcar passou livre de suas extraordinárias aventuras. Vendo-o ali, sentado na oficina da popa, no porto de Ushuaia, cercado de gargalhadas, contando capítulos desastrados da história do primeiro *Paratii*, percebi de repente que dez anos haviam se passado. Eu nem era casado quando nos conhecemos. Nem filhas queridas, nem árvores, livros, barcos ou portos eu pensava produzir. Crises, mudanças, a vergonha de quase desistir, travessias curtas e longas, grandes e pequenas alegrias — de tudo o que vivi ao longo desses dez anos, o Tigrão, discretamente, testemunhou um pouco. Desde a primeira viagem que fizemos a Paraty, quando precisei de ajuda para contraventar as colunas do meu primeiro cais. Mergulhando com a convicção de um gato hidrófobo, o Tigrão segurava as argolas de aço ao redor das pilastras enquanto eu batia com fúria uma marreta de seis quilos para que as argolas se encaixassem nas colunas. A vibração dos golpes era tão violenta que os cabelos do Tigrão levantavam a cada marretada. De repente, seus óculos voaram e desapareceram na lama do fundo. O Agripino, um amigo dele que testemunhava a violência do nosso empenho, sabiamente se evadiu da cidade para não ser convocado a trabalhar também.

Entre os nossos amigos, as experiências do Tigrão tornaram-se lendárias. O terrível ataque do bicho peçonhento que perfurou os dedos dele — um novelo de linha de costura com agulhas espetadas — quando ele forçou a mulher a passar a noite numa barraca para "conhecer o lado rústico da vida"; a tempestade da Joatinga, quando errei uma manobra, ele saiu para ajudar e eu e o Marcão o arrastávamos para lados opostos do convés, aos berros, para que não fosse arrancado pelas ondas; os cachorros do Agripino, que quase o devoraram quando lhe foi solicitado que destruísse provas de adultério alheio; o seu deslumbramento ao ver os golfinhos iluminados de ardentia na proa do barco vermelho; sua tentativa heroica de despedir-se do *Paratii* na latitude de Itanhaém, a bordo de um caiaque plástico, que quase lhe rendeu uma operação internacional de buscas e o divórcio; sem contar as toneladas de ostras que ele, um palito vegetariano, era capaz de devorar no bar Jabuti, em São Paulo. O Tigrão era uma verdadeira enciclopédia de ocorrências incomuns, motivo inesgotável de piadas e memórias.

Essas conversas noturnas de convés em portos afastados, beliscando tremoços, revirando histórias e a memória, dividindo garrafas de Gato Negro entre amigos, são, de longe, a melhor parte desse negócio de navegar. Éramos o menor navio no porto de Ushuaia. Do convés escondido pelo cais mais alto só se viam os dois palitos brancos, curvos, entre os vultos gigantes de aço. Éramos as únicas vozes humanas onde só se ouve o som de geradores e bombas de porão. E de longe o mais barulhento e hospitaleiro casco atracado. No cais, o Gustavo revelou-se um verdadeiro astro com seu sobrevivente violão.

Os vizinhos de cais também contribuíram para tornar a parada em Ushuaia memorável. Subitamente nos vimos cercados de velhos conhecidos. Na popa o H44 *Ary Rongel*, navio oceanográfico da Marinha brasileira, com uma tripulação calorosa e um comandante, o Guimarães, portador de um carisma humorístico raro nas Forças Armadas. Colado atrás, nosso conhecido *Terra Australis*, o mesmo onde eu havia lido o imundo recorte da revista francesa e onde nascera a ideia polêmica de usar os mastros que agora brilhavam sobre o convés do *Paratii 2*. Não era um navio com capacidade para descer à Antártica, e por isso ele raramente deixava as águas interiores dos canais patagônicos e fueguinos. Foi seu último cruzeiro. Pouco depois seria destruído num incêndio. Ao nosso lado, no molhe sul, o velho *Lindblad*, o pequeno navio pioneiro que inaugurou os cruzeiros de turismo na Antártica e que nunca deixou de navegar no Sul. A bordo do *Lindblad* trabalhou por mais de uma década a brasileira que certamente melhor conheceu e mais fotografou as regiões polares da Terra, a Cristiana Carvalho. Suas fotos impressionantes foram o primeiro vírus que me fez viajar para a Antártica. Um pouco atrás, o *Marco Polo*, e ao lado o enorme quebra-gelo russo *Kapitan Khlebnikov* e seu capitão gigante, que se apaixonou pelo aspecto utilitário — e pelo bar — do veleiro brasileiro.

Quinta-feira, 14 de fevereiro de 2002. Às nove horas deixamos o molhe norte do porto de Ushuaia. O último cabo foi solto pela Marina. O vento oeste forte, de uns trinta nós, nos afastou depressa da cidade. Um par de velas orçadas surgiu pela proa. Logo reconheci. Era o *Pelagic* chegando da Antártica com o vento bem na cara, mas certamente feliz por terminar mais uma temporada. Falei rapidamente com o Skip pelo canal 16, e prosseguimos, com seus votos de uma boa jornada, ao Sul. Por meia hora perdemos a oportunidade de um encontro no porto. Ele me lembrou que eu ganhei a aposta de quase dez anos antes, na casa do Cacau, mas que ele não perdeu, pois em breve o seu projeto de um barco novo também se realizaria.

Não parei em Puerto Williams. As saídas do Beagle são mais ou menos tensas, nunca se sabe que surpresa virá no Drake. A surpresa, um pouco depois, foi encontrar pela popa e bem no nosso encalço o vermelho H44, o *Ary Rongel*. Poucos nós mais rápido do que as nossas velas, o comandante Guimarães passou por bombordo a menos de dois metros, com alto-falantes ligados e uma saudação brasileira mais do que ousada. O Quito e o Gustavo, os que mais sofriam com enjoo, passaram o Horn recolhidos no salão. Em dois dias entramos na Convergência, no terceiro o Zezinho viu o seu primeiro gelo. Não foi um Drake difícil. Na manhã de domingo, 17, rumei para o canal central do arquipélago Melchior. Outro veleiro vindo na proa. Vermelho. Agora o *Henk*, do Sarah W. Vorwerk, o holandês gozador que quatro anos antes, em Gritviken, eu quase matei de frio.

— Onde você pensa que vai com essa baleia? A temporada acabou, Amyr!! — berrou o Henk pelo rádio, em português fluente, misteriosamente com sotaque da Mooca.

O Marcão avistou uma boia laranja à deriva; descemos o bote amarelo para ir buscar. Ele não resistiu, teve que ir até as pedras para pôr os pés na Antártica. Fiquei a bordo, pensando nessa nova experiência de dividir com outros algo que é tão valioso para a gente. Se eu descer mil vezes para a Antártica, mil vezes ficarei tão maravilhado quanto na primeira vez. Todos ficaram. Até o Fábio. Era o primeiro contato das soldas de Itapevi com o gelo, um momento importante na história de um barco. Nem prestei atenção. É tamanho o espetáculo de uma descida pelo canal de Neumayer com sol e mar liso refletindo as paredes mescladas de neve e rocha que não dá para pensar em outras coisas. Esqueci-me completamente da promessa de um dia beijar as pedras de Dorian no dia em que chegasse com o barco novo. Curiosamente, o barco não. Talvez para matar a saudade, resolvi tentar passar pela estreita entrada que dá acesso à querida baía. A bolina e o leme beijaram sem dano as pedras, e o barco entrou. Um veleiro de aço estava no interior, achei que o espaço daria para dois, não dava, e ainda por cima o barco, *Gambo*, havia montado uma teia de cabos exatamente como eu fiz anos antes, durante a invernagem do primeiro *Paratii*. Acionando os motores ao contrário e os três lemes ao máximo, consegui fazer uma volta no eixo em velocidade, e, com um certo ar de orgulho pelo êxito da manobra, saímos por onde havíamos entrado. Foi só um pequeno susto para os ocupantes do *Gambo*, que pensaram que íamos arrancar todos os cabos deles. Na mesma noite, ancorados em Port Lockroy, reencontramos o capitão gigante do quebra-gelos russo *Kapitan Khlebnikov*. Prazer supremo, ele nos convidou para uma sauna russa a bordo. Ainda era domingo. A iniciação do *Paratii 2* estava concluída.

O problema da península em fevereiro é que a cada dia, visivelmente, as noites são mais longas e o período de luz mais curto. Se fosse mesmo para cruzar o Círculo Polar, teríamos que nos apressar. Deixamos Lockroy no dia 20. No dia 21 cruzamos o bendito Círculo por fora de todas as ilhas e em condições difíceis de gelo e visibilidade. Só depois de três tentativas conseguimos passar o canal de Lemaire, que eu tanto queria mostrar aos novatos e que apenas o Fábio conhecia. Foi um ano de muito gelo. Não pudemos alcançar a estação ucraniana de Vernadsky, antiga base inglesa de Faraday. Faltavam seiscentos metros para encontrar os ucranianos quando ficamos totalmente presos num campo de gelo-sopa, onde não se pode nem andar nem avançar. Pouco importa. Tivemos uma grande temporada. Um grande teste. Uma grande experiência com a minha primeira tripulação. Cumprimos um roteiro extenso numa época do ano em que os riscos são maiores e as atrações mais trabalhosas.

O memorável dia da nossa vida foi o do churrasco no cemitério de Pleneau — uma espécie de armadilha geológica com um canal fundo por onde entram grandes icebergs de vários modelos que depois, aglomerados, ficam presos até morrer. A Disneylândia é um lugar monótono e cinzento perto das atrações de Pleneau. Os corredores entre castelos de todas as formas não têm fim. Uma das mais bem localizadas colônias de pinguins papua está no lado norte, perto de uma colônia de elefantes-marinhos, não tão comuns na península. Entre as pedras das ilhas a oeste, todas sem nome, há um parque de acasalamento de leopardos-marinhos, justamente num dos locais de maior transparência da água. A leste, geleiras monumentais e grandes pontos de escalada. As ilhas mansas e baixas, escondidas atrás de gelos altos, são todas exploráveis, ao alcance de um botinho amarelo, e graças a Deus inacessíveis a qualquer espécie de navio ou veleiro. Os dois sítios de invernagem do comandante Charcot estão próximos. Ao norte está a Booth Island, onde o médico navegador invernou com o *Le Français* em 1905. Ao sul, Petermann, onde o lendário *Pourquoi-pas* ficou prisioneiro durante o inverno de 1910.

O churrasco de Pleneau foi feito no mar, com o fogo sobre o gelo, sobre um arquipélago de gelos aprisionados de grande variedade de formas, num dia que a princípio não parecia muito apropriado para celebrações. Assamos um dos carneiros patagônicos que ganhamos de um amigo argentino especial, o Jorge Rei, dono do Barcito Ideal, a mais simpática cantina de Ushuaia. Foi uma espécie de despedida da península, uma celebração tão intensa e farta que não me lembro bem como terminou. Do dr. Fábio apenas recordo que o vi nadando ao redor de um iceberg — para refrescar um pouco, segundo ele — antes do nosso regresso a Port Lockroy.

Voltamos para o norte pelas Shetland do Sul, onde mais uma vez encontramos, numa noite completamente escura, o H44. O Guimarães, pelo VHF, me salvou de uma colisão certeira com um gelinho que não notei e que faria uns bons amassados na proa. Ficamos apenas três horas ancorados defronte à estação Comandante Ferraz. O tempo exato para uma acolhedora visita antes que o mau tempo nos mandasse para o mar outra vez. A baía da estação brasileira é um dos piores locais que conheço para ancorar. Curiosamente, é o lugar onde os brasileiros desenvolveram um dos sistemas mais criativos e simples de desembarque, empurrando na água os chatões de aço que em seguida são arrastados na praia por um trator de esteiras. Bruto, mas eficiente, o sistema. Do contagioso calor humano de Ferraz seguimos para o chamado paraíso antártico, a Geórgia do Sul, em lugar de subir direto para o Brasil.

Na Geórgia, o elenco de razões para adorar um lugar parece não ter fim. A totalidade dos viajantes que conhecem bem a Antártica é unânime ao eleger a Geórgia o mais espetacular destino ao sul da Convergência Antártica. A ilha é subantártica, e embora se situe numa latitude não muito maior do que as Falkland, está bem ao sul da linha da Convergência. A frequência de gelos grandes é maior do que em muitos pontos do próprio continente. É um lugar forte como nenhum outro que conheço. A história da ocupação baleeira, as geleiras, as histórias dos seus desbravadores são fortes. A paisagem, o vento, os gelos errantes, as carcaças dos naufrágios, a matança baleeira — tudo é forte. Os homens e mulheres que figuram nessas histórias foram fortes. Dos pioneiros Cook, Bellingshausen e Larsen aos redescobridores recentes como Bill Tilman, Gerry Clark e os Poncet, todos registraram de algum modo a beleza e a força do lugar. O velho píer de madeira, o mesmo por onde andou Shackleton nas suas últimas horas, agora em franco colapso, é o lugar onde conheci as pessoas mais especiais de todas as escalas que já fiz.

Era a minha terceira estada na ilha, e mesmo assim, ao pôr os pés nas pranchas podres do cais, eu tinha a impressão de estar voltando para casa. Sinto-me profundamente bem nesse lugar. Sinto o cheiro das festas que fizemos, o barulho das manobras erradas, o alívio de cada chegada. Não me esqueço do primeiro desembarque. Eu estava fazendo o processo de imigração usual com o *harbor master* Pat, louco para terminar logo e poder conversar com os queridos Tim e Pauline. Faz parte do trâmite ouvir uma palestra de trinta minutos, do Pat, sobre procedimentos e restrições: não se aproximar dos bichos, essas coisas. Um pouco constrangedor, uma palestra formal para um só ouvinte. Chegou o Jérôme no seu novo barco, o *Golden Fleece*, com tripulantes notáveis a bordo: a Helène Rio, o Cricket, não me lembro quem mais, todos grandes cozinheiros de barcos mitológicos. Fui visitá-los quando terminou minha palestra e chegou a vez deles. Ouvi mais uma vez o speech. No

ABAIXO DA LINHA-D'ÁGUA

Paraty, cidade rara, dotada —
como um barco — de linha-d'água
separando obras vivas e obras
mortas. Tardei a perceber que
o espelho d'água da rua do Quintal
era o mesmo que refletia
os paredões gelados de Lemaire.

A morte da jangada de piúba
e a passagem para a de
tábuas deram origem a uma
embarcação igualmente
revolucionária em desenho.
A atual jangada cearense usa
com maestria conceitos
que projetistas modernos
têm dificuldade de aplicar:

estabilidade de forma,
mastreação autoportante
e flexível, perfil variável
de velame... Dispensa
portos e abrigos, encalha
na praia, é simples e genial.
Todos os dias cruza
a arrebentação de um litoral
difícil, numa navegação que
a nenhum outro tipo
de veleiro é permitida.

O *Paratii 2* começou pelo projeto do estaleiro. Ideias simples de canoas, jangadas, barcos viajantes e construtores experientes somaram-se ao desafio de formar mão de obra, gerar escala e concluir não uma, mas quatro embarcações. O uso do alumínio e das cavernas dobradas a frio foi uma das ideias que permitiram fazer estruturas ousadas e confiáveis a um custo menor.

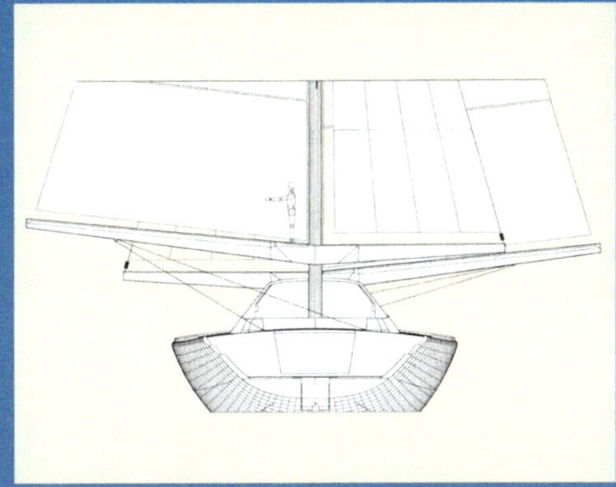

Vinte mil milhas abaixo da Convergência Antártica
sem problemas ou falhas, cem toneladas de veleiro
manobradas por um ou dois tripulantes.
A ideia dos "mastros de bambu", contra o parecer
dos especialistas navais, estava certa, e as outras também:
o casco largo como o de jangada, os lemes triplos, o remo
de governo, a vista permanente para o mar... O *Paratii 2*
revelou-se um barco rápido, seguro e muito simples.

"Dessa vez a minha canoa vai também!", exclamou a Marina. Foi uma grande ideia. A *Flor do Paratii*, canoa de guapuruvu de menos de três palmos de boca, viajou amarrada no convés. Na Antártica fez sucesso entre as crianças e causou espanto aos tripulantes de outros barcos, surpreendidos com sua velocidade e leveza. A pequena embarcação cor de laranja testemunhou o nascimento do irmão maior, metálico, que agora a conduzia para os gelos do Sul.

A entrada do *Paratii 2* com panos abertos na baía de Grytviken celebrou um ciclo que se encerrava e outro que começava. O veleiro de mastros alados se tornaria um dos visitantes frequentes da mais exuberante de todas as ilhas subantárticas.

O veleiro vermelho retornou por oeste ao mesmo cais de onde partira para leste. A Terra é mesmo redonda — bastaram 77 dias de navegação pela rota dos albatrozes para confirmar. No cais reencontrou barcos conhecidos: o *Morritz D*, do casal Harold e Hedel, que passariam o inverno na Geórgia do Sul, e os foqueiros semiafundados *Albatross* e *Dias*.

As águas frias ricas em alimento e a ausência de predadores terrestres fazem das ilhas subantárticas um paraíso de vida animal. Alguns animais introduzidos, como as renas trazidas da Escandinávia, adaptaram-se ao local. Outros, como ratos, raposas e lebres, colocaram em risco de extinção várias espécies de aves.

As atividades baleeira e foqueira duraram poucos anos e deixaram marcas permanentes nas ilhas da Convergência.

A colônia de pinguins-rei em Saint Andrews Bay é a maior da Geórgia do Sul. Primeiros passos de um papua jovem que ainda não tem penugem para entrar no mar.

Das águas calmas de Paraty aos encontros imprevistos em portos distantes, o mundo de quem faz um barco navegar é uma escola sem fim.

IAT

Embraco

Na volta da Antártica, as meninas encontraram, na ilha Navarino, uma cadela caçadora meio abandonada, mas independente e carinhosa, que ganhou o nome de Júlia.

Quando partimos para o Brasil, a Júlia saltou no mar e nadou até o *Paratii 2*. Veio junto, como imigrante austral. Em Jurumirim, as meninas do Pascal, do veleiro *Fernande* — frequentador regular dos esconderijos antárticos que veio nos fazer uma visita —, reconheceram a cadela, a quem chamavam de Maia. A notícia correu na rede, e um dia, tristeza ou alegria, recebemos uma mensagem da Alemanha: a Maia/Júlia tinha dono. Pior, eu conhecia o dono, Wolf Kloss, havia anos, dos encontros no Sul. O Wolf avisou que viria ao Brasil de veleiro para buscar a Júlia. E ele veio mesmo, da Alemanha direto a Paraty. A Júlia o reconheceu, mas não parou de brincar com as meninas e com o Flávio. O coração do alemão amoleceu, e no oitavo dia ele permitiu que a Júlia decidisse onde queria ficar. Ela escolheu Paraty, o carinho das nossas meninas e o barco brasileiro, que agora é seu território. Não precisa mais caçar. Vive marinheira e feliz.

instante em que o *master* falava "não chegar perto das renas", passa o Jérôme carregando um quarto de rena pingando sangue no convés. À noite o oficial inglês nos convidou para um jantar — de rena assada — na casa dele. As renas foram introduzidas pelos noruegueses para fins de consumo, adaptaram-se bem à ilha e criaram uma dúvida polêmica: se devem ou não devem ser removidas. Alguns ingleses e os bretões contribuem com a segunda opção. Eu gosto das renas vivas, mesmo que meus tios libaneses me tratem como aquele sobrinho brasileiro esquisito, que não gosta de atirar nem de caçar.

Três meses depois, ao concluir a circunavegação no mesmo cais de Gritviken, fui brindado com a mesma — precisamente a mesma — palestra, diligentemente proferida pelo mesmo Pat. Assim como gosto das renas vivas, passei a gostar desse rigor britânico que nunca confunde amizade com dever. Graças a uma iniciativa do próprio Jérôme, hoje as renas não são mais caçadas, mas transportadas no *Golden Fleece* para serem criadas nas Falkland.

Dessa vez, quem viu os mastros do *Paratii 2* entrando com todos os panos abertos na mágica baía de Gritviken foi a Sally Poncet. Há poucos indivíduos na Terra que eu admire mais do que essa mulher. Mais uma vez ela me lembrou da dívida de visitá-los um dia. Eu continuo em dívida, por uma pequena dificuldade burocrática. O procedimento de entrada nas Falkland/Malvinas deve ser feito pela capital, Port Stanley, adorável cidade de hábitos, cultura, arquitetura e trânsito tipicamente britânicos, a leste das ilhas. A remota ilha dos Poncet, com suas colônias de pinguins e santuários de albatrozes, fica no extremo oeste, o que obriga os visitantes vindos do Brasil ou da Terra do Fogo a fazer uma volta de quase um dia de navegação.

De Gritviken seguimos para as baías ao norte, onde noruegueses montaram as estações baleeiras de Husvik, Stromness e Leith Harbour. Husvik é a minha preferida. Mais protegida que as outras baías, tem na encosta sul uma região de quase praias onde, além de renas, há uma colônia de pinguins papua, os mesmos de Dorian, e outra de pinguins-rei. Driblando os elefantes-marinhos, e sobretudo os milhares de focas de pelo, a maioria jovens nessa época, é possível chegar caminhando, em menos de duas horas, às ruínas da estação. Nosso segundo desembarque no local foi palco de uma das inusitadas demonstrações de iniciativa do Fábio. Descemos do bote amarelo e rapidamente pulei na praia de pedregulhos para fincar bem a âncora. Jamais poderia imaginar que a outra ponta do cabo tivesse sido usada por alguém que não a prendeu de volta no barco. Quando estávamos os cinco no morro, a caminho dos pinguins, vi o bote laranja indo embora sozinho. Na Antártica, na maioria dos lugares onde costumo desembarcar, um incidente como esse significa morte. Não sei se foi por me conhecer melhor ou se foi a cara de raiva que eu fiz, mas o Fábio não pensou dois segundos. Desceu correndo até a praia, pulando por cima das focas, e atravessou a faixa de neve atirando pedaços de roupa pelo caminho. O retorno até o *Paratii 2* demoraria, e com roupas molhadas seria um sofrimento. Ele tirou tudo, até o relógio, criou coragem e se lançou pelado nas ondas geladas, gritando como um bárbaro. Todas as fases da operação foram fotografadas pela lente ágil do Gustavo. O Fábio subiu no bote, deu a partida e, com uma tremedeira visível e as partes pudendas nem tanto, nos salvou. A perda de um bote em lugar distante, a falha de um motor, um pequeno esquecimento são incidentes que, num lugar de mudanças climáticas súbitas e violentas, rapidamente se transformam em tragédia.

Em Leith Harbour, a estação mais ao norte, encontramos, no berço do porto onde nasceu o Dion, dois pequenos veleiros, o *Balaena* e o *Joshua*, de dois simpáticos casais. O último, dos canadenses Frazer e Mark Carpenter, passara o inverno na ilha. Seus donos estavam pesquisando processos de desratização para tentar salvar as colônias de aves ainda não extintas. Além de Tim e Pauline Carr, que já somam uns nove invernos na Geórgia, poucos veleiros passaram pela experiência. Os amigos Harold e Hedel, no seu pequeno *Moritz D*, invernaram no ano em que completei a circunavegação e o retorno à ilha. O mar não chega a congelar como na Antártica continental, permitindo a navegação de baía em baía. A neve cobre quase tudo, e muitas espécies de aves podem ser observadas nessa época.

A grande tragédia na população de animais depois da fase baleeira foi a introdução acidental de ratos, que se adaptaram bem e passaram a atacar os ninhos de aves. Como aconteceu em ilhas subantárticas da Oceania, da Nova Zelândia e da Austrália, muitas espécies foram dizimadas e muitas foram extintas. As ilhas menores da Geórgia foram classificadas em ilhas com e sem ratos. Nas *rat free islands* procura-se evitar a extinção de algumas das mais espetaculares espécies de aves. Além dos ratos, o novo grande inimigo de algumas espécies de albatrozes, entre eles o majestoso *wandering albatross*, ou albatroz errante, é a pesca oceânica de espinhel, o chamado *long-line*. Os albatrozes, principalmente os errantes, atacam as iscas das imensas linhas de anzóis e morrem afogados. Algumas restrições e medidas ao conceder licenças de pesca na região têm atenuado o problema. A comercialização dessas licenças é a grande fonte de receita da Falklands Dependencies, que inclui a Geórgia do Sul e as ilhas Sandwich. Os barcos levam compulsoriamente um observador a bordo, a pesca deve ser feita no inverno, as linhas têm de ser lançadas à noite, quando as aves não se alimentam, e do lado oposto ao da descarga de peixe processado. Além disso, as iscas são descongeladas e lastreadas para afundar mais rápido, e espantalhos aéreos devem ser colocados nos lançamentos. Apesar dessas medidas e da vigilância armada dos navios vermelhos da patrulha de pesca, restam vários problemas. Os barcos que pescam ilegalmente não seguem essas medidas, e algumas dessas aves fazem voos diretos até o Uruguai e o sul do Brasil, caindo nos espinhéis de empresas que não são obrigadas a adotar as medidas. A Sally nos falou de uma menina no Brasil, idealista como ela, que coordena o Projeto Albatroz, a Tatiana Neves, e que sem os recursos materiais e o poder de polícia dos ingleses trabalha convencendo os armadores de pesca a seguir procedimentos semelhantes aos vigentes nas Falkland.

O tempo na Geórgia corre como o vento que assola a ilha. Nunca é suficiente para descobrir todas as baías, conhecer todos os detalhes da sua história, ver todas as espécies de animais. Já estávamos no fim de março, tempo de voltar. Nos despedimos com pena de um lugar que havia ficado familiar para todos. No dia 26, cedo, auxiliados por uma pancadaria moderada de oeste, deixamos Husvik com rumo norte, para atravessar o mais rápido possível a faixa de gelos importados que cerca a ilha. Os "importados", mais numerosos do que os locais, vêm em sua maioria das fábricas de icebergs do mar de Weddell e chegam depois de percorrer mais de mil quilômetros. No dia 30, quando estávamos prestes a deixar o território dos *roaring forties*, veio a surpresa. O leme principal do *Paratii 2* quebrou na base, e a porta inteira foi para o fundo. Demorou para que percebêssemos o que havia acontecido. O barco tem grande estabilidade direcional e, como as velas estavam bem reguladas, não saiu do rumo. Foi o piloto automático, sem a resposta do sensor de leme, que disparou o alarme. A solução do problema veio com um mísero botão que apertei, ao acionar o piloto dos lemes menores. Numa situação como essa, qualquer barco no mundo estaria em perdição. Dei graças aos céus, e novamente ao Thierry, pela sugestão, no início do projeto, de fazer, logo atrás dos hélices, os dois lemes de manobra que agora nos conduziam brilhantemente para o Brasil. Levantamos a plataforma do leme grande para tentar analisar o toco que sobrara. O problema imediatamente ficou claro. A peça não fora feita em Itapevi, mas num fornecedor externo. A alma principal da estrutura interna estava descontinuada exatamente no ponto de maior esforço. No Guarujá eu tinha uma porta de leme sobressalente que provavelmente padecia do mesmo erro. Teria que ser reparada. Mais um desafio para o Paraná.

Falamos pelo Inmarsat, e horas depois o Paraná tinha o diagnóstico completo dos erros da peça que quebrou e da substituta que já estava em seu poder. O toque nas pedras que demos numa das rajadas em frente à estação Comandante Ferraz, de ré, foi o incidente revelador da falha de projeto. Quando finalmente nos desvencilhamos das botas e capas de frio, sabia que tínhamos feito uma grande viagem. Poucos contratempos para um bólido que tinha tudo para ser uma usina de problemas, fora o leme perdido e as buchas de eixos.

Todos voltaram ao mundo do calor transformados. O Marcão aperfeiçoou os ofícios de câmera e fotógrafo com o experiente Quito, que faria falta nas viagens posteriores. O Zezinho ganhou cinco alunos de gastronomia cinco estrelas. O Gustavo, nosso tripulante artista, fez um belíssimo trabalho fotográfico e um livro que registraria as últimas imagens inteiras de Gritviken. No ano seguinte, a maior parte das instalações baleeiras foi destruída para a remoção do asbesto. Não se livrou do problema do enjoo, mas lutou como um marinheiro profissional talvez não o fizesse, e suas composições ao violão bateram todos os recordes de audiência. O mais afetado pela viagem, porém, sobretudo pela Geórgia, foi o Fábio. Ele não falava em outra coisa. Só pensava em voltar.

18

O ANO GANHO

O primeiro triângulo antártico do *Paratii 2* encerrou-se no Rio de Janeiro, homenagem aos novatos Quito e Gustavo, moradores da cidade. A manobra na marina da Glória — sem o leme grande — foi ainda mais fácil com os dois pequenos. Centenas de barcos entupiam a marina por ocasião do Boat Show do Rio de Janeiro. Só para provocar a Doyle, quase pensei em montar um estande para exibir as primeiras velas no mundo feitas com *silver tape*, a famosa fita adesiva cinza da 3M, que nos levou até a Antártica velejando e depois nos trouxe de volta. O estoque de fitas, que no início parecia exagerado, no fim foi a salvação. Eu pensei em processar os ingleses. O tecido não era o que havíamos pago e ainda por cima rasgava-se com a pressão dos dedos. Mandei uma carta irônica. Eles foram educados. Alegaram ter atendido às especificações da Carbospars e mesmo assim se prontificaram a fazer os reparos. Não havia mais o que reparar. Compreendi que eles também haviam sido lesados pela Carbospars, e além disso o transporte internacional sairia mais caro e trabalhoso do que fazer velas novas com tecido nacional. Eu guardaria as velas de *silver tape* para alguma exposição internacional de tecnologias adesivas, ou então as usaria para fazer cabaninhas para minhas filhas.

A Marina, mais uma vez, comandava a gritaria de chegada. Três meninas apenas! Se fossem trinta, os vidros dos edifícios de Botafogo não resistiriam. Entrar no Brasil pelo Rio de Janeiro, por mar, trocando os picos nevados da Geórgia pelas pedras cariocas, é um espetáculo para não esquecer mais. Em questão de minutos voltei ao ritmo normal de vida numa grande metrópole. Tudo fica fácil depois de uma viagem pelos solavancos do Sul. Amigos, tias velhas e desmiolados que imaginam haver no mar tempo sobrando para fazer filosofia ou pensar na vida sempre fazem a pergunta: "Como você consegue se adaptar, depois de tantos meses no mar?". Francamente, é difícil responder sem chocar velhas tias. Como me adaptar? O que pode ser melhor do que voltar para a algazarra da família, para o conforto de uma cidade, para o privilégio de ter algum trabalho e umas poucas dívidas para quitar? Do que ter energia sobrando por todos os lados, luzes para ler à noite, novelas para escolher na TV, condução de todos os tipos, água quente no chuveiro, ou simplesmente uma torneira de onde sai água, horas inteiras para dormir, uma cama seca que não pula, panelas que não voam? O que pode ser melhor?

O prazer de andar na chuva e se molhar com água doce, sem tomar pancadas geladas de líquido salgado na nuca, o imenso prazer de simplesmente andar ereto sem ser arrastado por rajadas ou borrifos... São coisas que só se descobrem depois de um bom desembarque.

Não que seja difícil navegar em águas frias e agitadas, longe de portos ou auxílio. É apenas diferente. Existe uma tensão permanente no ar. A cada etapa cumprida, a tensão se transforma em alívio; algumas horas de alegria e o ciclo recomeça. E quem não se adapta a esse ritmo termina não descobrindo que é também um ciclo de prazer. A bordo, gosto de dividir o comando, da mesma forma que divido o trabalho de limpar o banheiro ou desentupir o vaso. Essa tensão, ou o nome que tenha, de modo nenhum é um fardo. Ela não cessa quando se passa o comando ou quando se cumpre um turno. Não pode cessar. É ela que faz um barco chegar aonde deve, é ela que garante a segurança de todos. Dela depende o bem-estar e o bom humor de quem vive a bordo. Não sei explicar exatamente o que é, se é física ou emocional. Apenas sei que quem respeita verdadeiramente o mar entende o que é. Jangadeiros, falantes e alegres em terra, durante a pesca, por horas, dias, quase não falam. Uns nunca falam. Duelistas de viola e cordel, durante seus desafios cantando rimas ou escrevendo ironias, sabem o que é. Um cirurgião operando, concentrado, não fala à toa: comanda, instrui, sabe bem o que é. Também o sabe um atleta que se prepara anos a fio, no instante do tiro de largada. Quando a Marina estava com a barriga aberta, pendurada no cunho de alumínio, eu não falava, sabia o que estava acontecendo. Nada no mundo faria com que eu me distraísse naquela hora. Nada me faria perder o equilíbrio, a calma.

Três meses depois de concluído o primeiro ciclo de vida do *Paratii 2*, estávamos outra vez a bordo, nas férias das meninas, assistindo do convés as regatas da Semana de Vela de Ilhabela. Ríamos das histórias passadas e dos seus sobreviventes. Minha sogra veio a bordo, e nem mesmo na passagem da Joatinga, com mar grosso, eu consegui fazê-la enjoar. Para que eu me sentisse completamente francês, só faltava mesmo um papagaio ou um cachorro a bordo. Não pude controlar o ímpeto de contar outra vez a história da d. Ana Francesca quando a levei pela primeira vez a Jurumirim, no fatídico bote laranja, não muito depois do terrível acidente da Marina. A d. Ana, em meio à gritaria do motor, insistiu que não queria molhar os sapatos no desembarque. Respondi, também aos berros:

— Não se preocupe, a senhora não vai molhar os sapatos...

Ela continuou insistindo, acho que fiquei nervoso. Sempre que levo passageiros com sapatos, corto o motor segundos antes de tocar a areia, exatamente para que o barco suba um pouco na praia e eles possam descer no seco. Nunca errei a manobra. Não sei o que aconteceu, talvez a potência excessiva do operoso Suzuki, pois antes dele eu usava um motor menor.

O barco entrou rápido demais na praia. D. Ana, com o impacto seco contra a praia, decolou de cabeça na direção dos coqueiros e aterrissou de quatro vários metros à frente, relativamente descomposta, com areia nas roupas e os cabelos esticados para a frente. Mas não molhou os sapatos.

Ríamos das crises de mau humor do Quito quando o almoço atrasava mais de trinta segundos, do martírio do Gustavo, deitado, vomitando num balde particular e sendo alimentado com bolachas quebradas através do funil laranja. Ríamos do Zezinho andando escondido atrás do Thierry com uma bisnaga de antioxidante WD40, quando o Thierry se lamentava de ferrugem nas juntas.

O Marcão, depois da viagem, recebeu uma infinidade de propostas de trabalho, uma delas para ir para os Estados Unidos. Em breve ele nos deixaria. Para assumir o *Paratii 2* durante os preparativos da viagem seguinte ele sugeriu um rapaz recém-chegado de Ushuaia num traslado de um barco francês que eu conhecia havia muito, o *Croix Saint Paul 2*. Flávio, o seu nome. Como teste de iniciação com os mastros esquisitos que usamos, o Flávio trouxe de Paraty para Ilhabela o barco vermelho. Gostei da sua cara e atitude. Sujeito sempre alegre, de poucas palavras e mostrando boa vontade. Não conseguia esconder a euforia que sentia nas manobras mais fortes. Subimos todos no veleiro vermelho, umas doze pessoas, entre crianças e adultos. As meninas vibravam com os bordos e cambadas que o Flávio fazia, com a espuma levantada pela proa avançando contra o vento, com os pratos e panelas deslizando de um lado para outro pelo chão da cozinha.

A Semana é um grande evento, num lugar muito especial. Por inexplicáveis restrições burocráticas, os atracadouros e marinas de Ilhabela ainda são escassos, mas o canal tem o que não temos em Paraty: vento de sobra. A regata é uma das mais bem organizadas do Brasil, a vila tem um charme único e uma inegável vocação para a vela.

Estávamos lá apenas para assistir às provas. Perto dos finos barcos de regatas, o *Paratii* parecia um veículo de combate à vela. Mesmo sem participar das regatas, de vez em quando era divertido apertar os panos e deixar alguns dos veleiros de plástico para trás. Havia a bordo uma segunda menina chamada Tamara, da mesma idade da nossa: cinco anos. Queríamos fazer uma foto das crianças, e a máquina fotográfica estava no *Paratii 2*, ancorado bem na saída do canal do Iate Clube. O Flávio não desgrudava por nada do leme, e a ideia genial foi minha:

— Passa perto, sem diminuir, que eu salto da retranca! Pode ir, Flávio, pode ir que eu salto.

E, para alegria das crianças, subi na plataforma do mastro, corri pela retranca, saltei, e caí em pé no convés do *Paratii 2*... Peguei a maquininha, fiz um sinal para o Flávio voltar e repetir a manobra. Obviamente a altura do salto agora era bem maior. Caí no degrau inclinado do convés e sentei no chão depois de ouvir um *créék*. Fingi que estava tudo bem. Não estava. Ganhei uma condução expressa para o hospital da ilha, um par de muletas de bambu rapidamente confeccionadas pelo Zezinho e doze meses de recuperação após a instalação de um novo nervo cruzado.

O grande teste do barco novo, a viagem para a qual foi concebido e que consagraria ou não nove anos de ideias e trabalho foi adiada. Meu plano era refazer o contorno do continente antártico numa latitude superior à da primeira viagem, mas em lugar de terminar na Geórgia eu planejava completar os 360 graus na própria península Antártica, sem fazer nenhuma escala. Desse modo, se o barco concluísse a circunavegação em menos de oitenta dias, teríamos um resto de temporada para navegar na mais bonita região do continente e o mês de março para encerrar o verão na Geórgia do Sul. A data-limite de partida para um programa dessa extensão era 20 de novembro. Estávamos em julho. Um joelho provisoriamente a menos e um ano definitivamente a mais foi o saldo de uma brilhante idiotice que pratiquei.

Não foi um ano perdido, no entanto. Perdi de um lado, por decurso de prazo, uma tripulação que estava montada. De outro ganhei o privilégio de montar uma nova. De contaminar novas almas com o vírus do gelo. Da velha turma, só o Fábio confirmou que aguentaria um ano de desejo reprimido até a próxima partida. A verdade é que não existem anos perdidos para quem arma um barco. Tínhamos agora pouquíssimos reparos a fazer e tempo para executar uma extensa lista de verificações e revisões. Optei, no início do projeto, por não usar freios de eixo para impedir que os hélices virassem quando o barco seguisse velejando. Foi um erro, que o Paraná tratou de reparar. O Flávio passou a morar a bordo e desvendou com tamanha dedicação os segredos do barco que em poucos meses era capaz de conduzi-lo sozinho para qualquer canto do planeta. Mais que conhecer o barco, demonstrou um carinho pelo que estava feito e um orgulho pelas melhorias que foi introduzindo que um comandante ou dono de barco raramente têm. Compreendeu o espírito de simplicidade que eu tanto perseguia nas soluções e soube colocá-lo em prática. Revelou-se um cozinheiro incansável e de competência infernal. O primo Jamil, o melhor cozinheiro com quem já cruzei um oceano, sentiu uma certa ameaça à sua reputação e resolveu ser amigo do Flávio e multiplicar talentos comuns.

Enquanto o *Paratii 2* era literalmente dissecado no píer 26, no Guarujá, em Paraty o Luiz foi avançando com o nosso porto. Plantamos árvores nativas, que se deram bem nas encostas erodidas outrora cobertas de cana, e coqueiros na orla. Aquele nunca seria um porto grande em tamanho, mas eu sabia que com o tempo nenhum outro que conheço teria mais metros cúbicos de árvores ao redor. O número de barcos estava crescendo e formou-se o ambiente de escala de viajantes. Muitos eram de fora — franceses, alemães —, e outro tanto de veleiros que eu já havia encontrado em algum canto do Sul. O número ideal de vagas de uma marina fica acima de duzentos, longe ainda da nossa situação. A grande diferença é que tínhamos um espaço que historicamente sempre foi porto, generoso em manobra, abrigo e calado — três detalhes vitais para o êxito de um porto. Barcos antigos, multicascos, veleiros clássicos e grandes *motor sailers*, recusados em outras marinas, eram acomodados em segurança sob os cuidados do Luiz. O *Tocorimé Pamatojari*, o mais impressionante três mastros já construído no Brasil, nos visitou um dia. Acabaria ganhando vaga permanente, uma vez que pelo tamanho e pelas pontas não era aceito em outras marinas. Foi construído por cinco jovens, em plena Amazônia, num esforço heroico que acompanhei passo a passo enquanto lutava, em Itapevi, para não abortar o *Paratii 2*. De certo modo, os dois barcos se tornaram irmãos. A diferença é que sofrer por sete anos em Itapevi soldando metal é muito mais agradável do que trabalhar num barranco do rio Solimões desdobrando toras a trado e machado, como fez o mentor do *Tocorimé*, o Marcos. Outro Marcos, esse de cabelo ruço, que transformou o imenso barco num teatro ambulante e numa escola flutuante de vela, como fazem muitos dos *tall ships* no mundo. Uma interessante comunidade náutica foi nascendo em Paraty. Barcos de outros portos foram procurar abrigo nas marinas da baía. Aos poucos seus donos perceberam que uma marina não concorre com a outra — ao contrário. E desse lado, o dos portos, surgiu uma espécie de maturidade náutica: o entendimento gradual entre iniciativas que antes se enfrentavam, o esboço sério de um urgente e bem-vindo plano diretor.

Durante esse ano ganho, pude, fato raro, passar o Natal em casa. No começo de 2003 esbocei também um plano diretor. Inicialmente, a grande prova do *Paratii 2* deveria ser uma passagem ártica de oeste para leste sobre a Ásia. A bordo do barco vermelho, quando ainda usava o mastro convencional, eu cheguei a navegar acima dos oitenta graus, numa latitude bem mais elevada do que as máximas ao longo da passagem de noroeste, e acabei conhecendo boa parte dos problemas de uma viagem desse tipo. O verão ártico é menos rigoroso do que o antártico. As principais dificuldades são o calado, ao fugir de campos de gelo, e a autonomia, uma vez que quase não há vento e navega-se muito a motor. Estávamos impecavelmente preparados para isso. Escuna centopeia, cem toneladas em cem pés, o *Paratii 2* tinha o menor calado que já encontrei num casco desse tamanho, e podia não só navegar em águas muito rasas como deixar-se encalhar voluntariamente. O consumo dos mercedões no regime de dez nós permitia uma autonomia de 10 mil milhas náuticas, incomum mesmo para embarcações polares unicamente a motor. Mas descobrimos um problema complicado e de improvável solução a curto prazo: a instabilidade burocrática dos portos ao longo da Passagem de Nordeste. O acesso à maioria deles é restrito e deve ser negociado porto a porto, em parâmetros não exatamente transparentes. O Fábio, no *Paratii*, passou pela aventura assustadora de ter o barco preso por razões indecifráveis quando aportou no Senegal. Nós quase passamos pela mesma situação quando por pouco não aportamos num porto errado do Marrocos. O retorno ao Brasil pelo mar da China e pelos conhecidos gargalos de pirataria profissional eram um problema que por enquanto eu não tinha a mínima pretensão de resolver. O Brasil, infelizmente, não escapou dessa situação, e o assalto armado a embarcações há muito deixou de ser amador. Em Santos são comuns os ataques a pesqueiros. Nos "furos" amazônicos entre Belém e Santarém, os ataques a cargas de navios ou a empurradores de comboios são sistemáticos e feitos por barcos especializados. Meu objetivo maior estava no Sul.

Tecnicamente, um contorno antártico era um teste muitas vezes mais conclusivo do que os desvios de baixios e banquisas do Ártico. A volta seria feita a vela, no circo meteorológico de maiores atrações que conheço. E se essa circunavegação chegasse a bom termo, se tudo transcorresse bem, estaríamos abastecidos até o pescoço para nos locomover a motor, com plena liberdade, entre a península Antártica e as ilhas subantárticas. Conheceríamos as duas identidades do nosso barco em profundidade — a de veleiro competente e a de navio econômico. Com velas, seríamos senhores de uma volta ao mundo movida a vento e depois de pelo menos 10 mil milhas de explorações a motor — o equivalente a uma ida e volta ao norte da Europa sem reabastecer. Ou de quatro pernas de Paraty à Antártica. Nas pernas de ida e retorno do Sul eu poderia administrar o uso do vento ou das máquinas, marcar datas de chegada e partida, assumir compromissos, ser pontual como veleiros puros não podem ser. Esse assunto dos motores na Antártica é interessante. Alguns amigos puristas da vela ficam com urticária quando explico que no mundo do gelo velas não servem para nada e que na história da exploração antártica elas raríssimas vezes se prestaram para alguma coisa.

Concluídas as três grandes viagens de Cook e a primeira circunavegação do continente — em que o grande capitão inglês não avistou nenhum sinal de continente —, seu relato sobre a abundância de focas na Geórgia do Sul provocou uma corrida de foqueiros vindos da Europa e da América. Certamente — mas não oficialmente — foram eles que descobriram o continente. A data oficial para o descobrimento é o verão de 1820-1, mas também quanto a isso há polêmica. O certo é que a história da exploração antártica está atrelada ao uso de motores. Dos lendários *Erebus* e *Terror*, de James Ross, aos velejadores modernos, ninguém pôde explorar o continente sem máquinas de propulsão. Todos os navios da fase heroica sem exceção levavam motores para poder avançar nas calmarias antárticas ou entre os gelos. De todos, talvez o mais brilhante tenha sido o navio de Nansen, *Fram*. Quando os economistas visionários anunciavam o fim dos clippers e dos navios a vela e a ascensão do vapor como motor da economia mundial, os noruegueses foram para a Antártica com um naviozinho que em vez de velas e vapor como todos os outros usava velas e diesel.

O leme implantado do Paraná ficou pronto e também meu joelho novo. As velas, ou melhor, os farrapos da Doyle seriam substituídos por um conjunto novo. Fizemos um orçamento com a empresa francesa Incidences, que fabrica as velas dos barcos que correm o mundo sem escalas. Um trabalho magnífico, cuja qualidade é atestada pela maioria dos velejadores solitários. Um preço magnífico, também, e magníficos impostos. Ora, uma das grandes vantagens dos mastros autoportantes é o baixo desgaste das velas. Não há estais, brandais e cabos de aço tocando os panos, as manobras de subir ou rizar são rápidas e fáceis, a necessidade de tecidos sofisticados e caros é menor. Desde o início, buscar soluções simples que reduzissem o custo operacional era o objetivo prioritário de projeto. Optei por tentar uma solução nacional e encomendei as velas a uma veleria instalada em Itapevi — quem diria! Nome pomposo, Performance Sails, mas gostei do responsável pela empreitada, o chileno Jorge, que prometeu dedicar-se de corpo e alma para não nos decepcionar. Das velas inglesas, nem as ferragens pudemos aproveitar, tamanho o subdimensionamento. Alguns dos olhais, dos quais depende a vida de quem está na retranca fazendo uma manobra, eu não usaria nem para prender a chave de casa no meu chaveiro. Concordamos que o tecido nacional, disponível para pronta entrega, além de ter um custo menor, nos daria mais tempo para os ajustes necessários. O nosso velho fornecedor Amílcar, da empresa Nautos, sediada em Caxias do Sul, que fornece peças náuticas para os mercados mais exigentes do mundo, entendeu- se com o Jorge de Itapevi para desenvolver todas as ferragens de que precisávamos. Ferragens que em nenhuma hipótese poderiam falhar.

Depois de completar a circunavegação de 1998-9, achei que nunca mais desejaria reencontrar as ondas gigantes e geladas da Convergência. Agora, eu não pensava em outra coisa. O fato de na época estar só, num barco menor, mas com o mesmo tipo de mastreação, era um precedente importante para fazer comparações. Embora as depressões fossem às vezes violentas, o barco e o mastro se portaram bem, nunca perdi o controle nas manobras e praticamente não houve quebras. Dessa vez eu sabia que com uma embarcação moderna, maior e alguma tripulação as dificuldades seriam menores. O objetivo não era tentar fazer uma viagem difícil. Era navegar em segurança, sem contratempos, fazer uma circunavegação por uma região ainda pouco conhecida, com mais tempo para observar e aprender. Construí um barco sem lastro, sem estais, sem complicadores, não para fazer uma viagem especial, mas para viajar regularmente, de modo confiável. A mesma viagem que fizera com frio, cansaço e esforço queria agora fazer com segurança e conforto. No dia em que meu barco demonstrasse não exigir tripulantes especiais nem cuidados especiais para trabalhar como um navio de verdade e poder cumprir rotas e horários pontualmente, ganharia atestado de maioridade e seguiria sua própria vida como navio. Era essa maioridade que eu desejava conceder quando decidi fazer um novo contorno antártico. Tudo o que aprendi na primeira volta iria para o lixo se não fizéssemos a segunda. Eu acreditava num casco leve, sem lastro, em viagens leves, sem sofrimento ou complicações. Nosso projeto podia ter reputação até ficar roxo, mas se não fosse confiável seria um projeto inútil. Eu precisava testá-lo. A única coisa que eu desejava era poder voltar sempre, rever os amigos estranhos e queridos e não passar por aventuras de nenhuma espécie para fazer o que mais gosto. Sem nunca ter falado expressamente sobre isso, descobri no Flávio alguém que pensava da mesma maneira. Se alguém de fato se empenhou de corpo e alma para que as provas fossem feitas e o barco melhorado nos mais minúsculos detalhes, foi ele. Trocou sozinho três toneladas de baterias, refez todo o cabeamento, laminou as caixas de segurança dentro dos porões, instalou a porta de leme com quase 2 mil quilos, e o eixo, de uns trezentos, usando roldanas e a cabeça, depois desinstalou tudo para que aprendêssemos juntos o processo. Não parou um minuto. Nunca perdeu o bom humor. Nunca deixou de intimidar o Fábio quando este batia com o corte da nossa melhor faca na pia monolítica da cozinha.

Em nenhum momento o Flávio se deslumbrou com a notoriedade prematura de um barco ainda tão jovem — só porque ostentava soluções incomuns. Embora não tivesse participado da construção, via-se o seu orgulho ao explicar essas soluções a um técnico ou a um curioso, sempre com o cuidado de desconfiar um pouco enquanto elas não fossem testadas. Ele queria ver o gelo, os elefantes da Geórgia, as ondas gigantes do Índico. E às vezes desafiava:

— É, Amyr, quero ver as grandes, muito grandes mesmo, pra ver se esse lastro vai fazer falta.

Confesso que também tinha lá algumas dúvidas. No *Paratiizinho* vi ondas que engoliriam navios inteiros; também estava coçando de curiosidade para ver como se sairia a centopeia de alumínio sem lastro. Queria saber se os mastros não voariam em pedaços, se as velas do chileno aguentariam até o fim. A viagem inaugural foi muito importante, mas nem no Drake nem no mar de Scotia pegamos ondas realmente grandes para saber. Mais uma vez, era preciso fazer o teste.

19

COISA DE ARTISTA

Quarta feira, 19 de novembro de 2003.

Às 3h44 da manhã abri o livro-diário número 1, presente da Marina para a viagem. Na capa havia um desenho do seu amigo Mariutti, representando uma projeção polar estilizada da Antártica circundada por uma linha vermelha que parecia um coração. Coisa de artista, pensei, imaginar uma rota náutica com forma de coração. Para falar a verdade, um pouco chique para um diário, mas tornou-se tradição, a cada viagem, usar esses livros de páginas brancas sem linhas e capas desenhadas que ela encomendava com tanto carinho. Às 3h59 o Luiz mais uma vez nos recomendou cuidado e soltou o último cabo que nos prendia à Marina do Engenho.

— Obrigado, Luiz, até a volta!

— Ok, patrão, vai com cuidado!

— Pode deixar, Luiz! Patrão uma ova! Cuida direito da marina... da marina de barcos! Até a volta.

As luzes de Paraty desapareceram por trás da Ponta Grossa, àquela hora mais negra que uma encosta de carvão. Dobrada a esquina com a sua cruzinha branca, que num escuro desses só se acha com a lanterna, veio o alívio da partida. O Flávio veio me apertar a mão:

— Amyr, obrigado por me trazer até aqui.

— Até aqui foi fácil — brinquei. — Quero ver se te trago de volta para cá.

Ele estava exultante de alegria. Haviam sido meses complicados de preparativos, e por último de dúvidas em relação à tripulação. O disputado Fábio não estava a bordo. Tentara até o último minuto uma licença do hospital onde trabalhava, sem sucesso. Adiei a partida o máximo que pude. Estávamos preparados para viajar com uma tripulação de seis e saímos com cinco. Em vez de levar algum dos inúmeros amigos, candidatos amadores que suplicavam uma vaga a bordo mas que na hora de embarcar sempre desapareciam, resolvi contratar dois profissionais do meio náutico, ainda que completamente inexperientes em gelo: um mecânico de Paraty e um cozinheiro indicado pelo Flávio. Dessa vez, o roteiro era mais complicado. À parte os rigores de uma volta ao mundo em latitudes altas, haveria em seguida uma lista de lugares e datas de passagem que, como um navio de linha, o *Paratii 2* deveria pontualmente alcançar. O barco seria utilizado para dar suporte a uma série de quatro documentários sobre natureza, e eu assumi o compromisso de levar em segurança câmeras distintos para os locais previamente combinados. Se tudo ocorresse como prevíamos, um câmera ficaria conosco durante a circunavegação e depois mais duas semanas na península Antártica. O mergulhador Lawrence, sem tanto tempo disponível, se juntaria a ele quando terminássemos a circunavegação, enquanto ainda estivéssemos na península Antártica. Ficou acertado que a Marina iria mandá-lo para a Antártica num dos navios russos do ano seguinte. Nós o recolheríamos em Port Lockroy e continuaríamos para o Sul, para os sítios onde ele pretendia mergulhar para filmar as focas-leopardo. Em Ushuaia, duas outras equipes — e finalmente o Fábio — renderiam a primeira, e o barco seguiria para a Geórgia do Sul. Das geleiras da Geórgia eu subiria com os restantes para a Marina do Engenho. Seria o grande teste de emancipação do barco, cumprir as rotas e escalas pontualmente e em segurança. A bordo, o Flávio era o único que tinha noção do tamanho da obrigação assumida. Além de mim, o único que participaria de todas as etapas.

O ritual de descida do Atlântico Sul é um misto de tensão e prazer que com os anos aprendi a desfrutar. À medida que se avança para o Sul, os dias tornam-se mais longos, as temperaturas mais baixas, as condições do mar mais fortes. Aumenta o prazer o fato de não se estar só, aumenta a tensão a preocupação com tripulantes vagando pelo convés e que podem ir parar sem aviso no mar. Cada grau de latitude é uma conquista. Não tenho nada contra escalas na Argentina, mas como no nosso caso ninguém veio a passeio, optei por uma rota direta até a Antártica. No terceiro dia consegui o primeiro contato pelo rádio com a nossa eterna radioamadora, a América. No quinto, entramos em águas uruguaias. No oitavo, uma quinta-feira, dia 27 de novembro, cruzamos com vento na cara a latitude dos *roaring forties*. No dia seguinte vimos os primeiros golfinhos cruzados de dorso quadriculado, o primeiro frio. No 12º dia o aquecedor foi ligado, bem na passagem dos *screaming fifties*, os cinquenta graus de latitude. No 13º avistamos terra, na passagem da ilha dos Estados, com as violentas corredeiras do seu estreito a favor, e à noite o cabo Horn ficou para trás. Sempre no rumo Sul. Senti um brutal alívio de não precisar virar à direita para demandar o Beagle e Ushuaia como da última vez. E um brutal prazer de mais uma vez entrar no Drake. Não que eu não sinta medo. O caso é que a fase perigosa da malfalada passagem é justamente na plataforma do Horn, quando as profundidades de 2 ou 3 mil metros sobem abruptamente para miseráveis cem. Passei por fora da plataforma. O vento frio não soprava exatamente a favor, mas era indício de tempo bom e mar calmo pela frente.

Estávamos entre duas grandes depressões, e se andássemos rápido, no rabo da que já entrara no Atlântico, escaparíamos facilmente da que ainda estava a oeste, no Pacífico. No dia

3 de dezembro, 14º dia de viagem, entramos na convergência antártica com ar a 3,4 e água a 1,9 graus centígrados. Meia-noite e ainda claro. Na manhã do dia 4, sessenta graus de latitude sul, os *furious sixties* estavam calmos e envoltos em neblina espessa. Dava para sentir o cheiro seco da neve que não derrete e cobrindo os cantos do convés.

Os primeiros gelos surgiram com imagem pouco definida da ilha Brabant. A temperatura do ar a quatro graus negativos, a da água a 1,5 grau negativo. De manhã os borrifos de água salgada congelavam no casco e no guincho de proa. A âncora estava coberta de gelo salgado, apontava contra a luz do sol para as montanhas da Antártica continental.

Às 21h05 da sexta-feira, dia 5 de dezembro de 2003, com sol forte e mar espelhado, cortei os motores na querida angra de Port Lockroy. Na minúscula casinha da Base A, testemunhas da nossa chegada, estavam três ingleses do British Antarctic Survey, Rick, Dave e Pete, os dois primeiros velhos amigos de visitas antigas. Estávamos todos bem, o barco quente e seco em perfeita ordem. Em dezesseis dias de navegação, com mar muitas vezes contrário, não houve um problema sequer, ninguém se machucou ou passou mal. Foi minha primeira travessia do Drake com o aquecedor funcionando ininterruptamente, um conforto simplesmente supremo. Em todas as viagens anteriores e mesmo nas do *Rapa-Nui* eu tive contratempos com aquecedores em decorrência do balanço forte do mar. O Flávio tomou para si o problema ainda em Paraty. Abandonou as chaminés originais, dinamarquesas, e desenhou dois agás em inox, com o corpo isolado. Foi um sucesso que só quem já navegou num barco congelado pode entender. Ele estava orgulhoso por ter encontrado uma solução que nos traria tanto conforto nos meses seguintes.

O cinegrafista mal participou do jantar e das comemorações de chegada. Até as três da manhã estava ainda vivo, do lado de fora, apontando, obcecado, a sua filmadora na direção de um gigantesco edifício monolítico de gelo que ameaçava despencar a qualquer instante da geleira ao lado.

Foi difícil convencê-lo de que esses desmoronamentos iminentes às vezes levam dias para se consumar, e até lá ele estaria hipotérmico e congelado.

Aquele desmoronamento em particular teve um fim inesperado. Descansamos em Port Lockroy por quatro dias antes de iniciar a circunavegação. Em 10 de dezembro dei o aviso de partida. O monolito não tinha caído.

No dia 24 de fevereiro do ano seguinte voltamos a Port Lockroy com uma volta ao mundo completada sem escalas em 76 dias, quatro horas e trinta minutos. O monolito inclinado ainda estava lá. Por inacreditável que pareça, naquele mesmo dia, exatamente o dia em que o barco cumprira o maior desafio da sua existência, sem que nenhum de nós visse a tempo de fazer uma mísera foto, o gelo caiu. Se eu acreditasse em presságios e nesse tipo de coisa talvez pudesse dizer que aquele gelo esperara a nossa volta para partir.

Não avisei ninguém pelo rádio sobre nossa chegada, mas logo eles souberam. O Rick, o Dave e o Pete continuavam lá, na minúscula ilha deles, sem bote, nem nada, sem poder sair, acenando para nós. Foram as únicas testemunhas oculares da nossa partida e da nossa chegada. Um deles, o Rick Atkinson, era autor de um livro extraordinário sobre o uso de cães nas bases inglesas do BAS, o *Of Dogs and Men: Fifty Years in Antarctica.* Eu o conhecia havia anos, mas não sabia do seu livro. Como marceneiro do grupo, foi o construtor da casinha cor-de-rosa da baía Dorian, próxima de onde passei o meu inverno. A casinha foi construída em 1972 para dar apoio aos Twin Otters que seguiam para a baía Margarida, e não sei por que o Rick a repintou num tom verde-vômito. Em Rothera, nos 67 sul, conheci em 1989, ainda a bordo do *Paratii* vermelho, os últimos Huskies antárticos com que o homem trabalhara. Pouco depois, todos os cachorros foram retirados do continente. Exigência do anexo 2 do protocolo ambiental do Tratado Antártico.

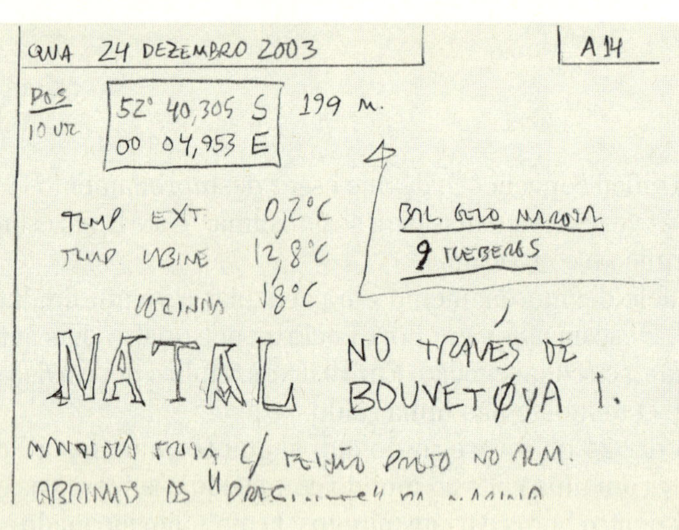

QUI 1° JAN 2004

A 22

FELIZ ANIVERSARIO NINA QUERIDA!!!

FELIZ 2004!

POS 51° 55,890 S
39° 36,451 E

129,2 M

178,88 M

COSTURANDO, COSTURANDO

E NAVEGANDO

4 ANINHOS DA MINHA QUERIDA QUERIDA!

Q. SAUDADE DAS QUERIDAS

· MARINA, LAURA, NINA, MORENA

DOM. 25 JAN. 2004 F. +10 A 46

1ª ENTRADA DO PARATII 2 NO PACÍFICO!

APÓS → 4.600 M. DE ÍNDICO DE 28 DEZ 2003 A 25 JAN 2004

EM 4 SEMANAS

SABADO 31 JAN. 2004 FUSO -12 A 53

SABADO 31 OUTRA VEZ!

DS 12:01 HL
F -12

57° 28,481'S
175° 57,843'W

169 M

ODO: 9.033 M (ÚTEIS)

TUGO: 3.550 M

NO WIND...

INSTITUÍDO O DIA 32 DE JANEIRO.

UM SABADO A +.

MOT BE-ON

PAROU DE NOVO O VENTO.
O NAVEGADOR TOSSINDO.

E O MONSTRENGO AO SUL DE C. KELVIN AUMENTA EM VIOLÊNCIA MAS PARECE ESTACIONADO.

ADIÓS CHATHAM IS

O ÚLTIMO PEDAÇO DA NZ

SEG. 9 FEV. 2004 F -9

PANDEMONIO BAROMETRICO!

DESCIDA DE 17 MB EM 7 HORAS A 2,4 / HORA
E SUBIDA A + DE 5 MB / HORA

Em breve iríamos buscar os três ilhéus para um jantar comemorativo.

Um bote do navio *Polar Pioneer* passou ao nosso lado, saudando o *Paratii 2*; os tripulantes do navio batiam palmas. Logo depois, os alpinistas do lendário veleiro *Northanger*, o casal Greg e Kari, também entraram na baía. Em seguida foi a vez do amigo holandês gozador Henk, com sua mulher Jackeline, no vivido *ketch* vermelho *Sarah W. Vorwerk*. Como também souberam, não sei. Só faltava um bolo com 360 velinhas para ser uma data mais previsível. O Henk ancorou e veio a bordo. São todos pessoas muito especiais. O lugar é especial. A sensação de voltar, depois de 76 dias de solavancos, para a mesma plácida e desejada baía era muito mais que especial.

A ausência de balanço, de todo e qualquer movimento ou som, era estranha. Se não houvesse tantas e tão respeitáveis testemunhas e as gretas já visíveis ao redor, eu sairia gritando como um doido pelas encostas de Port Lockroy. Foi uma belíssima viagem. Por algumas horas não perdemos a corrida contra a volta que fiz, no *Paratii*, cinco anos antes. Um barco de cem toneladas contra um de vinte. Pouco importava. Não vimos as ondas de oitenta pés nem tivemos ventos muito fortes, mas o mar, menor e mais picado, deu mais trabalho ao barco maior.

Desde o início, tivemos fartura de gelo e calmarias. Quase três dias perdidos com desvios e extensos campos de gelo quando tentávamos deixar a península Antártica. No pior desses campos, entre as ilhas Elefante e Rei George, uma testemunha familiar, o H44 *Ary Rongel*. Um encontro raro e emocionante num momento mais ou menos tenso, quando tive que desistir de ir em frente e voltei para as Shetland para tentar escapar dos campos pelo estreito Nelson. Na passagem pela Geórgia do Sul, que avistamos com clareza, novos campos, dessa vez de gelos altos, tabulares — um deles, saberíamos depois, com 180 quilômetros de extensão —, que nos obrigaram a outro desvio. Em mais de oitenta dias abaixo da Convergência, em nenhum momento o aquecedor deixou de funcionar

— conforto que nem mesmo os milionários barcos das regatas de volta ao mundo têm. Em nenhum instante, e nem durante as tempestades mais fortes, o piloto automático nos obrigou a assumir o leme externo. Os três tripulantes profissionais hospedados na ala vip, a cabine central, nem se deram conta do que haviam escapado: do sofrimento, rotina em todos os veleiros, que é, nessas latitudes, fazer turnos de seis horas do lado de fora, tomando jatos de água salgada e fria na nuca, congelando dedos das mãos e pés pela falta de movimento.

A ala vip do barco é a maior cabine, a única com aquecimento. Acomodou três, quando leva até oito passageiros. A minha cabine e a do Flávio não têm aquecimento, e mesmo assim não passamos frio. O *Paratii 2* estava abastecido com dois anos completos de víveres para oito pessoas e uma variedade inédita de itens. Os profissionais não se mostraram tripulantes à vontade com as manobras de convés, onde seria fácil perder dedos nas catracas ou um homem inteiro no mar. Foram poupados das manobras externas. Ninguém perdeu uma unha sequer. O mecânico, desde o início melancólico, no começo da viagem andava reclamando de saudades antecipadas de casa e do desconforto de usar as roupas profissionais de mau tempo. Não melhorou muito, mas ao final estava mais falante e disposto. Como palestrante de bordo nas reuniões de pipoca que fazíamos todas as tardes no comando, conquistou o direito de figurar no *Guiness* ao proferir diariamente a mesma história de como construiu um galpão de eucalipto. Os mais recentes ouvintes da famosa palestra foram o Henk e os ingleses do BAS, que haviam perdido a apresentação anterior, antes de iniciarmos a volta. Tenho grande admiração por esse holandês, que sempre encontro em situações especiais. Gozador, mas de um fino senso de observação, é um navegador competente, determinado, intransigente com tripulantes acomodados ou passageiros desanimados. Eu tinha dois a bordo, que o Henk reconheceu na hora: exatamente os profissionais. No seu barco, não teriam durado uma semana. O holandês me provocava:

— Esses caras do vida boa no praia aqui no funcionam! — E dava gargalhadas.

Bem ou mal, os meus profissionais funcionaram em algumas ocasiões. De meros tripulantes passaram a passageiros vip, com uma espantosa habilidade para dormir ou evitar manobras molhadas. Eu estava preocupado em mantê-los inteiros e saudáveis até poder despachá-los para casa, provavelmente em Ushuaia. Eles tiveram a grande felicidade de nunca testemunhar a dureza de um dia normal a bordo de um barco convencional naquelas águas. Nós todos.

A grande surpresa entre os tripulantes, no entanto, ficou com o Flávio. Nunca antes eu havia viajado com alguém tão competente e de tamanha modéstia. Enquanto todos a bordo estavam mais ou menos ansiosos para concluir a viagem, pisar em terra, rever a família, ou pelo menos voltar para a cama, o Flávio não escondia o prazer cotidiano de estar a bordo, de começar a cada dia um novo desafio, de servir, de ser o primeiro a sair para uma manobra molhada de convés e o último a entrar. A maior parte do êxito da viagem deveu-se a ele, a sua alegria em servir os outros, a sua iniciativa, atenção e dedicação ininterruptas. Era o primeiro a enfiar a mão na privada quando se desconfiava de um entupimento, o primeiro a se molhar para fazer um rizo, o primeiro a fazer pão, a dizer bom-dia todas as manhãs, a se lançar com balde e esfregão para limpar o piso, mesmo que sua tarefa não fosse essa. Estava, no dia de maior alegria para nós, triste porque a viagem no mundo das grandes ondas havia terminado. Não fosse o desespero dos nossos passageiros para retornar, sei que se eu mostrasse a mínima intenção de subir âncora ele largaria numa nova circunavegação.

Eu também estava contente. Escapei de um acidente no Índico, onde quase perdi o pé direito num descuido com as catracas. O barco escapou de um naufrágio anunciado e certo no mesmo oceano, caso não tivéssemos — ou melhor, caso o Carlos, da Mokar, não tivesse — trocado as janelas depois da primeira viagem. Uma sequência de ondas especialmente projetadas para capotar veleiros sem lastro nos deu uma surra inesquecível. Nada aconteceu, além do susto. As velas do Jorge, *made in Itapevi*, nos levaram por 14 mil milhas sem uma única hora de descanso, sem um rasgo sequer. Uma roldana do rizo teve a chapa metálica rasgada, um cabo de rizar da vela estourou. Foram imediatamente substituídos. O cabo era inglês, dos poucos que não foram trocados por cabos da Cordoaria São Leopoldo. Dos cabos que uso há vinte anos, dos gaúchos da querida cordoaria, até hoje nenhum falhou. Nunca. Nem um mísero cabinho de arinque, nem um dos espetaculares trançados quadrados de atracação que usamos em atracações técnicas de grande exigência.

Estava contente não só por voltar com os dedos e pés de todos os tripulantes e passageiros no lugar, mas também por ter conseguido ser rigorosamente pontual num pedaço imprevisível do planeta, onde cumprir horários é difícil. No escritório em São Paulo os três Bs, Bráulio, Bonini e Bernardo, encarregaram-se de sincronizar os compromissos do barco e dos tripulantes seguintes. O Lawrence, para o mergulho com os leopardos, deveria levar câmeras estanques, que não estavam a bordo. A Marina conseguira comprar para ele, com a Quark, uma meia passagem no navio russo *Orlova*. O problema era que o navio cumpre um roteiro turístico rígido, e o transbordo do mergulhador brasileiro para o nosso barco se daria em data, horário e local precisos. Além disso, ele só seria feito se os dois barcos estivessem no visual mútuo. Esse compromisso fora acertado com muita antecedência, pouco depois de entrarmos no setor Índico da Antártica e ainda faltando umas 10 mil milhas para o encontro. Tive que projetar uma previsão de chegada com grande cuidado. Não bastava dar uma margem a mais, porque os brasileiros a bordo também tinham compromissos e horários. Para complicar, pela primeira vez tivemos dificuldades persistentes de comunicação.

Pela primeira vez na vida eu vi as auroras austrais. Não uma ou duas, mas dezenas, sobretudo nas cercanias do polo

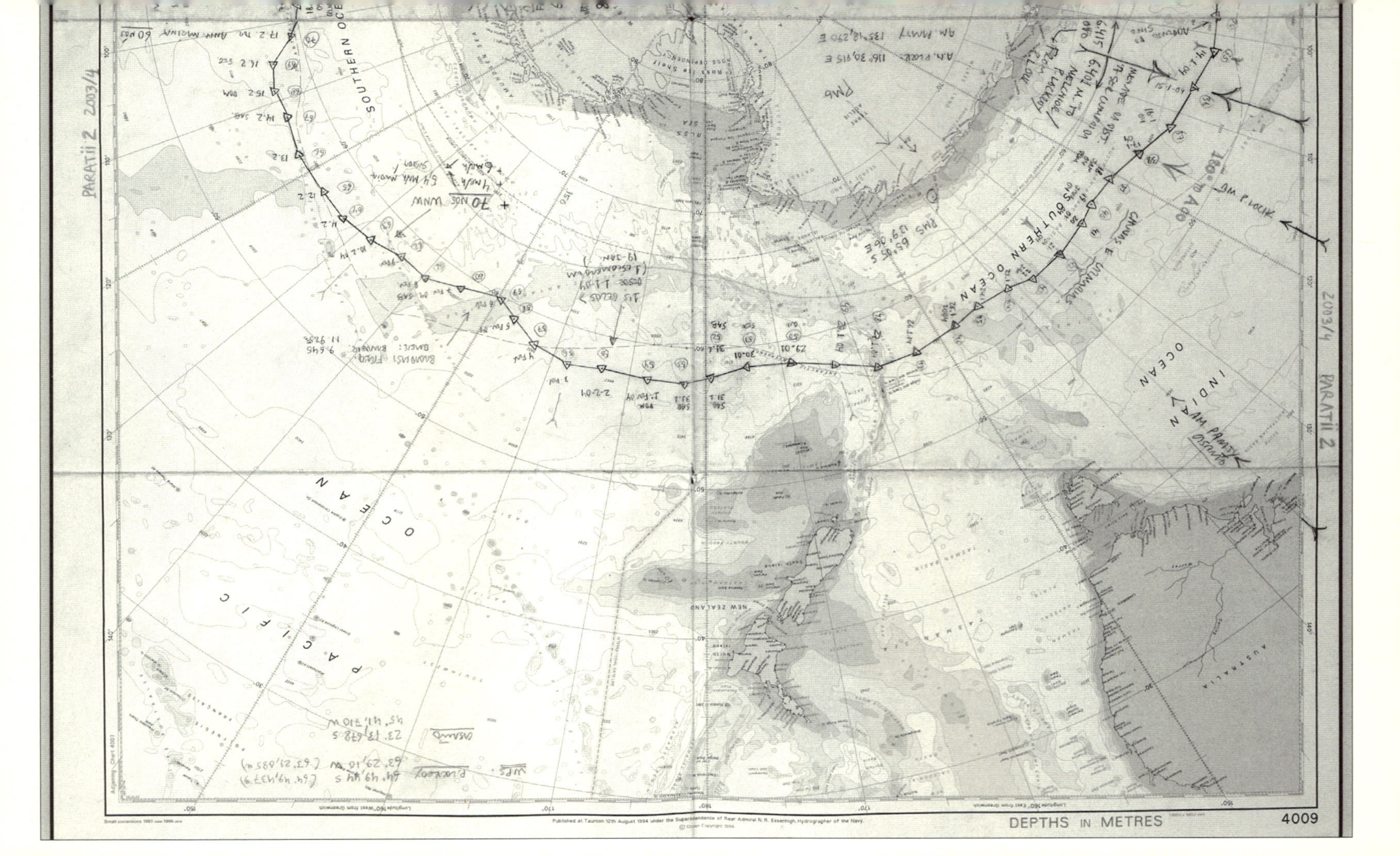
PARATII 2 2003/4
PACIFIC OCEAN
SOUTHERN OCEAN
NEW ZEALAND
ROSS SEA
INDIAN OCEAN
AUSTRALIA
DEPTHS IN METRES
4009

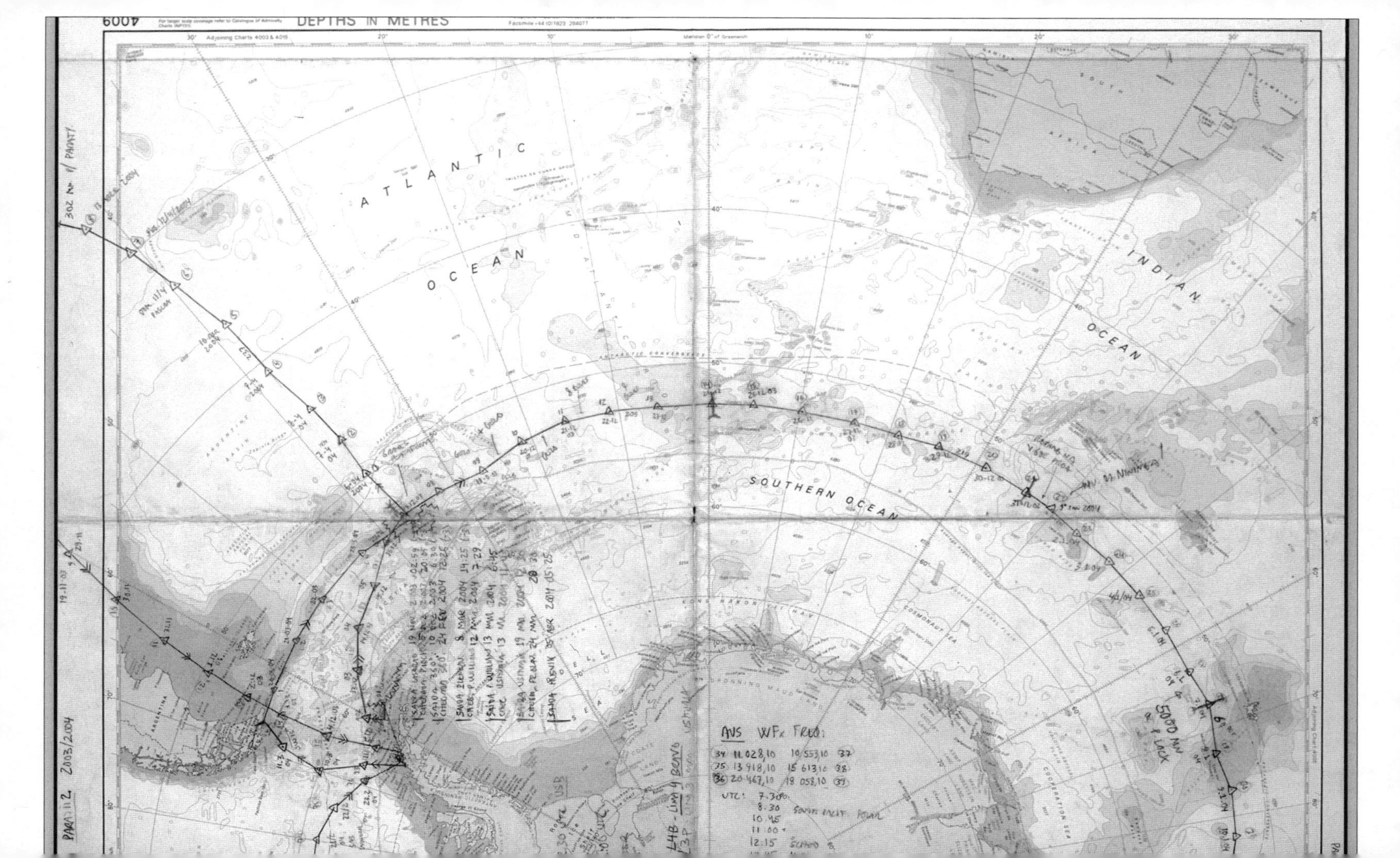
DEPTHS IN METRES
4009
ATLANTIC
OCEAN
SOUTHERN OCEAN
INDIAN
OCEAN
AFRICA
ARGENTINA
COSMONAUT SEA
COOPERATION SEA
302 NM P/ PARATY
PARATII 2 2003/2004
AVS WFx FREQ:
34 11.028,10 10.553,10 37
35 13.918,10 15.613,10 38
36 20.467,10 18.053,10 39
5000 NM

magnético. Espetáculo de beleza indescritível. Ao mesmo tempo, sinal de propagação de rádio alterada. De fato, abaixo da Convergência a propagação andou ruim o tempo todo para os contatos com o Brasil; além disso, o sistema de telefonia por satélite a partir do Índico não funcionou, provavelmente reorientado para o conflito no Iraque. Até mesmo o rastreador passivo deixou de indicar em terra o nosso avanço, dando-nos como desaparecidos. A bordo, não percebemos o problema, e pouca falta fez falar todos os dias. Para quem nos monitorava em terra, porém, foi difícil. A Marina passou o mês de janeiro quase louca de preocupação, e ainda por cima aguentando mães, esposas e namoradas que exigiam notícias. As chances de perder o encontro ou de marcar uma data errada eram enormes.

No dia 26, fui com o Flávio fazer uma faxina na casinha de Dorian, que estava uma vergonha. Alguns alpinistas folgados haviam deixado tudo sujo e fora de ordem. Os três ingleses adorariam ter feito o trabalho, mas por alguma razão o BAS não permite que eles tenham um bote para deslocamentos desse tipo. Foi mais do que um prêmio, ser faxineiro de um lugar que respeito como se fosse minha casa natal. O Flávio reparou e reabasteceu todos os velhos fogareiros e lampiões. Nenhum barco apareceu. No dia seguinte, 27 de fevereiro, sexta-feira, estávamos de volta em Lockroy. Era o dia do encontro com o *Orlova*. Aliás, de uma sucessão de encontros. Às oito da manhã apareceu o Jonas, jovem diretor da Quark, num Zodiac preto. Trazia um pacote de cigarros encomendado pelo mecânico. Estava a bordo do surrado navio russo *Professor Moltanovski*. Duas horas depois chegou o pessoal do navio irmão, *Professor Molchanov*, também branco. Na hora do almoço os russos se foram e chegou o navio sueco vermelho *Polar Star*, com dois visitantes, Laurie e Emily, que estiveram com nosso amigo Julio Fiadi na caminhada de Patriot Hills para o polo Sul em 2002.

Pontualmente às duas horas da tarde, como combinado, entrou na baía o *Orlova*. Do navio saiu um Zodiac com o Lawrence e um casal de brasileiros gritando feito loucos. Encontros de brasileiros são de fato escandalosos. A gritaria foi tamanha que o comandante do *Orlova* pediu para vir também a bordo. Como sempre faz com os barcos visitantes, o Flávio tinha mandado pelo Zodiac umas lembranças de presente: um remo de Paraty, de guacá, um pacote-cartão de um café especial da fazenda Ipanema, uma pinga de Paraty e alguma das suas tapiocas, que o comandante russo seguramente não conhecia. O russo veio agradecer pessoalmente. Abrimos uma caixa de um reserva chileno muito bom. O Lawrence estava elétrico. Queria trabalhar, pular na água, entrevistar alguém ou algum leopardo. Expliquei que com festa e vinho ninguém ia pular na água, e que se fosse para entrevistar personagens antárticos de fato importantes, o ideal seria encontrar o Jérôme, que há tempos eu não via. Parece difícil acreditar, mas as pizzas quadradas de boas-vindas ainda não tinham acabado quando o Flávio gritou:

— Um barco estranho se aproximando com velocidade!

Em seguida ele reconheceu o visitante:

— É o Jérôme! O Jérôme!

Era mesmo. Eu gritava para ele, mostrando com os braços:

— Não solta o ferro, não solta o ferro! Encosta a contrabordo, aqui, a contrabordo, nossa âncora dá para dois!

Não sei exatamente a razão, mas meus encontros com o Jérôme são ainda mais escandalosos que os encontros entre brasileiros. Ele gritava e me xingava a ponto de assustar o capitão russo.

— Que manobra! — disse o russo em inglês.

Não reparei que ventava um pouco, o suficiente para mover o *Paratii 2* de lado. Acho que o Jérôme também não percebeu. Os que estavam em pé botaram as mãos na cabeça.

— Vai bater! — gritou alguém.

Em vez de tentar abortar a manobra, o bretão, com sua cara de corsário, cigarro no canto da boca e blusa de lã vermelha surrada enfiou a mão no leme e no acelerador. “Quanta honra ser naufragado pelo mais ilustre navegador antártico”, foi tudo o que deu tempo de pensar.

O *Golden Fleece* passou com a popa tão próxima do bico de proa do *Paratii 2* que uma de suas defensas infláveis foi esgarçada contra o nosso barco e *toof*! Espirrou como um projétil. Passamos a noite a contrabordo, bebendo, rindo e falando da vida. O último tripulante que sucumbiu ao espírito animado do francês foi o *eucalipto's guy*, que conseguiu contar ainda uma vez a história do galpão...

Entre os passageiros do barco, todos de Israel, havia duas crianças pequenas correndo descalças de um convés para o outro, felizes como se brincassem no terreiro de um sítio. Falamos muito sobre a experiência de dividir com crianças esse mundo injustamente discriminado pela cor e pela temperatura. A luz noturna deixava o gelo alaranjado. Fazia calor suficiente para que se andasse sem as botas. Os Poncet têm pinguins papua no quintal de sua ilha, seus filhos cresceram e se educaram entre gelos e albatrozes. Eu ainda não conhecia as crianças — já estavam grandes —, mas conhecia outras que frequentam regularmente a Antártica, como os filhos do Oleg, do *Kotic II* e as crianças do Hugues, do *Le Sourire*. Crianças com roupas esfoladas, às vezes descalças, mas felizes e hábeis como nenhum adulto que conheço.

— Traga as suas! Traga as suas enquanto são pequenas e sábias! — insistia o bretão. Lembrei-me de que a Sally falara mais ou menos a mesma coisa, e também o Tim e a Pauline, que nem filhos têm, mas que já viram tantas crianças em barcos.

Amanheceu, e eu praticamente não dormi pensando na sorte de viver um encontro daqueles. Como sempre, o Flávio presenteou as visitas com remos, pacotes de Cafeera de grãos diferentes e algum de seus quitutes brasileiros, preparados de madrugada, enquanto não o deixávamos dormir. Ganhamos um par de chifres das renas que haviam sido levadas da Geórgia para Beaver e um filé de carne salmonada à francesa que o bretão prepara como ninguém. Eles partiram para o Norte e nós para o Sul. Começou a nevar forte.

Com visibilidade ruim e sem uma gota de vento entramos pelo estreito de Lemaire, cheio de baleias jubarte e ainda mais majestoso com tempo encoberto, as águas espelhadas refletindo o paredão negro que subia até as nuvens. Nosso destino era a região ao sul da ilha Pleneau, local onde o francês Hugues passou o inverno no seu então minúsculo *Oviri* no mesmo ano em que eu invernei em Dorian. É uma das regiões mais bonitas que conheço na Terra. Já fazia um bom tempo que eu não andava por aqueles labirintos de gelos altos encalhados e ilhas baixas escondidas. Entrei com o máximo cuidado e botei todos os olhos a bordo para localizar pedras ou armadilhas na proa. Todas as atrações antárticas se reúnem ali, num espaço geográfico só acessível a pequenos barcos e a quem conhece as entradas. Na viagem anterior tentei diversas vezes entrar, mas havia tantos escombros de gelo e o tempo estava tão calmo que a sopa de gelos colou e não nos deixou passar. Uma pena os velhos tripulantes não terem conhecido o lugar. Para sorte dos mergulhadores havia muitos leopardos, mesmo longe da colônia de papuas do norte da ilha. Animais grandes, em evoluções de acasalamento que eu não tinha visto antes.

Enquanto os mergulhadores se entendiam com as focas mais agressivas, saí com o bote menor para completar o mapeamento de entrada do confuso arquipélago e identificar pedras perigosas para a navegação. Fiz o serviço com tamanho empenho que não foi possível esconder a intenção de retornar um dia.

— Amyr, pelo amor de Deus, um barco como esse precisa passar um inverno aqui. Ou em Dorian — dizia o Flávio, confuso sobre o lugar de que mais gostou.

— Espera para chegar na Geórgia — ameacei.

Fizemos um mapa de acesso bastante preciso, depois começamos uma outra experiência que havia muito sonhava fazer. O maior problema da região onde estávamos não era o fato de ser uma área não cartografada, mas a dificuldade de parar

QUA 11 FEV. 2004
FUSO
127°30 W
A
112°30 W
-8:00
(BRASIL A +6 hs)

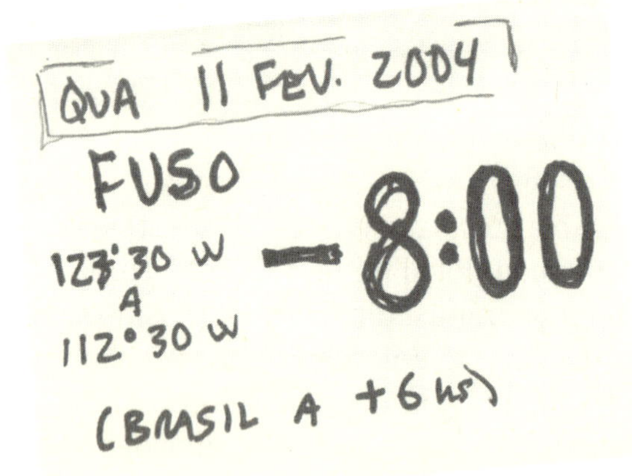

A cada dois ou três dias, um novo horário a bordo. A mudança de fuso é anunciada com um bilhete adesivo fixado no painel. Uma forma de medir em tempo a distância até o destino.

SAB. 14 FEV. 2004
112°30 W
A
97°30 W
PROX. -5
-7:00
BRASIL = HL. +4:
LOCKROY = HL +4

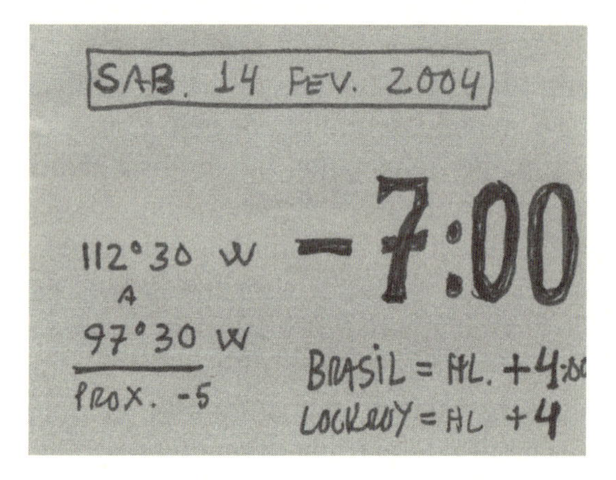

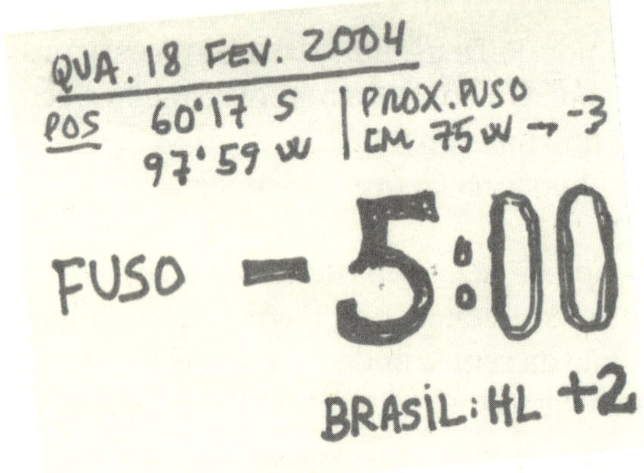

QUA. 18 FEV. 2004
POS 60°17 S
97°59 W
PROX. FUSO
EM 75 W → -3
FUSO -5:00
BRASIL: HL +2

QUA. 03 MAR 2004 — ESQ. ATRACAÇÃO

— PERIGO NA MARÉ ALTA (DESAPARECEM)

ENTRE PLENEAU E HOVGAARD

+ ILHA TESOURO

SAÍDA P/ AS 13 PEDRAS PERIGOSAS

FIX 1

FOTO 03-12-17 094R

FIX +5

P+6 } 65° 06,395
064° 04,373

FIX 2

PLENEAU I.

+ CORRENTE

65° 06,413
064° 04,278

FOTO 03-12-17 091R

FIX +4
P+5

Ⓟ PL+5
65° 06,436
064° 04,356

FIX 3
EM 20-1 [illegible]
65° 06,43[illegible]
064° 04,24[illegible]

À ILHA DO TESOURO

I. SEM NOME

FIX 7
P+1

03-12-17 076R
FOTO AK360

65° 06,454
064° 04,486

FIX 4
65° 06,460
064° 04,221

LAVANDERIA / ÁGUA DOCE

HOVGAARD I.

FIX 6
P+3
65° 06,493
064° 04,372
AK360 03-12-17 079R
FOTO

P+4
FIX +3 FIX 5
65° 06,487
064° 04,345
03-12-17 081R
FOTO AK360
FOTO

PES ANCORAGEM 65° 06,440 S
064° 04,400 W

BROCA 28 mm FIXADOR ø 25 mm INOX

o barco. Nenhuma espécie de âncora funciona num fundo de pedra lisa — e é exatamente esse fundo claro que torna as águas do lugar tão transparentes. Na última visita a Pleneau, em companhia do dr. Fábio e do Pedrão, eu fiz um teste de fixação de pinos de alpinismo na rocha. O teste deu certo, e resolvi encomendar pinos e fixadores em rocha para a escala de um barco grande. Os pinos estavam a bordo, faltava testar. Durante dois dias escolhemos os pontos estratégicos. Foram feitos sete pontos de atracação, usando primeiro uma das furadeiras Bosch a bateria, depois outra maior, especial para rocha, acoplada ao pequeno gerador portátil. Ganhamos uma atracagem perfeita num lugar onde normalmente ninguém para. Uma atracação segura, rápida e sem a necessidade de usar condenáveis correntes e âncoras no fundo. Na primeira tempestade colocamos toda a carga de arrasto em cada pino. A operação foi um sucesso. Nada poderia ser mais tranquilizador do que sentir o barco absolutamente seguro numa pancadaria forte. Os pinos que instalamos eram inoxidáveis e removíveis. Podiam ser usados em infinitas atracagens ou deixados para dar segurança a outros barcos. As posições dos furos foram plotadas num mapa do meu diário, para que no futuro pudessem ser encontrados sob a neve ou abaixo da maré, caso os deixássemos instalados, ou fixados novamente nos lugares que já havíamos escolhido e testado.

O protegido e transparente espelho d'água formado por Pleneau, Hoovgard e as centenas de ilhas sem nome ao redor aos poucos tornou-se um lugar familiar.

A semana em Pleneau seria a última da nossa temporada na península. Combinei com o pessoal de São Paulo um novo encontro em Ushuaia para reabastecer o barco com alimentos frescos e combustível antes de continuar para a Geórgia do Sul. Os que tinham compromissos no Brasil voltariam de avião com o equipamento e os registros de viagem. A boa notícia era do Fábio, confirmando que havia deixado o hospital e que estava a caminho da Terra do Fogo. Com ele viriam três novos tripulantes.

Em razão dos testes que o barco estava fazendo para o Cenpes, o reabastecimento deveria ser feito com o mesmo combustível especial que estava no Brasil, em São José dos Campos. Enquanto o *Paratii 2* subia pelo Drake para o extremo sul das Américas, o Caubói, Emílio, dono da transportadora Dalçoquio, vencia 5 mil quilômetros de estradas e burocracia sul-americana no volante do seu caminhão para abastecer-nos com data marcada em Ushuaia.

Deixamos a península Antártica num dia de nevasca, sem vento, saindo direto de Pleneau para o mar aberto. Os 360 graus foram completados sem um só problema, sem uma única escala. A rota foi semelhante à que havia feito no barco vermelho. Um pouco mais ao sul. Mas havia uma surpresa curiosa na plotagem das posições: o nosso caminho de 76 pontos ao redor da Terra formou na carta 4006 — quem diria — o desenho de um grande coração...

20

A ILHA DO TESOURO

No sábado, 13 de março de 2004, no cais norte do porto de Ushuaia, cada vez mais familiar, estava a Marina, inquieta, espantando estivadores argentinos para ser a primeira a pegar as amarras do *Paratii 2*. Todos os compromissos haviam sido cumpridos com a precisão de um trem suíço. Os quatro novos tripulantes, ao contrário dos sonolentos profissionais que desembarcavam, chegaram animados e dispostos a pegar no pesado. Dormiam menos e se divertiam muito mais. O Flávio, espirituoso e educado como sempre, comentou que a troca de tripulação aliviou a linha-d'água do barco em umas dez toneladas. O dr. Fábio estava de volta, firme e palhaço como antes. O Fabian, carioca, argentino e judeu, quase o destronou em perversidade humorística. Na cozinha, representou a nova ameaça ao monopólio do Flávio, que não tinha mais um segundo de descanso. Os amigos do *Croix-Saint-Paul*, Nicolas e Eric, ouviram a nossa algazarra no porto e vieram nos visitar. Estavam eufóricos. Depois da viagem entre Santos e Ushuaia em que embarcaram o Flávio, criaram coragem, assumiram uma bela dívida na França e compraram um barco grande para trabalhar na Antártica, o *Vaiheré*. Acabavam de completar a quarta perna antártica lotados de passageiros-operários, desses que ajudam nas manobras, e, apesar de exaustos, seguiriam direto para uma temporada no Ártico. Os dois trabalharam como animais. Ganharam dinheiro. Transbordavam entusiasmo. Acabei lhes emprestando minhas cartas náuticas do Ártico escandinavo, Spitzbergen e Islândia.

— Por favor, é para devolver essas cartas secas, na volta do Ártico, em Paraty! — brinquei. E, quem diria, foi exatamente o que fariam, meses depois.

O Henk veio a bordo verificar se não havia franceses em excesso para a harmonia do porto. Queria provocar meus tripulantes vip, os profissionais que conhecera em Lockroy. Expliquei que não gostaram dos serviços de entretenimento e lazer durante a circunavegação e já estavam a caminho do Brasil. Ele dava boas gargalhadas. As provocações e o humor afiado do holandês são lendários nessas paragens. Outro Eric, o Bard, suíço, agora casado e responsável, apareceu também. Eu o conheci antes da invernagem. Ele descera à Antártica num veleiro de vinte e poucos pés, com a Martita, a assustada funcionária de uma boate chilena, que quase morreu de medo — e eu quase perdi meu indicativo de radioamador por causa dos palavrões em francês que ele era capaz de proferir. E depois os atléticos texanos Darrel e Rory, impressionados com a escandalosa simplicidade dos nossos mastros, queriam a todo custo seguir conosco para a Geórgia. Enquanto isso, na principal esquina de Ushuaia, nosso estimadíssimo amigo Jorge Rei sabotou as criações culinárias do Flávio e do Fabian convidando todos nós diariamente no seu Barcito Ideal. Os canadenses Greg e Kari prepararam um jantar no *Northhanger* e mostraram para a Marina, que depois não dormiu, as marcas da sua capotagem no cabo Horn, seguida de queimaduras de ácido das baterias, alagamento e incêndio. O caubói catarinense Emílio cumpriu 5 mil quilômetros no seu caminhão e, a cem metros de distância do barco, não foi autorizado a entrar no cais argentino. Por um triz não virou também tripulante. Os dedicados responsáveis pelo Cenpes, o Luiz Fernando e o Mauro, haviam chegado do

Brasil para conferir os dados da operação e levar as amostras dos óleos. Os dois últimos tripulantes a embarcar foram o Renato e o fotógrafo de natureza Haroldo.

Não é só entre os veleiros e navios que o clima de fim de temporada em Ushuaia é especial. Toda a cidade celebra a mudança de estação, os lucros obtidos, a relativa paz que virá no inverno. Os funcionários da Prefeitura Naval, que às vezes nos infernizam com novidades burocráticas mas que nos convidam para churrascos em suas casas; os tripulantes dos navios de turismo e pesca, que com os anos acabamos reencontrando em outros portos; o comandante norueguês do pesqueiro *Antartica 2*, com sua namorada trinta anos mais velha, que depois de esvaziar nossa única garrafa de aquavit sobreviveu para agradecer educadamente pelo excelente porre; os brasileiros Zelfa e Gunnar, capturando passageiros sul-americanos para seus cruzeiros nos navios russos; os porteiros do hotel Albatroz; o Mariano, dono da Boutique del Libro, a mais vasta e espetacular livraria especializada em temas polares que conheço...

Na quinta-feira o Caubói conseguiu permissão da duana para fazer o transbordo do nosso combustível. Chovia canivetes. Na mesma noite pegou a estrada e os 5 mil quilômetros de volta ao Brasil. Seu bom humor, no meio de tanta burocracia, deixou saudades até entre os oficiais da *prefectura* naval.

Findos os trâmites, e antes que as autoridades portuárias decidissem nos banir por excesso de ruído, resolvi, no dia 19 de março de 2004, encerrar a escala fueguina e partir. Já que era uma sexta-feira de sol e tempo cristalino, decidi também que aquela seria a última passagem do *Paratii 2* por Ushuaia. Não que eu não goste do lugar. Ao contrário. Mas os trâmites burocráticos, que antes eram simples para barcos menores como o nosso, viraram uma teia de armadilhas. Talvez culpa da vertiginosa frequência dos navios gigantes de turismo. Agora éramos obrigados, para entrar ou sair do porto, a levar a bordo um prático que de manobras em veleiros entende um pouco mais que um guanaco. E pagar — caro — por isso, e brigar para obter o comprovante fiscal, e essas coisas que afundam a imagem de alguns países sul-americanos. E pagar tudo outra vez se o prático nos deixasse num lugar provisório e tivéssemos que mover a ancoragem por alguns metros. Mesmo que não fôssemos ao porto. Do lado sul do mesmo Beagle, os chilenos fazem exatamente o oposto, e não por acaso lá o turismo fueguino cresce de modo harmônico. E em breve, se a estratégia chilena perdurar, o movimento no lado chileno suplantará em valores e qualidade os números argentinos.

No entanto, a decisão daquela sexta-feira, de não retornar navegando a Ushuaia, não seria cumprida.

Nos dois anos seguintes o veleiro de *palos blancos* — como o chamavam em Ushuaia — cruzaria algumas vezes as águas da Convergência e os limites do querido e complicado porto argentino.

Meu barco ganhou maioridade. A temporada na Geórgia do Sul fora frutífera.

De certo modo, percebi na Geórgia que o *Paratii 2* virou um navio de fato. Só que um navio diferente. Durante as sucessivas viagens aprendi muito. Todos os que estiveram a bordo aprenderam. Os problemas foram mínimos, quase inexistentes. A simplicidade dos mastros, as soluções internas e todos os sistemas que fomos a duras penas pondo em prática mostraram que a ideia da grande canoa de metal estava certa. A experiência que adquiri nas canoinhas de Paraty não foi em vão, estava impressa no casco, abaixo da linha-d'água. Discreta, invisível, mas essencial. Acima da flutuação, nas chamadas obras mortas do casco, estava o resultado de um arsenal de experiências que logrei trazer de terceiros. As obras vivas e as mortas, sustentando os dois perfis curvos e alvos, compunham um conjunto não só bonito como funcional. Manobrar esse conjunto como se fosse uma canoa, e necessitando de apenas um homem, era outra qualidade que deixava tripulantes de veleiros grandes mordidos de surpresa. E tripulantes propriamente não éramos o tempo todo. Durante as escalas ou nas travessias mais calmas podíamos ser também passageiros. Ora bolas, e se fosse para ter passageiros a bordo, por que não as minhas Marinas e as gêmeas?

Na Geórgia reencontramos o Tim e a Pauline, a Sarah e o Pat, as histórias do ilustre cais, das cidades baleeiras ao norte até Prince Olav. De Husvik, nossa preferida. Para as do sul, mais uma vez, não houve tempo. Não foi também problema não poder visitar os albatrozes das ilhas Prion e Albatross. Nós o faríamos no ano seguinte.

E assim aconteceu. Voltamos em abril para o Brasil. O Haroldo, sensível ao movimento duro de um casco muito estável, deixou um rastro de vômito de Husvik até Paraty. Isso não o impediu de estar novamente a bordo no ano seguinte, pronto para sofrer até alcançar outra vez o paraíso antártico da Geórgia. Disposto a carregar por todos os cantos seus tripés e lentes pesados como urânio. Dessa vez, em 2005, o *Paratii 2* desceu para uma temporada exclusiva na Geórgia. O Júlio Fiadi, um dos ex-pretendentes do *Rapa-Nui*, testemunha ocular das aventuras de Itapevi, embarcou também, com um monte de histórias novas. Primeiro leitor contumaz de viagens alheias, depois aprendiz do Oleg nos seus cruzeiros austrais, acabou conhecendo a Geórgia melhor que muitos comandantes de pesca austral. Não se contentou em ficar num barco: foi andar nos polos. Nos polos de verdade, os geográficos. Para caminhar no polo Norte levou o padrinho da nossa Laura, o performático Neco. Depois, no polo oposto, no centro da Antártica, foi fazer voltas ao mundo de alguns minutos em torno do marco polar da base Scott-Amundsen.

E o Fábio, com seus vírus polares renovados, e o Flávio, que em menos de três anos acumulou uma experiência antártica que frequentadores de vinte anos não têm. O Fabian, que completaria um trio gastronômico imbatível no continente austral, naquele ano não pôde ir. No lugar dele foi um garoto, gênio de informática e redes, que no ano anterior, 2004, implorara para embarcar. Seu nome era Ígor, e apesar de seu espírito alegre em tudo, prenunciava um tripulante-problema. Depois da experiência sonolenta com os passageiros profissionais, preferi não arriscar. Eu disse ao Ígor na ocasião que se ele me incomodasse sistematicamente durante 52 semanas, eu o levaria na viagem de 2005. Ele caprichou. Não tive escolha: em 2005 o Ígor embarcou. Não foi preciso muito tempo para que eu percebesse o engano do ano anterior. Embora ele nunca tivesse navegado em nenhuma espécie de barco, a história do Ígor a bordo foi notável. Ele se tornou o novato mais animado e competente de todas as dúzias de iniciantes com quem já naveguei. Na descida para a Convergência, por segurança, ensinei o Ígor a fazer os principais nós marinheiros usados a bordo. Na volta fui obrigado a tomar aulas com o rapaz, que não só aprendeu outros como aperfeiçoou os que lhe ensinei.

Talvez seja esta a principal virtude de um barco em viagem longa: a de revelar, na rotina crua das dificuldades e alegrias cotidianas, os verdadeiros valores e habilidades de quem está embarcado. Nenhuma máscara de comportamento, nenhuma falsa aparência, nenhum currículo floreado de qualidades resiste a esse regime. Com a passagem longa do tempo, a sucessão contínua de tarefas, dia e noite, e a convivência estreita, não há como ocultar a própria índole. Oportunistas, acomodados e egoístas, quando se dissimulam, revelam em pouco tempo o que são. Mas se assumissem sua personalidade, poderiam se tornar grandes tripulantes. A bordo ninguém deixa de ser o que é.

Do mesmo modo, indivíduos às vezes atrapalhados, acanhados ou mesmo ineptos em marinharia poderão mostrar qualidades verdadeiras que no dia a dia escondem e que a bordo serão fundamentais. As aparências, o currículo e a facilidade de persuadir ou comunicar-se têm, em terra, infelizmente, algum valor. No mar, nenhum.

A chegada ao Brasil em 2005, para fugir à regra, deu-se em São Francisco do Sul, no cais do museu que abriga meus pertences mais valiosos. A cidade é uma pequena Paraty, com a diferença de ter um porto ativo, de grande importância. O museu do mar que sonhei organizar, primeiro em Paraty, depois em São Chico, aconteceu não por mérito meu, e não era mais um museu pequeno. Em 1985 tive a sorte de ser convidado por um grupo de joinvillenses da empresa Embraco para um almoço na baía da Babitonga. Eu já namorava a ideia de encontrar um lugar — com alma de porto — que um dia pudesse abrigar um acervo extenso de embarcações regionais brasileiras em vias de extinção. Um dos sujeitos da Embraco, com cara e humor de viking, me mostrou os antigos armazéns da Companhia Hoepke, em São Francisco do Sul, abandonados, mas extremamente bem localizados, na bonita baía. Voltei em 1987, e em lugar de tomar uma iniciativa, continuei sonhando. Fui à Antártica e em seguida ao Ártico. Na minha ausência, entre 1989 e 1991, outro apaixonado pela rica diversidade das embarcações brasileiras, o Dalmo Vieira, não se limitou a sonhar. Ele arregaçou as mangas e, por ironia, escolheu os mesmos galpões amarelos à beira-mar. Em 1991, inaugurou o Museu Nacional do Mar, de embarcações brasileiras. Teve ainda o gesto altruísta de me convidar para a fundação formal. No início foi uma empreitada privada, feita com o esforço de voluntários e da comunidade. Depois de uns anos o museu passou para a tutela do governo do estado e, ao contrário do que se poderia imaginar, só cresceu — em conteúdo, acervo e espaço. E vai crescer mais ainda quando tiver seu próprio porto com embarcações vivas do acervo, terminal de passageiros e barcos residentes, o que não deve demorar. É um museu de referência no mundo.

Nossas meninas não conheciam o acervo. Entraram e não queriam mais ir embora. Quase as perdemos, entre saveiros de pena, bianas, canoas baianas, jangadas de piúba e de tábua, igarités e tantas outras obras preciosas do nosso patrimônio naval. A lâmpada flutuante onde remei por cem dias, a escultural canoinha feita pelo Mané Santos, que eu usava para remar na igreja matriz nas marés mais cheias, e outros barcos de feitios regionais que fomos reunindo ao longo dos anos, tudo foi para o museu. Dúzias de tipos de barcos regionais brasileiros que já não existem mais têm ali pelo menos um exemplar a salvo da nossa falta de memória. Não só o barco em si, mas o que se sabe dele, de quem o faz e usa. As técnicas de construção, os tipos de usos, as influências, as ferramentas e as madeiras. De aquisições heroicas, transportes complicadíssimos e inúmeros doadores — a maioria de usuários anônimos — foi feito o acervo que atrai escolas do Brasil e visitantes de todos os cantos do mundo. As canoas mais bonitas que ainda guardo em Paraty, assim que eu curar o ciúme que tenho delas, um dia também irão para o Museu Nacional do Mar, em São Francisco do Sul.

— Uma delas não vai! — disse a Marina. Levei um susto no dia em que ela falou isso, referindo-se a sua canoa cor de laranja, comprada quando nos conhecemos, no ano em que a fisguei. Uma canoa de feitio elegante, de dois palmos e quatro dedos, sem bordadura ou cadaste, bem mais estável que a minha pequena *Max*. Feita de guapuruvu, madeira branca que requer cuidado, mas tem a vantagem de ser leve e fácil de puxar no seco.

— Vamos levar a minha canoa com as nossas meninas na próxima viagem e buscar aquele seu tesouro escondido.

Concordei, rindo, quase sem acreditar na proposta.

A ideia de esconder uma caixa blindada com pertences de valor, já que não tínhamos o mapa de nenhum tesouro, surgiu uns anos antes, na minha primeira viagem com tripulantes a Pleneau. Era o fim da temporada; os últimos navios haviam partido, para só retornar na temporada seguinte. Em breve eu também teria que dar o aviso de suspender. Doía ter que deixar um lugar tão especial.

Fui às pressas buscar uma caixa de plástico reforçado Pelican, dessas que cientistas e cineastas usam para transportar seus instrumentos. Eu tinha uma preta e outra laranja. O Flávio separou alguns de seus pertences; eu, outros.

— Laranja vai ser mais fácil de achar. — E coloquei dentro os objetos: fotos, termômetro, canivete, duas garrafinhas de uísque e o dinheiro que tinha a bordo. Do contrário não seria um tesouro.

Já que não existe terra na Antártica, penei até encontrar, numa ilha sem nome, uma fenda na rocha com pedregulhos suficientes para cobrir perfeitamente a caixa. Fiz um serviço caprichado. Quando terminei de cobrir o buraco, disse ao Flávio:

— Pronto. Agora temos uma desculpa de verdade para voltar aqui um dia.

Em 7 de janeiro de 2006 o *Paratii 2* deixou Puerto Williams, Chile, com destino a Port Lockroy, Antártica, com oito adultos e cinco crianças a bordo. Nenhuma das crianças vira neve antes. No convés, bem amarrada, estava a *Flor do Paratii*, a primeira canoa polar de Paraty.

Três dias depois de um Drake justo, encontramos em Lockroy, refletido no mar espelhado de uma luminosa noite antártica, o veleiro-barca de três mastros *Europa*. O magnífico barco de 1911, reminiscência viva do navio de Shackleton, navega com catorze tripulantes fixos e 48 pagantes por todos os oceanos. É um barco-escola contemporâneo do *Endurance*, magnificamente restaurado e, de todos os *tall-ships* do mundo, o único que desce regularmente para a Antártica. Era sua quarta temporada, e se fosse para escolher, num momento tão especial da nossa vida, um barco-testemunha mais impressionante, não saberia apontar nenhum outro. Imediatamente desembarcamos na encosta norte da baía, na ponta onde, em 1903, Jean-Baptiste Charcot e seus tripulantes deixaram um pequeno marco comemorando a descoberta do mais simpático porto natural da península.

Não fossem os gritos das crianças rolando na neve e suas roupas coloridas, eu juraria ter voltado um século inteiro no tempo.

Não anoiteceu. Às três da madrugada tivemos que recolher as crianças à força, ensopadas de tanto escorregar na neve. Eu só pensava na sorte de poder trocar meio século de vida — e por que não um inteiro, como diria o eterno Hélio, do *Vagabundo* — por um segundo como aquele.

Nada, em toda a minha existência, foi mais delicioso do que desembarcar nesse mundo de luz e cor com as crianças, com amigos verdadeiros e as crianças deles. Acudir pés e mãozinhas congelados de tanto escavar neve. Mostrar como os adultos gentoos encontram e alimentam seus filhotes. Ver as meninas apontando aos gritos as famílias de orcas ao redor. Pedir que fizessem silêncio para não as espantar. Explicar a ouvidos atentos e olhos surpresos que os ataques de skuas e leopardos aos jovens pinguins fazem parte da sobrevivência de todos. Fazê-las compreender com exemplos reais que todos lutam pela vida.

Poucas experiências antárticas fizeram mais sucesso do que abordar o primeiro visitante de Pleneau, o *Northanger*, remando, em lugar de um pobre caiaque de plástico, uma canoinha paratiense de guapuruvu. Com a Loira e a Morena equilibradas a bordo e a Nina gritando desesperada para ir junto.

As crianças certamente não imaginavam a intensidade dos encontros e a profusão de amigos que se encontra numa viagem desse tipo.

Em Ushuaia estivemos a contrabordo do barco de Eric Tabarly, o *Pen Duick VI*, lendário vencedor da Regata Transatlântica em Solitário de 1976, que, restaurado, segue navegando. Elas entenderam que aquele era um barco especial quando viram que os desenhos da nossa toalha de mesa eram os *Pen Duick*, o último com os algarismos romanos VI. Em Puerto Williams aconteceu o encontro com que eu tanto sonhei e que nunca deu certo, com o *Antarctica*, agora *Tara 5*, e mais crianças a bordo. Três dias lado a lado, dois barcos incomuns, com os tripulantes originais da primeira expedição francesa. A Hélène Rio ensinando o Flávio a fazer pão francês com água salgada... O Giorgio e a Mariolina, do *Saudade III*, incansavelmente sorridentes, revisando seu guia monumental, o mais interessante e completo trabalho escrito até hoje sobre a Patagônia e a navegação em seus canais, o *Patagonia & Tierra del Fuego — Nautical Guide*. Italianos que têm um caso de amor com a história da Terra do Fogo. Em Lockroy, o americano *Onora*, de um casal que, como dois outros, virariam residentes da marina em Paraty. A festa do *Europa*. O churrasco do aviso antártico "Puerto Deseado". O incansável holandês Henk, de novo nos flagrando numa chegada antártica com seus óculos de aviador e seu humor irreverente. Mandei-o embora, dizendo que já estava muito tarde para aguentar a presença de navegadores holandeses a bordo. Ele acreditou, desconcertado, e quase chorou quando viu no seu botinho que eu não havia esquecido da encomenda prometida dois anos antes, um par de longos remos de guacá.

O *Paratii 2* funcionou de verdade como um porto em Pleneau, embarcando e desembarcando crianças, amigos de longa data, curiosos de outros veleiros. O *Vaiheré* retornou do Ártico e também ficou a contrabordo. Alcançamos a hospitalidade dos ucranianos de Vernadsky, e eu reencontrei a página do mesmo livro diário da estação assinado havia exatos vinte anos e sete dias, quando ainda era inglesa e se chamava Faraday.

O sol, quase perigoso de tão forte, a imensa paz, os dias calmos sem visitas, as centenas de ilhas sem nome, as baías sem mapas onde íamos passear todos os dias, sem hora para voltar. A profusão de línguas simultâneas nos encontros, crianças fazendo desenhos e assando pães para oferecer aos outros barcos, ou bonecos de neve para ver à distância.

O labirinto de gelos aprisionados formando castelos, ilhas, túneis, fossos transparentes, muralhas, gargantas e pontes no cemitério de icebergs. Passagens tão altas e estreitas em águas tão cristalinas que se tem a impressão de voar no mar.

Quando a última ancoragem de pinos ao sul de Pleneau ficou pronta, ficou claro que em breve embarcações como o *Paratii*, ou mesmo menores, poderiam funcionar como estações avançadas de exploração ou de pesquisa. O impacto seria muitas vezes menor do que o de uma estação fixa em terra, que movimenta máquinas pesadas e necessita de grandes obras de proteção. Os resultados seguramente seriam maiores, por uma mínima fração do custo de uma base convencional. Os traslados de visitantes e o envio de malotes durante a temporada poderiam ser contratados com navios de turismo que descem regularmente à península. Navios como os noruegueses são hoje muito mais eficientes e cômodos do que a maioria das embarcações de pesquisa em atividade, e já cumprem essa tarefa.

Algumas estações fixas, de países como Polônia e Ucrânia — e mesmo postos avançados do Reino Unido em ilhas subantárticas —, apontam para essa tendência. Pesquisadores, viajantes e, por que não, crianças — já que os navios escandinavos as aceitam a bordo — virão para a Antártica desse modo, ficando por períodos definidos em acampamentos avançados ou flutuantes. O *Paratii 2* demonstrou essa possibilidade nova de uso quando recebemos a visita de alguns desses navios. Estávamos com treze pessoas instaladas com conforto e poderíamos acomodar seguramente trinta, com pelo menos quatro infláveis rápidos de apoio, o equivalente à guarnição média de uma estação polar. Nenhuma necessidade de helicópteros, tratores, terraplenagem, depósitos de combustível, hangares ou navios militares e a possibilidade de fazer observações muito mais ágeis e cuidadosas. Científicas ou não. Muitas das instalações científicas feitas no passado, a partir do ano geofísico internacional de 56/57, têm hoje tamanho e utilidade questionáveis. Custos, impacto e desperdício que hoje não admitimos mais.

Particularmente, sempre gostei do pensamento de que o papel mais importante da presença humana no continente está ligado à difusão do conhecimento e à educação. Naveguei ao longo dos últimos vinte anos pensando assim. Entendi as viagens e os livros dos Poncet e tantos outros dessa maneira. Vejo desse modo a importância do turismo e também do extremo cuidado com que é feito e controlado. Embarquei minha família pensando assim.

O Jérôme estava certo: perto de nós, adultos, pobres ignorantes, os pequenos são sábios. Precisamos mostrar a eles um continente inteiro voltado para o conhecimento. Tudo o que tentamos mostrar às nossas filhas ao longo de sua existência sem muito sucesso, em poucos dias, ao longo da viagem, elas compreenderam. Aprenderam e se divertiram mais que nós. Sofreram menos preocupações. Foram mais generosas e simples. Leram mais. Eu, que pensava mostrar lugares novos e ensinar alguma coisa, só aprendi. A Nina, ainda sem ler inglês, não desgrudava do denso guia inglês de fauna antártica que eu só encontrara aos cinquenta anos.

— Papai, é muito bom este livro!

O menino Luca, filho do Fabian, em meio a um harém de meninas ruidosas, escreveu, ilustrou e editou um livro de verdade. Não um relato, como eu imaginava, mas uma história de ficção. A Gigi, do Fábio, menina iluminada, superou o pai no dom de harmonizar atritos humanos ou animais. O Fábio, num momento de sabedoria infantil, se superou e conseguiu fazer amizade com uma skua fêmea e seu par sem levar uma só bicada.

Desse modo, usando uma estrutura de transporte regular que já existe, as crianças que não têm pais navegadores ou a sorte de viajar em veleiros conhecerão a Antártica de um modo mais acessível. Terão que conhecer. E eu me esforçarei até os ossos para que isso aconteça. Mas no mundo presente as crianças de bordo insistiam em procurar o tesouro. A história do tesouro que escondi com o Flávio ganhou para elas urgência absoluta de ser desvendada. Eu tinha as coordenadas do local e me lembrava precisamente da cor das pedras ao redor. Embora a ilha fosse uma das inúmeras ilhas sem nome que não constam da cartografia oficial, sabia que ia ser fácil achar a caixa. Talvez por isso não tivesse tido muita pressa para iniciar as buscas.

No dia 16, não resisti aos pedidos incessantes dos cinco pequenos. Fomos com crianças, pás e piquetas para a ilha. Mas havia uma surpresa. O tesouro fora enterrado — ou empedrado — num mês de março, quando havia pouca neve e muitas pedras. Fui seguindo as coordenadas do GPS. Estávamos em janeiro, não havia uma só pedra visível, tudo estava coberto de neve. Um campo gigantesco de neve. Pela precisão do aparelho, de dez ou doze metros, teríamos uns cento e vinte metros quadrados de escavações a fazer. Fiz os primeiros seis até começar a suar. A partir de oitenta centímetros de profundidade não era mais neve, mas gelo duro como vidro. Depois de algumas horas voltamos para o barco para alimentar e esquentar as crianças. Na mesma noite retomei as pás com o Flávio, depois de analisar fotos antigas do lugar. Tínhamos que fazer valas transversais até encontrar vestígios da fenda guiando-nos pela cor da rocha e depois seguir a sua direção. Enganei-me sobre esse negócio de caçar tesouros. Pior, comecei a me arrepender da ideia. Não encontrar o tesouro, uma possibilidade plausível, seria um fiasco. Diante das crianças, um atestado de completa incompetência. Foram dois dias de trabalho suado. No dia 18 de janeiro encontramos um vestígio laranja sob a laje de pedra e gelo. Sobre ele havia uns vinte centímetros de gelo e pedregulhos mais duros que concreto. Precisamos de uma hora mais até soltar a caixa. Era uma caixa pressurizada e estava embrulhada em plástico e selada. Mesmo assim, entrou gelo dentro do plástico. Provavelmente condensação congelada. Quando a caixa se desprendeu da fenda, todos tentavam ao mesmo tempo desprender as travas da tampa.

Estava tudo lá. O canivete, as fotos, as cédulas enroladas na capa de couro, minhas joias inoxidáveis, mosquetões, argolas, o cabinho azul, as coisas do Flávio, a sua Bíblia um pouco úmida. E as duas garrafinhas de bourbon que rapidamente esvaziamos. A Marina ficou tonta, não só de alegria. Sentada na borda do buraco na neve e brincando do seu jeito irônico, exclamou:

— Ah, como é preciso pouco para ser feliz!

Olhei para o barco, a uns dois quilômetros de distância, lembrando das pedras de Itapevi. Respondi:

— É mesmo, Marina, tão pouco...

A Nina, remexendo furiosamente o conteúdo da caixa, disparou:

— Papai, por que o seu tesouro não tem colares nem pérolas?

Todos riram.

Não me lembro o que respondi.

Uma névoa densa cobriu a ilha e ameaçou esconder o barco. Esfriou. Eu já não sentia os dedos das mãos, e os dos pés começavam a doer. Estava congelando. As meninas, compenetradas, organizavam os achados da caixa laranja numa bancada de neve, como se fossem objetos de uma casa de bonecas. Têm razão, tesouros têm que ser divididos, ou não são tesouros. Não sei quanto tempo ainda ficariam ali. Estava na hora de voltar, e dei a ordem:

— Crianças do gelo, já para o barco!

Seguiram todos morro abaixo, grandes e pequenos, dando passos tortos, atirando neve uns nos outros, levando as ferramentas e os achados.

Fiquei um momento para trás, apenas com a Marina. Só para dividir, por alguns segundos de silêncio, o prazer efêmero de ver na neve de uma ilha sem nome as pegadas das nossas filhas. O nosso maior tesouro.

No dia 25 de janeiro dei o aviso de partida para iniciar o regresso. Em duas semanas começariam as aulas. Em alguns instantes eu teria uma aula especial. Minutos antes de soltar as amarras das pedras, fui convocado pelas crianças para levá-las em terra, em missão de absoluto sigilo. Elas haviam confeccionado um tesouro próprio, e o colocaram numa caixa preta, irmã gêmea da caixa laranja. Queriam que eu ajudasse a esconder a caixa em um lugar secreto e bonito. Fazia calor. Encontramos um lugar seguro numa ilha próxima. Não fui autorizado a revelar o seu nome. Só depois de tomar as coordenadas do lugar e prometer não as revelar a mais ninguém, entendi por que o tesouro laranja não fez o sucesso que eu esperava entre as crianças. Não era o tesouro delas. Não era verdadeiro. Descobri, por elas, numa quarta-feira de sol cristalino e mar transparente, que eu não entendia mesmo nada de tesouros.

Tesouros de verdade não são os que encontramos pelo caminho. São aqueles que construímos.

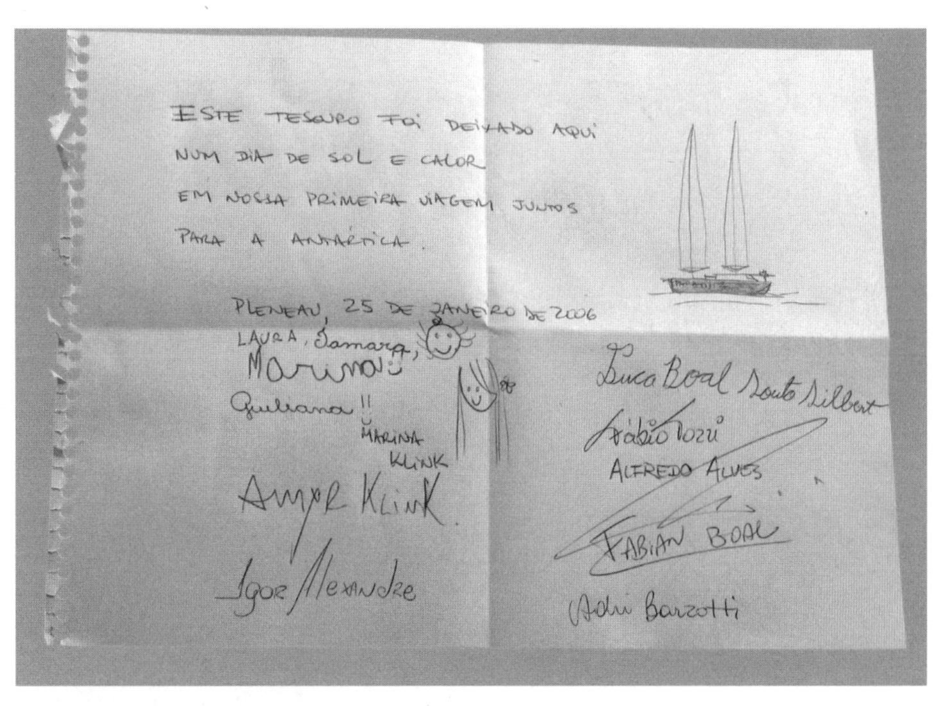

ESTE TESOURO FOI DEIXADO AQUI
NUM DIA DE SOL E CALOR
EM NOSSA PRIMEIRA VIAGEM JUNTOS
PARA A ANTÁRTICA.

PLENEAU, 25 DE JANEIRO DE 2006
LAURA, Tamara,
Marina
Giuliana!!
MARINA KLINK
AMYR KLINK
Igor Alexandre
Luca Boal Souto Silbert
Fábio Tozzi
ALFREDO ALVES
FABIAN BOAL
Adri Barzotti

O tesouro verdadeiro
não está longe
de Pleneau.
Elas retornarão.

LADO B

MARINA BANDEIRA KLINK

1
A VOLTA AO MUNDO

Às vezes me pego refletindo sobre a vida e sobre acontecimentos que vivi. Momentos especiais, experimentados em lugares dos quais me lembro tão bem. Sentimentos, sensações, o cheiro e o frio que senti. Ilhas Kerguellen, mar de Ross, Bovetoya... Lugares que formam lembranças concretas, mas onde jamais estive. Conjunção de depressões, vento de setenta — "seteeeenta e cinco nós!" —, mar grosso, paredes de água, e o desejo intenso de poder descansar numa cama parada e seca.

Deslocamento dentro do previsto. São 23 horas GMT. Ontem, a essa mesma hora, ainda era dia claro. Hoje não. A visibilidade está dificultada pelo nevoeiro, e a previsão é de mais três longos dias de temporal. Para amanhã a meteorologia parece estar pior do que hoje. A chuva não estava nos planos, e com a temperatura na casa dos −10° C, seguramente teremos nevasca.

Paciência! Os dias não são todos iguais. Ainda bem!

14 DE DEZEMBRO

57° 17,849S—50° 15W. Após enfrentar um mar agitado, o *Paratii 2* segue em calmaria rumo à Geórgia do Sul, em busca de vento. Os tripulantes ainda contam que no dia 11 o encontro com o H44 — o navio oceanográfico brasileiro *Ary Rongel* — foi surpreendente. No trajeto, condições desfavoráveis acima da latitude 60S; vento fraco contrário e corrente contrária. A linha de convergência estabelece a diferença de temperatura da água. O adensamento de gelo, chegando a fechar o mar, fez com que o *Paratii 2* fosse obrigado a voltar, para escapar dos labirintos que iam se formando.

18 DE DEZEMBRO

Depois de receber um telefonema do Amyr, corri atrás de informações que pudessem esclarecer o atual "fenômeno glacial". Visitei alguns sites de meteorologia, falei com o comandante André, com o professor Fábio Reis e com o Villela. Ele soube dar explicações em detalhes. As fotos de satélite mostravam uma área aproximada de cem quilômetros de gelos partidos. Pela carta, os fragmentos se confundiam com nuvens, mas a área geral chegava a quase 120 quilômetros de extensão.

Como o Amyr disse, a parede de gelo os acompanhou o dia todo e estaria ao lado deles no dia seguinte também. A massa de gelo é grande, e naquela região a deriva é de oeste para leste. Essa concentração de gelo próxima à Geórgia não é inusitada. Registros de 1992, da mesma região, mostram três icebergs com cerca de vinte a 36 milhas cada. Esse gelo vem do mar de Weddel e quando se fragmenta se transforma nos icebergs que estão a sudeste da Geórgia do Sul. A antiga frota de navios russa se aproveitava desse fenômeno da muralha de gelo na baixa pressão para a caça de baleias. Diziam que as baleias procuravam fugir da baixa pressão.

Meteorologia: baixa pressão sobre as Falkland e Órcades, com ventos de até dez nós, quadrante N/NE. O *Paratii 2* está numa região neutra de ventos — na realidade, está entre duas baixas. A tendência é entrar uma língua de ar frio das Falkland/Órcades em direção a Geórgia do Sul, de oeste para leste.

O quadro deverá começar a mudar a partir de amanhã. A previsão é de que o dia começará com ventos fracos pelo setor sul virando para norte e noroeste, chegando no final do dia a vinte nós (ou até 25 nós de noite).

Na mesma oportunidade, graças aos levantamentos fornecidos pelo British Antarctic Survey, o *Paratii 2* foi informado sobre a presença de navios navegando em região austral: *James Clark Ross*: 52,7S—57W, próximo a Stanley, também em setor com pouco vento, pressão de 1055,4 milibares; *Shackleton*: além das Órcades, entre Bovetoya e Sandwich, 60,1S—2,1W, também em setor com pouco vento, quatro nós, pressão 999,2 milibares; *Polar Stern*, ancorado em: 70,8S—10,5W.

21 DE DEZEMBRO

Enviei este e-mail:

Amyr! Por aqui faz calor, com sol e chuva. Dia típico de verão. Levei as crianças à piscina e a Morena brincou com as irmãs, dizendo: "Vou rebocá-las até a Antártica!". Acho que isso despertou uma certa curiosidade e interesse de alguns pais ao redor.

A análise meteorológica para o barco não poderia ser melhor: ventos favoráveis, força quarenta nós, chegando a picos de sessenta nós.

Se continuar a navegar nessa latitude, o Paratii 2 *se manterá nas mesmas condições nos próximos dias. Conforme subir em latitude, o vento irá diminuir até chegar novamente próximo à força zero.*

Já posso desligar o computador.

Não senti o tempo passar e já está quase na hora de sair para a reunião. Haverá uma festa amanhã. Devo me apressar. São inúmeros detalhes, e quero defini-los pessoalmente.

Cobertura e fechamento: ok. As cadeiras já chegaram,

toalhas e guardanapos: ok. Quando acenderem as luzes, a decoração vai surpreender. As flores estão maravilhosas. O bufê chega ao meio-dia. As bebidas estão ok. Os doces chegam às quatro, os rádios às cinco. Desta vez vou levar ainda mais baterias extras.

A lista de porta estava pronta, mas agora chegou uma nova lista com as inclusões. Os fotógrafos chegaram. Ótimo! Vamos conseguir boas fotos da decoração. Posicionar as equipes. Vamos lá, vamos repassar o roteiro.

— Por favor, peça para a equipe de recepção montar aqui os suportes para os guarda-chuvas... Parece que o céu resolveu despencar e vai ser aqui. O dia está escurecendo rápido demais!

Vamos em frente...

— Muita atenção com essas mesas reservadas. Guardem como se fossem tesouros, por favor.

Agora é a vez do bolo. Onde está o garçom que entrará com o bolo?

— Bufê, cadê o garçom do bolo?

— Alô, bufê?! Alô? O bolo entra agora! Bufê... O quê? Então chame outro! É agora... Bem rápido! "Acelera Ayrton!"

— DJ, hora do bolo, ok?... Deu certo. Deu certo! Agora é a hora do show...

— O quê? Quem é? É o bufê? Será possível? Chame o maître. Peça para ele contar pessoalmente e avise. Se já estivermos entrando na penúltima caixa de Don Perignon, teremos que acionar o "seu" Samir. Ele trará mais caixas em segundos. Se duvidar virá até de pijama!

— Limpeza, vocês viram isso? Copo quebrado ao lado da pista! Onde está o vassourinha? Não podemos demorar... É agora!

— Gente, por favor! Vamos organizar a reposição porque essa mesa está ficando um horror! Não dá para eu ficar aqui a noite toda catando forminhas vazias... Daria pra chamar a outra copeira para ajudar, por favor? Essa música... Ah! Essa música é demais. Realmente, foi perfeito terem decidido pelo Miltão... Com a MB no som, é sucesso garantido.

— Olha só como a pista encheu! Vamos garantir a água mineral.

— Bufê, por favor, prepare bandejas com copos d'água para servir depois dessa música. Perfeito! Atenção, que faltam quinze minutos para o Olodum... Está tudo pronto para a entrada deles? Os convidados gostaram do show? Ótimo. Agora são os fogos... Fogos...

— Alô? Fogueteiro na escuta? Você tem dez minutos, tudo bem? Vou até aí falar com você. Vou colocar um produtor ao seu lado para dar um sinal... Vamos lá. Lindo! Ficou lindo!

Volto para casa com o dia clareando, sentindo meus pés quase anestesiados. Lembrei-me de que desde cedo não tive tempo para me sentar, nem por uns poucos segundos. Mas todo esse esforço valeu.

Gosto de organizar festas: planejar, produzir, gerenciar... É gratificante trabalhar com sentimento, com dedicação. Ouvir o agradecimento no final é sempre a melhor recompensa.

É muito bom fazer planos e realizar sonhos. Planos?! Por onde estará o Amyr?

Conexão... Monitorando a viagem do Amyr pela internet: meteorologia, ondas, posição e velocidade de deslocamento. A posição é enviada automaticamente pela Navsoft. Assim, onde eu estiver, facilmente sei "onde meu marido está" (privilégio de pouquíssimas mulheres).

Vamos ver... Muito bem! Bom desempenho. Se continuar nesse ritmo, em 32 dias o percurso se completa, e aí vamos poder comemorar.

Envio uma nova mensagem: *"Falei com o Thierry. O Paraná acha que não é um problema na bucha. Talvez deverá ter que retificar o túnel, fazer a ferramenta para reusinar a peça onde vai a bucha com o flange parafusado. Existe solução definitiva, mas não em Ushuaia"*.

Acho que agora já posso descansar. Posso pensar em tudo

o que aconteceu nesses últimos dias. Vários sonhos foram vividos e eu nem senti o tempo passar.

Não divido espaço no barco, não faço parte dos turnos, mas os sonhos do Amyr são meus sonhos também. Viajo sempre com ele. Embarcamos nessa viagem há nove anos, quando começamos a ver os primeiros desenhos do *Paratii 2* e eu já podia enxergar o barco navegando por lugares tão distantes.

A transformação dos planos em realidade... Quanto privilégio fazer parte dessa viagem e em poucos dias poder voltar a abraçar o meu marido, que tanto admiro, voltando para casa depois de meses no mar e trazendo consigo uma grande bagagem repleta de sonhos realizados.

2

NEM SÓ ESPELHOS D'ÁGUA

Espero que a tripulação a bordo esteja unida e bem-humorada. Aqui em casa, Amyr, você está mais presente do que pode imaginar.

29 DE DEZEMBRO

Com bastante dificuldade de comunicação, o Amyr tentou ligar ontem. A ligação estava muito ruim, mas foi suficiente para informar que está tudo bem.

Desde a segunda-feira da semana passada (dia 22) não nos comunicávamos. Foi pior do que não ter comunicação por telefone ou rádio... Não tínhamos comunicação alguma. Um ponto em movimento monitorado numa tela de computador faria mudar a aflição que sentia... Mas a semana passou e não havia nenhum monitoramento. A posicão do barco, que fazia com que eles mantivessem contato, simplesmente havia desaparecido.

Depois soube que eles foram da latitude 60°S a 52°S. Conseguiram escapar da depressão meteorológica e pegaram um bom vento favorável, com cerca de quarenta a cinquenta nós de velocidade. O *Paratii 2* continua "voando" até hoje, dia e noite, sem parar. Senti que esse vento deixou a tripulação bastante animada. Se a meteorologia continuar colaborando com eles, daqui a quarenta dias concluirão a viagem de volta ao mundo, chegando à península Antártica. A grande quantidade de gelo que eles têm encontrado no trajeto os obriga constantemente a se afastar da Antártica cada vez mais, rumando para o norte, onde o mar é mais livre de icebergs.

Aqui em casa, as gêmeas, com seis anos, já aceitam bem a ausência do pai por longos períodos. Elas acompanham comigo a posição do barco através de mapas, já têm conhecimento do calendário e compreendem a diferença entre "dias" e "meses". A Nina, com três anos, tem chorado bastante. Ela ainda é pequena e sente muita falta do pai. Chama pelo "Querido" dela várias vezes por dia e quer que ele volte para o "seu parabéns", que será no dia 1º, daqui a três dias.

Na noite do dia 22, monitoramos sua posição, porém sem entender o que estava acontecendo. Onde poderia ter ido parar o veleiro? As previsões do dia anterior eram bastante preocupantes; mas perder a posição do veleiro parecia impossível. Dormi mal, após constatar pela meteorologia que o *Paratii 2* pegaria a confluência de três depressões, o que resultaria numa grande depressão com força de 75 nós. Em 24 horas a pressão caíra 24 milibares. O que me fez pensar: "O corajoso não é aquele que não tem medo, mas aquele que enfrenta o medo".

Na manhã seguinte, além de preocupada, fiquei sem comunicação. Minha tranquilidade parecia desmoronar. Minha segurança — virtual, mas tão real, baseada na tela do meu computador — subitamente me traía. Procurei considerar que se tratava de uma falha do sistema de comunicação e que logo o problema se resolveria. Aguardei por alguns instantes... Por algumas horas... Porém, nada mudou. A tela já não mostrava mais o rastreamento, a derrota percorrida; o percurso mantido pelo *Paratii 2*, desde que deixara a nossa casa.

Dois dias depois, o sistema ainda não havia se normalizado. No outro dia também não. A semana foi passando, e eu contava os minutos esperando que o telefone tocasse com uma boa notícia. O silêncio, aos poucos, foi me deixando mais apreensiva, e conforme os dias passavam, minhas preocupações aumentavam.

Seguia o ritmo das ocupações e preocupações: rotina para quem ficou em terra firme. Olhava para as crianças em silêncio, pensando no Amyr. Silenciosamente, pensava em tudo o que poderia estar acontecendo, em absoluto desconhecimento.

Olhava para as nossas três filhas. As três brincavam, inocentes. Pensava na tripulação que deveria estar em algum lugar no enorme oceano Austral. Viajava por lugares inimagináveis, ao longo de dias arrastados e noites tão longas, que foram se tornando insuportáveis. Cada vez mais. Chegou o momento em que pensei no Amyr com tanta ansiedade que abracei as três com força e chorei. Aquele abraço era para ele.

Não sabia o que fazer. Sentia minhas mãos atadas. O Amyr e os outros tripulantes... O que teria acontecido desde que o sinal de posição desaparecera?

Um dia o telefone tocou. Corri para atender. Não era o Amyr, mas a esposa de um dos tripulantes, pedindo notícias. Não as tinha. Em vez disso, tinha uma ansiedade intensa.

Apreensiva, procurava entender o que acontecia. Dei tempo ao tempo tentando falar com o Amyr pelo telefone e pelo rádio, durante cinco dias. Esperava pela nossa leal amiga América, com o seu permanente sistema de radiocomunicação. Mas nem notícias, telefonemas, *phone-patch*, ou e-mails. Com isso as noites se transformaram em pesadelos.

Gostava de trazer as crianças para dormir comigo. Cada vez uma, ou duas; ou até mesmo as três. Abraçadinhas. Mas era inútil. Faltava um sinal de que tudo estava bem no oceano Índico.

Ouvir o forte som do mar quebrando nas pedras, de dia e de noite, sempre me transportava a pesadelos súbitos e sombrios: paredes de água, tábuas flutuando, balsas com barracas. Quando amanhecia, me pegava fazendo contas para chegar a uma conclusão sobre a autonomia dos kits de sobrevivência e sobre quanto tempo eles teriam até que terminassem os víveres de emergência.

Seu silêncio, somado à insistência de que todo o sistema estava normal pela Transas na Noruega e na Inglaterra, Arycom e Navsoft, era motivo suficiente para que eu continuasse a perder noites de sono.

Procurava descobrir sua posição. No sexto dia, o Thierry sugeriu que eu acessasse o taaf.fr. Abri uma carta náutica e passei aquela noite na internet, levantando possíveis centrais de buscas: Mawson, MRCC — Maritime Rescue Co-ordination Centre Cape Town, MRCC Canberra, Taaf, Samsa, AAD/AU, MRCC Isles Réunion... A única posição que tinha era do dia 6 de janeiro, 0h37: GMT 51°53'37.17"S—060°49'00.41E.

Pedi informações sobre o *Paratii 2* aos possíveis navios próximos a latitude 65°S, por mais que se considere a área "*a massive gap in the effective search and rescue coverage*", isto é, um lugar remoto mesmo para pesqueiros das ilhas Réunion. Mas, mesmo assim, torcia para que alguém pudesse tê-lo visto, por mais remoto que o lugar pudesse parecer.

Após uma noite na internet procurando possíveis centrais de buscas, as ilhas e bases de observação próximas às ilhas Kerguellen, sua última localização, o dia clareou e chegaram os primeiros e-mails com perguntas investigativas e detalhadas referentes à embarcação e à tripulação. Foi se formando uma rede de comunicação e apoio. Começou a ser estabelecido um sistema de comunicação, e chegou a mensagem tranquilizadora do MRCC Cape Town, assumindo o comando de eventuais operações de buscas, independente de haver ou não outros navegando na região.

Mandei uma mensagem para a Elena Novak, que em seu imediato e-mail respondeu que o Skip estava com um grupo de passageiros na península, e que lá ele não tinha notícias do Amyr ou do barco.

Ao longo dos dias recebi respostas dos contatos feitos na noite anterior. Era reconfortante sentir que eu não estava sozinha. Nas horas difíceis, nossa imaginação segue por caminhos bastante sinuosos. No escritório, o Bonini e eu insistíamos na teoria de que o problema estava no satélite.

Telefonei para as famílias de todos os tripulantes e, buscando as palavras corretas, comentei sobre a falta de comunicação. Não seria correto mantê-los totalmente desinformados, apesar de não saber se a situação era alarmante ou não. Mais tarde procurei me aconselhar com o Jamil Aun — o melhor ouvinte que conheço — para saber se estava fazendo a coisa certa.

Os e-mails que chegavam diziam que o *Paratii 2* não havia retornado as mensagens do Inmarsat-C. O Lopes e o Nerley novamente tentavam o contato via rádio, também sem retorno.

O telefone tocou. Era o capitão de fragata Renato Rodrigues de "Aguiar Freire", do Comando Naval do Rio de Janeiro, que em nome do MRCC Brasil havia sido acionado pelo MRCC Cape Town sobre o meu contato e me oferecia apoio. Essa atenção naquele momento de apreensão fez com que eu não me sentisse tão sozinha. Qualquer esposa com o marido desaparecido no mar dificilmente poderia ter maior conforto.

A forma de trabalhar com o permanente mapeamento e cadastro de navios em águas austrais me surpreendeu. O MRCC Cape Town informou que caso o veleiro fosse localizado necessitando de auxílio, o mais próximo seria o MRCC Canberra. Até que veio a ideia, que se transformou em esperança, de que talvez o problema não estivesse na tempestade, no barco ou na profundidade, mas no sistema de cobertura do satélite, por mais que a empresa responsável insistisse na versão de que o problema não era do equipamento. Se a suposição de que o problema era do satélite se revelasse correta, ao ultrapassar a longitude da Austrália e entrar na visada da Nova Zelândia, em cinco dias voltaríamos a ter sinais com as suas coordenadas. Mesmo não ouvindo a voz do Amyr, ao ver o barco se deslocar na direção planejada eu já voltaria a respirar novamente.

Pior do que as depressões meteorológicas são as depressões emocionais.

14 DE JANEIRO

Recebi a melhor notícia do ano: 14 de janeiro de 2004: 05:26GMT, 053°02'31.51"S—102°14'48.88"E. Course: 098. Speed: 009.7kt

Finalmente o *Paratii 2* havia deixado o satélite IOR (Indian Ocean Region) e na visada do novo satélite do Pacífico começava a enviar sua localização. Depois do suspense, mesmo sem falar com ele desde o dia 29, pela rota traçada e pela velocidade sei que tudo está bem.

O suporte técnico acabou admitindo que se tratou de um problema de satélite. A resposta ficou clara: era o mesmo satélite que cobria a área de conflitos do Oriente Médio. O sinal austral ficou desativado. Pena que não perceberam isso antes.

Ainda não falei com o Amyr este ano. No *Paratii 2* ninguém ficou sabendo do suspense que passamos. Não sabem que junto com a comunicação o seu sistema de posicionamento também ficou fora do ar. Talvez não saibam que o telefone do barco voltou a funcionar após tantos dias "off". A tripulação ainda nem sabe das manchetes internacionais: prenderam Saddam Hussein.

Os dias foram passando, até que num sábado, catorze dias depois de não ter o menor sinal do que havia acontecido, o telefone tocou e a ligação caiu. Era o sinal que eu precisava. Foi suficiente. Meu coração dizia que eu conseguiria dormir outra vez.

21 DE JANEIRO — ANTEMERIDIANO DE CASA

O *Paratii 2* está exatamente do outro lado da Terra. A partir de agora, mesmo que o Amyr quisesse mudar de ideia, o caminho mais curto seria concluir a viagem. De agora em diante não será mais "ir"; mas "vir".

Agora que conheço o futuro, com determinação e um pouco de sorte, em 54 horas o tempo deverá melhorar e já teremos avançado doze graus à frente. Tudo bem a bordo. Se mudar de ideia ou se precisar voltar para casa, ficará mais perto seguir em frente mesmo. "Boa viagem, Amyr!"

4009. Já estou quase decorando a topografia dessa belíssima carta náutica. Diariamente me debruço sobre a mesa, mentalizando a trajetória do *Paratii 2* e desfrutando das maravilhas da comunicação do século XXI! Com o retorno do funcionamento do sistema de rastreamento por satélite, temos a posição atual do barco. Confrontando com as cartas sinóticas levantadas pela internet com previsão para doze, 24, 36 e 48 horas, é possível acompanharmos a viagem bem de perto, levantando não só a meteorologia, mas detalhes da situação: temperatura, pluviometria e até mesmo a altura das ondas. Esta semana, praticamente senti o cheiro do mar da Tasmânia. Mesmo tão distante, um gosto salgado me veio à boca.

24 DE JANEIRO — UM MÊS DESDE A VÉSPERA DE NATAL

Faz um mês que consegui falar com o Amyr, apesar de a ligação estar bastante entrecortada. Mas compreendi que haviam adorado a surpresa que embarquei em Paraty. Escondi no barco, atrás de um dos contêineres de víveres, um grande pacote, quase do meu tamanho, com os dizeres "Abrir somente no Natal". Eram totens de banca de jornal, daqueles "impossíveis de ignorar", que todo homem adora ver na calçada, mas finge para a esposa "nem ter notado".

Sabia que este presente faria sucesso. Depois de mais de dois meses vendo apenas tornozelos cabeludos, até um abajur se torna surpreendentemente sexy.

Hoje recebi um convite irrecusável: embarcar no *Cisne Branco* e acompanhar o tiro de canhão da largada da regata comemorativa dos 458 anos da cidade de Santos. Foi um dia especial. Ao chegar na Capitania dos Portos, lá estava, magnificamente atracado, o mais lindo veleiro brasileiro.

Na rampa de embarque, sorrisos familiares dos quais sentia

saudades fizeram com que eu me sentisse praticamente "em casa": almirante Pierantoni, comandante André, capitão Vinicius e, em seguida, Lars Grael. Fui recebida com todas as honras pelo capitão Gamboa e pelo imediato Honaiser. É incrível a cordialidade da Marinha do Brasil, talvez pela própria vocação de seus oficiais.

Ao ingressar no barco foi impossível não ler uma linda frase afixada ao pé do mastro, cujos dizeres definem, com sabedoria, a vida daqueles que dedicam a vida ao mar.

> *Mastro da Grande:* "Para se chegar, aonde quer que seja, aprendemos que não é preciso dominar a força, mas a razão. É preciso, antes de mais nada, querer".
>
> *Mastro da Gata:* "Algo superior e poderoso que torna os homens diferentes dos animais e que os faz resistir além de suas forças, alcançar limites acima do possível: a vontade!".

A maior surpresa foi quando li, ao final, o nome do seu autor: Amyr Klink. Não me lembro ter sentido saudade maior até então. O Amyr é um homem especialmente corajoso. Quanta admiração por tudo o que ele sonha — e faz. Um sentimento tão grande que às vezes parece não caber dentro de mim.

25 DE JANEIRO — ANIVERSÁRIO DE 450 ANOS DE SÃO PAULO

A bordo, certamente, eles nem se lembraram disso. Levei as crianças para verem as comemorações na 23 de Maio. O telefone do barco continua sem sinal. Com isso, ainda não falei com o Amyr este ano. Ainda não tivemos notícias, mas sei que tudo está bem. Difícil explicar, mas essas coisas a gente sente. Mais de dois meses se passaram e outros dois ainda virão; mas eu não me sinto sozinha. Afinal, a Terra é redonda — e a metade já ficou para trás!

26 DE JANEIRO — 27 DIAS SEM NOTÍCIAS

Finalmente o *Paratii 2* chegou na abrangência do satélite do Pacífico (POR), e o sistema instalado pela Sincron/Arycrom permitiu o envio de uma mensagem para casa. Mensagem: "ADIÓS AUSTRALIA!". Ainda não ouvi sua voz este ano, mas pelo texto da mensagem, pude sentir o privilégio de conviver com alguém que sonha e realiza seus sonhos.

27 DE JANEIRO — AGORA PODEMOS VOLTAR A DESFRUTAR DAS MARAVILHAS DA COMUNICAÇÃO MODERNA

Chegaram mensagens por e-mail:

Que delícia. Vento outra vez. O barco está um espetáculo, passa pelas ondas como se voássemos. Tem havido explosões de auroras que interferem no rádio. Assim que acalmar, vou tentar o Nera. Tudo bem com a tripulação. Abraços, Amyr.

Por aqui, tudo em ordem. O barco é um show no mar forte. Você tem que vir na próxima. Que velejada! Já 8 mil milhas abaixo da convergência, sem motor. Vento médio de 35 nós, mas calmarias no setor Austrália. Muitas auroras próximas ao polo Magnético, sem propagação de ondas de rádio e alterações na bússola. Agora já melhorou. Faltam só 4400 milhas para a península! A ilha dos cangurus já ficou por BB. Abraço circumpolar para todos. Amyr

Aqui tudo em ordem. Muitas explosões de aurora sem propagação de ondas de rádio e alterações na bússola. Resto perfeito. Vento médio de 35 nós, mas muita calmaria. O barco está o máximo. Abraço circumpolar para todos, Amyr.

29 DE JANEIRO — A COMUNICAÇÃO VOLTOU A FUNCIONAR

Mensagem recebida:

Kiwis a BB — Tudo em ordem por aqui. Sábado, dia 31, passaremos a date line *e iremos para o fuso Brasil –10h. Agora Brasil +13h, amanhã +14h. O barco está lindo, com 8 mil milhas de velejadas na Convergência Antártica, agora só faltam 4 mil milhas! Velas impecáveis no vento médio aqui, 40/50 nós! Voltaram os albatrozes. Bruta saudade. Amyr.*

1º DE FEVEREIRO

Ásia para trás.

Querida a turma do Maracatu, Mara e Hélio. Nos últimos minutos no Brasil recebemos deles uma grande contribuição para o barco. É o máximo o presente deles. Com o programa de weather fax, *estamos há dois meses monitorando gelos, depressões e avisos.*
Ontem voltamos um dia na passagem da linha de data. SÁBADO 31 OUTRA VEZ. 9800 milhas de convergência!!!

Antártica. Só faltam 3500 milhas até a península. Abril em Paraty. OBRIGADO DE CORAÇÃO. Amyr e tripulação.

4 DE FEVEREIRO – BOM HUMOR INCRÍVEL A BORDO

Recebemos mensagens alegres, apesar da atual previsão do término desta circunavegação ter sido reprogramado para dia 27 de fevereiro em Port Lockroy, devido aos ventos fracos e inconstantes na região da latitude 58S e longitude 155W. Chegou também um pedido da tripulação: CDs e jornais. Depois de dois meses, o acervo embarcado começa a ficar repetitivo. Baita saudade, Amyr.

A comunicação entre o *Paratii 2* continua limitada exclusivamente ao e-mail, mas é incrível a capacidade que o ser humano tem de aprender a se contentar com pouco, desde que o pouco seja positivo. Ainda não ouvimos a voz do Amyr este ano, mas ficamos contentes com a mensagem que chegou hoje, junto com a volta às aulas: "*Mar de Ross a Boreste. Tudo em ordem a bordo*".

O vento continua inconstante, e com isso o progresso é lento, mas regular. Dez mil milhas de convergência, sem escalas! Essa viagem está sendo uma grande velejada. Faltam apenas 3500 milhas. Se o *Paratii 2* mantiver o ritmo, a previsão de término da circunavegação com sua chegada em Port Lockroy será 23 de fevereiro.

7 DE FEVEREIRO

Hoje, uma ondinha estourou sobre a cabine superior. Lavou a biblioteca e os casacos pendurados. Foi lindo! Só faltam 2800 milhas p/ pisar em terra. Lemes, prensa-estopa: ok. Só que não é feito para travar eixos. O problema é no eixo ou buchas. Há uma folga enorme no conjunto que está abaixo da linha-d'água. Se cair ou soltar um dos lemes, afundamos. Avisa logo pq eu libero já a caixa de champanhe e vamos com dignidade conhecer a planície Abissal de Amundsen. É só a dois quilômetros para baixo daqui. Aqui ainda estamos numa depressão chata c/ vento desfavorável, Amyr.

Aparentemente, as coisas estão indo bem a bordo.

Nova mensagem: "*Finalmente saímos do buraco de mau tempo. UFA!*".

Além dessa boa notícia, estamos organizando o encontro do Lawrence Wahba com a tripulação do *Paratii 2*. Seria um acontecimento tê-lo a bordo, navegando na península, e ao mesmo tempo o Lawrence teria a oportunidade de mergulhar no último continente onde ele ainda não mergulhou. Para isso acontecer estamos providenciando sua reserva num dos navios que estarão navegando na península no período da conclusão da circunavegação.

Em meio a esses preparativos, chegou um e-mail bastante curioso, com a lista de compras feita pela tripulação. Mensagem:

Peça para o Lawrence solicitar embarque de quatro carneiros limpos no navio, uma peça de muzzarela, tomate e alecrim para um novo Campeonato Antártico de Pizzas.

8 DE FEVEREIRO

Mensagem enviada para o barco:

Procedimento necessário para o reparo: suspender a madre de leme amarrada ao hidráulico. Acessar o prensa-estopa, que age com dois parafusos Allem ou sextavados... Soltar os dois parafusos, levantar a peça e colocar mais voltas na gaxeta... A fixação está abaixo do prensa-estopa. Não mexer nos seis parafusos seguintes! P.S.: Diesel BR providenciado. Irá de transporte rodoviário, já negociado. Sua lista de compras está anotada. Deu certo o reparo no vazamento d'água?

Mensagem recebida: "*Marina, vc não existe!*".

Mensagem enviada: "*Pena que essas declarações só são feitas do outro lado do planeta*".

Mensagem recebida:

Serei melhor com vc em qq lado do planeta. Tranquilizadora sua MSN. Se a porca folgasse, o leme desceria, e isso não aconteceu. Seria parar o barco aqui e nadar até a Tasmânia... Uma onda cobriu o convés superior. Vamos em frente, Amyr.

9 DE FEVEREIRO – "ALBATROZES ESPETACULARES!"

Só os maiores chegam até aqui. A tripulação agradece efusivamente. Champanhe, só em terra firme. Faltam somente 2267 milhas para a península. Temos boas previsões via w-fax (programa que ganhamos do veleiro Maracatu, uma hora antes de partir). Bjs p/ d. Anna. Sinto falta dela. Ah, os efeitos da convergência!!! Amyr.

Mensagem enviada:

Faltam só 2500 milhas. O Thierry leu um depoimento sobre o sistema "açoriano" de conserto de equipamentos eletrônicos: usa-se o mesmo método utilizado com lagostas, ou seja, quando um equipamento não funciona, mergulhe por um minuto em água quente. Retire e deixe secar. Testar. Se funcionar, deu certo, se não, JÁ ERA.

10 DE FEVEREIRO

Mensagem recebida: *"Legal receber notícias. Baita vento agora! 75 nós. Tchau, Amyr".*

11 DE FEVEREIRO

Sufoco ontem. Formação ciclônica intensa com barômetro caindo 4 mb/h até 960 mb/h e depois subindo a mais de 5,5 mb/h! Resultado: vento de 75 nós e um mar descomunal. Grande alívio agora. Estacionou em 55 nós. Uma onda engoliu o barco todo, ficamos no escuro embaixo d´água. Incrível: entrei dez segundos antes! Muita sorte. Nada quebrou ou rasgou. Agora tudo calmo. Tomara que sua previsão de 40 nós se confirme. Estamos pegando a Rádio Bandeirantes, 29 e 31 metros. A horta polar está linda. Amyr.

12 DE FEVEREIRO

Seteeeeenta e cinco nós! Ontem depressão-relâmpago caiu e subiu mais de 6 mb/h. Vento calmo e estável até o monstrengo de sessenta nós com rajadas de 75 nós. Saudades de todos, Amyr.

24 DE FEVEREIRO — "TERRA À VISTA!"

Terça-feira de carnaval, 8h45. Lat: 64'38.04,84S — Long: 65'00.37,38W. O *Paratii 2* se aproxima de Port Lockroy, concluindo a circunavegação polar. Em 76 dias, o veleiro e sua tripulação cruzaram todos os meridianos da Terra. Uma volta ao mundo dentro da Convergência Antártica, navegando sem escalas, pelos mares mais temidos do planeta.

12h20: âncora ao fundo em Port Lockroy. Finalmente ouvi a voz entusiasmada do Amyr ao telefone repetindo "terminamos" por três vezes seguidas: *"Terminamos. O dia está espetacular. Todos estão em perfeitas condições. O barco está melhor do que nunca. Nenhuma vela rasgada. Tudo está funcionando".*

Quando o telefone tocou, meus olhos se encheram d'água. Sentia meu corpo cheio de pequenos abraços, compartilhando a minha alegria ao ouvir a mesma voz que há tanto não ouvia dizendo: "Marina, Feliz ano-novo!".

É incrível pensar no tamanho da viagem que fizeram e em quantas coisas cada tripulante terá para contar! Lembro-me de quando o Amyr completou essa mesma viagem, sozinho, a bordo do *Paratii*, em março de 1998, chegando a Paraty seis meses depois de sua partida. Era tanta emoção, que foi difícil encontrar as palavras certas. Acabamos ficando por um longo tempo juntos, sem dizer nada. Sinto novamente essa sensação difícil de descrever. *"Terminamos. Estamos aportando em Port Lockroy".*

Foram 76 dias de circunavegação polar. Setenta e seis dias para se dar uma volta ao mundo sem escalas. Vai ser muito bom quando todos voltarem para casa. Nas mãos terão exatamente a mesma bagagem da partida. Mas dentro de si terão uma enorme bagagem de vida.

9 DE MARÇO — A CAMINHO DO CABO HORN

A partir de agora não existe mais o risco de gelo no mar. O *Paratii 2* está a 350 milhas ao sul do cabo Horn e nesse ritmo, ao amanhecer, já estará deixando a Convergência Antártica. Navegando rumo ao Horn, tendo uma depressão meteorológica a oeste, o veleiro encontra vento de través com força de cinquenta nós e resulta numa velocidade constante de oito nós.

10 DE MARÇO — ÁGUAS DE MARÇO. A CHUVA QUE CAI AQUI NO BRASIL CAI NO DRAKE TAMBÉM (!)

Hoje o *Paratii 2* navegou o dia inteiro com ventos fortes de través, e a chuva não deu trégua. Depois de dois dias de Drake, parece que todos já se adaptaram ao "mais famoso balanço do mar da Terra". E passam bem. Agora faltam duzentas milhas para o cabo Horn. Estão na "porta do inferno", como chamavam os antigos navegadores. No tempo previsto. O cronograma da navegação se mantém.

11 DE MARÇO — NO CABO HORN

As condições das ondas deveriam piorar devido à entrada na plataforma continental. A profundidade do oceano varia subitamente de 3650 metros para 106 metros.

Esta manhã conversei com o Thierry sobre a meteorologia que indicava uma mancha de bom tempo na aproximação do cabo Horn. A previsão estava certa! Na comunicação de hoje, a tripulação disse ter vivido um momento único: depois de três dias de muita chuva e pancadaria no Drake, o sol voltou a brilhar, justamente no momento em que o barco navegava a duas milhas do cabo Horn. "É impressionante a mudança de cor das águas quando se passa do oceano Pacífico para o Atlântico", disse o Amyr enquanto descrevia a cena. "É uma imagem inesquecível... ainda temos a luz do dia. O sol está iluminando as pedras... e agora estamos com uma profundidade de 89 metros."

"A cena está linda lá fora. Vou desligar porque quero acompanhar com os outros fora do barco. Todos estão bem."

12 DE MARÇO — PORT WILLIAMS

Noite de cristal! Tempo calmo. Desembarque em continente americano. Término da viagem. E o divertido encontro com Hugues e Marie Paul do veleiro *Le Sourire*.

13 DE MARÇO — USHUAIA OUTRA VEZ!

É o máximo nos encontrarmos no mesmo cais mais uma vez. Um lugar muito especial. Lá, já nos sentimos em casa.

18 DE MARÇO — ABASTECIMENTO

Dia bastante cansativo. O maior desgaste foi conseguir obter toda a documentação necessária para o abastecimento do barco com o óleo diesel especial Petrobras, vindo do Brasil. Quando o caminhão da Dalçóquio finalmente estacionou na entrada do porto de Ushuaia, começou a correria: foram necessários muitos carimbos, assinaturas e comprovantes de pagamentos de taxas, o que levou o dia inteiro. Entender como funcionam as autorizações e o correto fluxo dos documentos exige certa experiência, e para nós, estrangeiros na Argentina, foi uma tarefa complicada: Tamic/Despachante Ricardo/Monin/Prefeitura/Duana/Tamic/Duana...

Procuramos acelerar o máximo cada uma das etapas, nos colocando à disposição para os trâmites dos papéis: Emílio Dalçóquio, Juan Ferrone e eu. Certamente conseguimos o que seria impossível em um único dia.

Já estava escurecendo e chovia quando finalmente acompanhamos o abastecimento. O Emílio, pessoalmente, acompanhava a manobra. Ao vermos um diesel tão especial completando os tanques do *Paratii 2* sentimos que toda a operação valeu a pena. Mais tarde conseguimos ainda a autorização para que o "Gualdesi & Hermanos" descarregasse as compras de frutas, verduras e laticínios, num horário bastante fora do comum; mas com a "Duana" dentro do barco, acompanhando o embarque do combustível, ficou mais fácil "transitarmos" as autorizações necessárias para entrada da carga no porto.

19 DE MARÇO — PARTIDA

Às onze horas da manhã foram feitos os trâmites de praxe da imigração para a saída da Argentina, e às onze e meia foi a vez de a equipe da praticagem de Ushuaia vir a bordo do barco.

Com toda a tripulação a bordo, soltei as amarras do veleiro: O *Paratii 2* partiu de Ushuaia com destino à Geórgia do Sul, numa sexta-feira de muito sol, ao meio-dia. Dia de praia! Cerca de 12°C. O veleiro seguiu deslizando pelo canal Beagle. Nossa despedida foi próximo ao farol dos Eclaireurs. Acompanhei da lancha de praticagem Nativa. O vento estava tão tranquilo, que às vezes nem chegava a ter forças para encher as suas velas. Os tripulantes estavam entusiasmados cercados por lobos-marinhos.

25 DE MARÇO — GEÓRGIA DO SUL

O telefone tocou bem cedo. Era o Amyr, ligando diretamente da Geórgia do Sul, para desejar feliz aniversário para as gêmeas, que completam hoje sete anos. Ontem à noite, o *Paratii 2* se aproximou da Geórgia com cautela, devido à presença de muito gelo.

Depois de uma chegada tensa, no dia 24, a decisão foi de ancorar em Prince Olav e passar a noite rodeado por focas, deixando para atracar em Gritvyken no dia seguinte.

28 DE MARÇO — ENQUANTO ISSO, NO BRASIL, A POLÊMICA SOBRE O FURACÃO CATARINA

Recebi uma carta do Villela que dizia:

O Catarina foi um furacão (ciclone tropical e não extratropical). Acompanhei sua origem e evolução de perto, fazendo a previsão do tempo para a obra do emissário da Barra da Tijuca. A falta de cultura sobre furacões e o despreparo de alguns de meus colegas meteorologistas resultaram num erro de diagnóstico e consequente inadequação do prognóstico. Acho também que alguns deles deveriam voltar para a escola, com mais humildade, e talvez os livros de texto tenham que ser modificados para atualizar conhecimentos científicos sobre furacões (ainda incompletos) que o Catarina, com suas peculiaridades, permite elucidar.

Outro meteorologista, Eduardo Veiga, escreveu:

Os meteorologistas brasileiros subestimaram seus colegas americanos, tendo o NHC [National Hurricane Centre de Miami] classificado o Catarina como furacão Categoria 1 (vento entre 119 e 153 km/h). Eduardo de Braga Melo escreveu que vira num jornal uma foto do dia 26 de arrepiar os cabelos e sugeria que os nossos meteorologistas voltassem aos bancos escolares.

Furacão ou não, constantemente me pego pensando nas "surpresas meteorológicas" que o Amyr ainda encontrará nessa viagem e nas possíveis depressões "não meteorológicas" que eu ainda poderei vir a ter.

29 DE MARÇO — MUDANDO DE PAISAGEM

Mesmo sem ter recebido notícias por telefone ou comunicado por rádio, recebemos um sinal de que as coisas vão bem: às 18h28, hora local, o sistema de rastreamento de posição instalado a bordo do *Paratii 2* identificou uma alteração: da estação de Grytviken, com vento de 58 nós, o barco se deslocou e ancorou na estação de Husvik, também na Geórgia do Sul.

É incrível ver como esse sistema de rastreamento de posição funciona bem. Aliás, o equipamento pode vir a se tornar o "sonho de consumo das esposas"!

3 DE ABRIL — STROMNESS HARBOUR

Às 15h59, hora local de hoje, o sistema de rastreamento informou: o veleiro passou por Stromness Harbour. A região de Stromness é linda, cercada de montanhas. Com isso, a comunicação é muito complicada. Aqui, em "terra firme", as meninas estão ansiosas após assistirem ao documentário *Mar sem fim* pela GNT. Adoraram ver o pai na TV e se verem pequenininhas junto com ele. As três pediram para mandar recados para o pai. Como não tenho comunicação com o barco, escrevo para que um dia ele venha a ler as mensagens delas: a Marininha (Nina) disse que gostaria de falar com o papai para dizer que está com muita saudade e tem muitos "segredos" para contar. Disse: "A Nina não usa mais fralda, não toma mais mamadeira, faz natação e já come mamão!". A Tamara (Morena) quer contar que já tem sete anos e seus dois dentes da frente caíram depois que o papai partiu (e até já estão crescendo!). A Laura (Loira) quer contar que está com muita saudade, que não tem mais medo de água e já aprendeu a nadar. Esta semana ela ficou eufórica por ter caído seu primeiro dente da frente. Está orgulhosa, sorrindo sempre.

No barco, a tripulação está afinada. O Haroldo viveu hoje um momento inesquecível. Registrava calmamente o voo de um albatroz até que a ave o surpreendeu, pousando no seu pé. O Fabian está se revelando um grande talento para tripulante. Suas *mousses de chocolate* estão fazendo muito sucesso naquelas latitudes. Amanhã partirão bem cedo. Aguardavam por essa janela meteorológica para retornar ao Brasil.

11 DE ABRIL — DOMINGO DE PÁSCOA: 22H30

Posição — Latitude: 32°19,46S — Longitude: 39°53,03W.

Nesta Páscoa o coelhinho trouxe um belo presente: o *Paratii 2* entrou em águas brasileiras. O monitoramento mostra sua navegação no platô de Rio Grande. Agora, o "horário local" já é o mesmo do relógio da nossa casa. Entramos na contagem regressiva para a chegada. Almoço a bordo: Gratin Dauphinois!

13 DE ABRIL — A MENOS DE TREZENTAS MILHAS DO BRASIL

15 DE ABRIL — RIGHT ON SCHEDULE

Agora não preciso mais do monitoramento. É só olhar pela janela de casa e esperar para ver o veleiro atracar com o Amyr, o Flávio, o médico e amigo Fábio Tozzi, o cinegrafista Fabian, que se tornou o cozinheiro do barco, o cinegrafista Renato Castanho e o fotógrafo Haroldo.

Foi exatamente como previsto no cronograma. O veleiro atracou às 9h15. Ainda bem. A Flutua Brasil preparava uma revoada de bexigas em formato de coração para receber o Amyr. As crianças corriam pela areia da praia, de lá para cá, com bexigas amarradas nos pulsos, na maior agitação. E enquanto isso, 3 mil bexigas subiam pelo ar para a chegada do "papai". Finalmente chegou o momento de viver a história. Não é mais um sonho. Abraçar o Amyr outra vez...

3

FÉRIAS NO FIM DO MUNDO

No instante em que o *Paratii 2* fundeou no "nosso quintal" de Jurumirim e o Amyr desembarcou após a conclusão de sua 16ª viagem "além da Convergência", nós vivemos um momento intenso; uma verdadeira explosão de alegria. Nos abraçamos, e percebi que o mesmo mar que nos separou nos uniu.

No meio de um estreito abraço, pedi que da próxima vez nos levasse também.

Ao longo de um ano nos preparamos para isso. E finalmente esse dia chegou. Nossa viagem foi uma experiência única. Uma viagem rumo ao sul, visitando Melchior, Gerlache, Newmayer, Port Lockroy "Base A", Dorian, Lemaire, Pleneau, Grandidier, Peterman Island, Argentine Islands "Vernadski" (antiga Faraday). Na volta, mais precisamente na travessia do Drake, estranhei o hábito, já adquirido, de dormir todas as noites com a luz do sol entrando pela gaiuta do teto da cabine. Noites sempre claras nesse verão gelado. Verão nosso, e provavelmente de mais um punhado de outros adoradores do gelo, amantes das épicas histórias de homens que renunciaram ao conforto de seus travesseiros macios e aos afagos envolventes de suas mulheres... Grandes homens, imensos, que seguiram em busca de algo maior, da sua própria história, de honra, do desafio da conquista daquele continente que representou a última fronteira da Terra.

A nossa viagem não implicou grandes desafios históricos, e, sem que tivéssemos planejado diretamente, se tornou a realização mais feliz da nossa vida. Desfrutamos do melhor momento na vida dos pais: a companhia das nossas filhas enquanto elas ainda são nossas!

As crianças se surpreenderam com a explosão de vida animal num continente onde para a maioria das pessoas o isolamento é absoluto. Todas as noites eu caminhava pelo barco com orgulho. Não me cansava de testemunhar que tudo deu certo. O barco é uma realidade sólida, e não mais partes metálicas desconexas dentro de um galpão no interior. Inédito esse sentimento, diferente de tudo o que já senti. Navegar por lugares tão distantes foi um outro sabor, diferente de desfrutar o barco atracado perto da nossa casa. Sentir o barco por inteiro, feliz, cumprindo seu papel, navegando e, mais do que isso, levando e depois trazendo com segurança nossas filhas de volta para casa. Foi uma maravilhosa recompensa.

Hoje é o dia em que estamos voltando para casa, já com a experiência da viagem. Comecei a fazer um balanço da oportunidade que tivemos de estar no convívio das meninas, numa viagem onde todos aprendemos: nós e elas. No sobe e desce das ondas, caminhei pelo barco e admirei as crianças: a Loira, a Morena e a Nina. No sobe e desce beijei cada uma delas. Com meu rosto, as senti aquecidas dentro de seus *sleeping bags*. No sobe e desce, firme, preparei um café. Levei uma caneca para o Amyr e com outra nas mãos saí da cabine. Sentei-me no convés. Estranho como a gente se acostuma rapidamente a novos hábitos. E é engraçado voltar a viver uma noite escura. Voltar a ver as estrelas no céu — sinal incontestável de que estamos navegando através das latitudes. O mar já não é azul-claro como foi durante todo o verão. E então se fez a mágica: a ardentia — como se as águas desenhassem a cauda de um cometa, traçada pelo rastro do barco. Uma imagem tão real, tão concreta, me levou a pensar em tudo o que vivemos.

O primeiro presente que o Amyr me deu foi um remo. De guacá, escreveu com orgulho, com as letras retocadas com uma caneta Bic. Desde aquele instante percebi que a originalidade na minha vida estaria sempre em cartaz. E meu barco continuou seguindo por rumos muito interessantes.

Os primeiros desenhos do barco novo foram num guardanapo de papel, na pizzaria Camelo, depois de duas inocentes caipirinhas, quando tudo ainda parecia ser um sonho. Depois vieram as viagens do Amyr para a Europa. Três para a Bretanha, para detalhamento do plano de linhas do futuro barco. E na volta a alegria de tê-lo de novo, trazendo pãezinhos para o café da manhã na casa dos meus pais.

O Amyr sempre foi uma pessoa muito especial, mesmo no dia em que subiu no telhado da casa da vizinha para nos saudar com um "Bom-dia!", o único dado diretamente na janela do meu quarto. Ele sempre assim, cheio de surpresas.

Um dia decidiu-se pela compra do terreno em Itapevi. Depois pareceu uma loucura ainda maior, a começar pelo terreno que mais parecia uma pedreira bruta. Mas o Luiz Gatti deu conta da tarefa. Máquinas, homens e muita habilidade. Durante a construção do barco sempre tivemos churrascos de fim de ano com toda a equipe do estaleiro. Foram oito. Nesse período recebi do Amyr um novo presente: um canivete suíço. Com esse presente ele declarou seu amor verdadeiro, da forma mais autêntica possível. Disse que um canivete tem muitas utilidades, o contrário seria ter me dado uma inútil aliança de compromisso. Nos casamos — houve quem tivesse apostado se um dia o Amyr se casaria.

Mais surpeendente ainda foi a chegada das gêmeas. Fomos pais estreantes e aprendemos muito com elas. O primeiro aprendizado foi que seria o fim das minhas investidas aéreas de asa-delta.

Curioso como os filhos transformam a nossa forma de pensar. Desde que nascem, subitamente eles movem o eixo do nosso ponto de vista: de nós para eles. Curioso isso.

O barco teve um peso importante nessa etapa da nossa vida. As meninas praticamente aprenderam a andar entre as estruturas e obras do *Londrina*, *Hozhoni*, *Think Sea* e *Paratii 2*. O período foi longo, mas agora parece que passou rápido.

Foram muitas as sugestões criativas "parra o barrco" feitas pelo Thierry; assim como foram muitas as soluções milagrosas que encontrávamos para pagar as contas no final do mês.

A chegada da Nina nos fez ainda mais felizes. Foi um presente dos céus, seguramente.

Sempre soube que o barco ficaria pronto um dia. E ficou. Um dia cruzou a cidade. Desceu a serra e conheceu o mar. E como uma cegonha gigante, o guindaste da Rodrimar cuidadosamente o suspendeu em duas correias e o levou pelo ar até tocar na água salgada, levando nós cinco a bordo. Viva! E o barco teve seu batismo merecido com uma Veuve Clicquot — que eu jamais esqueceria de levar para a ocasião. Não foi preciso que fosse eu a quebrar a garrafa. Melhor, entreguei-a ao Amyr e fiquei com as gêmeas e com a Nina no colo, aplaudindo atrás do grande homem.

Foram tantas tarefas, tantas lições e muitos amigos... O Tigrão é uma figura que, sem ter sequer pretendido, invadiu nossa vida da forma mais simples e extraordinária possível. De lá para cá, sempre que ele está por perto, algum fato inesquecível acontece.

Ao longo do tempo foram centenas de histórias, com o apoio constante dos meus pais, do Kako, das cunhadas, sempre na companhia das minhas filhas, dos sobrinhos e sobrinhas. Viagens e muitas risadas... Tudo valeu. Cada ausência e cada retorno.

É importante respeitar a individualidade, admirar o outro como ele é sem querer transformá-lo. Quando podemos compartilhar momentos com aquele que admiramos, devemos aproveitar para incentivá-lo a ir mais longe, cada vez mais. Podemos ser um combustível de suas conquistas. Se pudermos ajudar alguém a voar, temos que aprender a oferecer as asas.

Se eu pudesse, viveria tudo outra vez. Tudo, exatamente como vivi. Para poder estar aqui, nesta noite escura, no sobe e desce firme das ondas, olhando para a popa do barco e vendo esse rastro de água iluminado marcando, como um cometa, a rota que percorremos. Esse rastro é a prova de que o projeto do barco deu certo, que nosso projeto de vida deu certo, que os nossos sonhos se realizaram.

Nesse facho de ardentia está impressa a marca de cada milha percorrida. Intensos esses instantes que vivemos, impressos num perfeito e mágico rastro de luz.

CEM ANOS DE NAVEGAÇÃO A VELA AO SUL DA CONVERGÊNCIA ANTÁRTICA*

Daniel Kuntschik (sheryldaniel@arnet.com.ar)

A lista que segue foi acrescentada ao livro como uma prova efetiva de que velejar ainda é, para muitos, um modo tão genuíno, romântico e eficiente de viajar quanto o foi durante todo o século XX. Ademais, ele possibilita aos navegantes curiosos e motivados atingir lugares remotos e cantos de difícil acesso de nosso planeta. A relação entre os velejadores e o Sul apresenta vantagens mútuas. Com efeito, a Geórgia do Sul voltou à vida, depois das décadas de olvido que se seguiram ao fechamento das estações de caça à baleia, graças à paixão admirável pela navegação a vela de homens como Jérôme Poncet e Gérard Janichon, com o famoso *Damien*, que inauguraram uma nova primavera para aquelas terras remotas. Seus livros, marcos da literatura de cruzeiro, inspiraram os sonhos de muitos outros velejadores que lhes seguiram o exemplo e pouco depois começaram a levar seus pequenos barcos cada vez mais para o sul. Bahía Margarita, na latitude 65°S, na península Antártica,

* Esta lista foi publicada originalmento no livro *Patagonia & Tierra del Fuego — Nautical Guide*, de Mariolina Rolfo e Giorgio Ardrizzi, Editrice Incontri Nautici, 2004 <www.capehorn-pilot.com>. (N. E.)

tornou-se um "ancoradouro para embarcações pequenas", e não apenas um lugar a ser visitado por navios quebra-gelo ou expedições polares. Esse silencioso e desconhecido grupo de velejadores, geralmente com recursos limitados, realizou esforços que vale a pena mencionar e que alcançaram grandes resultados.

A lista inclui todas as embarcações que velejaram até a Terra do Fogo, ilhas Malvinas/Falkland, ilha dos Estados e a península Antártica no último século. Os lugares foram escolhidos por sua proximidade da Convergência Antártica. Barcos que atravessaram o estreito de Magalhães ou o canal Beagle ou dobraram o cabo Horn sem parar não foram incluídos.

A lista não é de forma alguma exaustiva e certamente contém erros e omissões, devido à pouca confiabilidade de algumas fontes. Portanto, peço desculpas àqueles que não foram mencionados. Esperamos que os dados que coligi funcionem como uma fonte para outras obras mais completas, do mesmo modo que a minha é uma extensão da que foi publicada por Sally e Jérôme Poncet em seu livro *Southern Ocean Cruising*.

Meus agradecimentos mais calorosos a todos os velejadores que abordei nas docas dos clubes do canal Beagle, importunados com tanta frequência por meus pedidos de relatórios, correções e informações. De todos os velejadores que contatei, somente uma única mulher capitã recusou-se a cooperar, provavelmente cansada naquele momento de todos os papéis que precisava preencher de ambos os lados do canal Beagle. Por outro lado, outra mulher, Marie Paul Guillaumot, uma grande conhecedora e amante desses lugares, merece minha gratidão eterna pela paciência exercida na checagem de minhas anotações. O mesmo digo de Sheryl Macnie, que propiciou um nível muito melhor de inglês do que o meu durante as entrevistas. Um agradecimento mais formal, mas não menor, vai para as autoridades da Capitania de Porto de Pto. Williams (Chile), da Prefeitura Naval Argentina de Ushuaia e Ilhas do Atlântico Sul, do Clube Naval de Iates Micalvi, do Clube Náutico Ushuaia, da

Associação Fueguina de Atividades Sub-aquáticas e Náuticas (AFASyN) e, finalmente, da Oficina Antártica In. Fue. Tur.

Espero que esta obra estimule mais velejadores a tomar o rumo dessas terras lindas e fascinantes.

As páginas seguintes relacionam iates desconhecidos, bem como embarcações que merecem um lugar na história dos cruzeiros, tais como o *Tillman's Mischief*, o *Damien II* (onde Dion Poncet nasceu, quando o barco estava na Geórgia do Sul), o *Paratii* de Amyr Klink e o *Oviri* de Hugues Delignières, os primeiros barcos de navegantes solitários a passar o inverno na Antártica. Essas águas testemunharam também as viagens do *Curlew* de Tim e Pauline Carr, um barco de madeira de cem anos, sem motor ou qualquer equipamento eletrônico, a odisseia solitária do *La India*, de Gerónimo Saint Martin, um iate de seis metros que velejou da Islândia ao cabo Horn, e incontáveis outros. A todos esses velejadores, dedico minha obra.

Uma menção especial vai para o iate *Callas*, pertencente a Jorge L. Trabuchi, que me levou a todas essas regiões maravilhosas e que está certamente fadado a seguir a trilha dos mais famosos.

Ushuaia, agosto de 2002

Barco	Anos	País	Capitão/ segundo	Área de navegação
2041	1999-00	Grã-Bretanha	Mark Hopkins	Terra do Fogo - península Antártica
33 Export	1981-2	França	Thomas Phillippe	Ilhas Kerguelen
Abbie Haymaker	1988-9	Estados Unidos	Scott & Mary Teas	Terra do Fogo
Adix	1996-7	Grã-Bretanha	Paul Goss	Terra do Fogo - Shetlands do Sul - península Antártica
Adventure	1988-9	Alemanha	Petr Trost	Terra do Fogo
Afibel	1997-8	Bélgica	Patrick De Rapigues	Terra do Fogo
Agartha	1999-00	Canadá	Roger Malone	Terra do Fogo (solitário)
Aida	1987-8	Estados Unidos	Howard Alcoff	Terra do Fogo
Alacaluf	1989-90	Suíça	Alain Carron	Terra do Fogo
Alacaluf	1990-1	Suíça	Alain Carron	Terra do Fogo
Alba II	1989-90	Espanha	Serafín Varela/ Marisa Suarez	Terra do Fogo
Albatros	1992-3		Eric Beauvilan	Terra do Fogo
Albatross	1999-00	Estados Unidos	Shung Weng	Terra do Fogo (solitário)
Albatross	1946-7	Grã-Bretanha	Niall Rankin	Geórgia do Sul (com seu barco em um baleeiro)
Alcyone	1985-6	França	Bernard Deguy	Terra do Fogo
Alderman	1999-00	Grã-Bretanha	James Wakeford	Terra do Fogo - península Antártica
Allan & Thistlethwayte	1988-9	Austrália	Donald Richards	Mar de Ross
Altair	1992-3	Nova Zelândia	Klaus P. Kuerz	Terra do Fogo
Althea	1999-00	Nova Zelândia	Brian Elliot	Terra do Fogo
Ambler	1987-8	Alemanha	Lojda Zdener	Terra do Fogo
Amria	1988-9	França	Jean Chambe	Península Antártica - Shetlands do Sul
Anaconda II	1982-3	Austrália	Josco Grubic	Ilhas Heard
Anatole II	1980-1	França	Paul Pouperouk	Terra do Fogo
Andromeda	1996-7	Bermudas	Simon Potter	Ilha dos Estados - ilhas Falkland - Terra do Fogo

Barco	Anos	País	Capitão/ segundo	Área de navegação
Andromeda	1997-8	Bermudas	Simon Potter	Ilhas Falkland - Geórgia do Sul - península Antártica - Diego Ramirez
Andromeda	1993-4	Alemanha	Joachim K. Scheid	Terra do Fogo - península Antártica
Anna Christine	1981-2	Noruega	Huide Wollet	Terra do Fogo
Anna IV	1987-8	Grã-Bretanha	Marc Wilson	Terra do Fogo
Anne	1986-7	Estados Unidos	William Reid Stowe	Ilhas Falkland - Shetlands do Sul - península Antártica
Antarctica	1991-2	França	Jean Collet	Terra do Fogo - ilhas Falkland - Geórgia do Sul - península Antártica
Antarctica	1996-7	Grã-Bretanha	Jasper Tuwaite	Terra do Fogo
Antares	1975-6	Uruguai		Terra do Fogo
Antica	1999-00	Polônia	Jerry	Terra do Fogo
Aomi	1982-3	Japão Yoshiya	Kataoka	Terra do Fogo
Aomi	1985-6	Japão Yoshiya	Kataoka	Terra do Fogo - Shetlands do Sul - península Antártica - Geórgia do Sul
Arco Iris	1995-6	Chile	Helmut Koehler	Terra do Fogo
Ardevora Roseland	1997-8	Grã-Bretanha	Tim & Sofia Trafford	Terra do Fogo - ilha dos Estados - península Antártica
Ariana II	1977-8		Carl Dickson	Terra do Fogo
Arisco	1990-1	Argentina	Fabian Salaberry	Ilhas Falkland (solitário, sem mastro)
Arka	1999-00	França	Didier Latit	Terra do Fogo - península Antártica - ilhas Falkland
Assent	1992-3	Grã-Bretanha	Willy Ker	Terra do Fogo
Atalam	1989-90	França		Terra do Fogo
Ataram	1999-00	França	Eric Mercenier	Terra do Fogo - ilhas Falkland

Barco	Anos	País	Capitão/ segundo	Área de navegação
Atmos II	1999-00	Chile	Gerard Fornerod	Terra do Fogo
Au Bonheur des Dames	1983-4	França	Yves Moreau	Terra do Fogo
Au Bonheur des Dames	1984-5	França	Yves Moreau	Terra do Fogo
Aura	1994-5	Lituânia	Jonas Limantas	Terra do Fogo
Auralyn II	1975-6	Grã-Bretanha		Terra do Fogo
Aurelian II	1960-1	Grã-Bretanha	Baylis	Terra do Fogo (naufragou no Pacífico, atacado por uma baleia)
Ave de Mar	1996-7	Estados Unidos	Stewart Jane Wyatt	Terra do Fogo
Aventura	1982-3	Estados Unidos	Donald Sher	Terra do Fogo
Aventura	1999-00	Grã-Bretanha	James "Jimmy" Cornell	Terra do Fogo - ilhas Falkland - península Antártica
Awahnee II	1966-7	Estados Unidos	Bob& Nancy Griffiths	Terra do Fogo
Awahnee II	1970-1	Estados Unidos	Bob& Nancy Griffiths	Ilhas Campbell - Shetlands do Sul - ilhas Orkney do Sul - península Antártica (circunavegação da Antártica)
Ayesha	1996-7	Grã-Bretanha	Miles Quitman	Terra do Fogo - Shetlands do Sul - península Antártica
Baal	1997-8	Alemanha	Harmut Booker	Terra do Fogo
Baltazar	1987-8	França	Bertrand Dubois	Terra do Fogo
Baltazar	1990-1	França	Bertrand Dubois	Terra do Fogo - Shetlands do Sul - península Antártica
Baltazar	1992-3	França	Bertrand Dubois	Ilhas Falkland
Baltazar	1997-8	França	Bertrand Dubois	Terra do Fogo - península antártica - ilha dos Estados
Baltazar	1998-9	França	Bertrand Dubois	Terra do Fogo - península Antártica
Baltazar	1999-00	França	Bertrand Dubois	Terra do Fogo - península Antártica
Barlovento	1996-7	Chile	Navarrete Ricardo Ramirez	Terra do Fogo

Barco	Anos	País	Capitão/ segundo	Área de navegação
Basile	1979-80	França	Bertrand Dubois	Geórgia do Sul (primeira escalada do monte Paget)
Basile	1984-5	França	Alain Caradec	Terra do Fogo - Shetlands do Sul - península Antártica
Basile	1985-6	França	Alain Caradec	Terra do Fogo
Beagle II	1992-3	Argentina	Julio Brunet	Terra do Fogo
Beagle Star II	1994-5	Grã-Bretanha	James Leonard	Terra do Fogo - Geórgia do Sul - península Antártica
Bear	1939-40	Estados Unidos	Richard Cruzen	Shetlands do Sul - península Antártica
Beefeater II	1985-6	Grã-Bretanha	Chay Blyth	Ilhas Falkland (naufragou perto do cabo Horn)
Bel Ami	1990-1	França	Carrier	Terra do Fogo
Bellatrix	1985-6	Grã-Bretanha	Ernst Lemble	Terra do Fogo
Belle-Etoile	1985-6	França	Jean-Joseph Terrier	Península Antártica - Shetlands do Sul - Terra do Fogo
Berseck	1997-8	Noruega	Yarli Andhoi	Terra do Fogo (solitário)
Berseck	1998-9	Noruega	Yarli Andhoi	Terra do Fogo - península Antártica (solitário)
Berseck	1999-00	Noruega	Yarli Andhoi	Terra do Fogo - península Antártica
Betelgeuse	1989-90	Holanda	Sue Anne Coulding	Terra do Fogo
Betelgeuse	1990-1	Holanda	Sue Anne Coulding	Terra do Fogo
Betelgeuse	1991-2	Holanda	Sue Anne Coulding	Terra do Fogo - Shetlands do Sul - península Antártica
Bienvenido	1995-6	Chile	Joseph Finstadler	Terra do Fogo
Bienvenido	1997-8	Chile	Josef Stadler	Terra do Fogo
Biribi	1990-1	Chile	Sabine Comes	Terra do Fogo
Biribi	1991-2	Chile	Sabine Comes	Terra do Fogo
Biribi B	1996-7	Finlândia	Sabine Comes & M. Suanro	Terra do Fogo

Barco	Anos	País	Capitão/ segundo	Área de navegação
Biribi B	1997-8	Finlândia	Sabine Comes & M. Suanro	Terra do Fogo
Biribi B	1999-00	Finlândia	Sabine Comes & M. Suanro	Terra do Fogo
Blue Lion	1994-5	Grã-Bretanha	Mehemet Oylu	Terra do Fogo - ilha dos Estados
Blue Northern	1999-00	Estados Unidos	Wayne Martin	Terra do Fogo - península Antártica
Blue Ship	1995-6	Alemanha	Richard Radtke	Terra do Fogo
Boheme II	1992-3	França	Patrice Rachet	Terra do Fogo
Boheme II	1993-4	França	Parrice Rachet	Terra do Fogo
Bootlicker	1978-9	África do Sul	Josef Whitheed	Terra do Fogo
Boucanier of Australia	1998-9	Espanha	Miguel Aloy	Terra do Fogo
Boucanier of Australia	1999-00	Espanha	Miguel Aloy	Terra do Fogo
Boyero	1990-1	Argentina	Eduardo Klenk	Terra do Fogo
Brio	1993-4	Alemanha	Otmar & B. Jager	Terra do Fogo
C - Lise II	1996-7	Estados Unidos	Gordon Schmidt	Terra do Fogo - ilhas Falkland
Cadeau	1999-00	Malta	Marco Rossi	Terra do Fogo - ilhas Falkland
Caiman	1981-2	Panamá	Igor Giuseppe Raggio	Geórgia do Sul
Caiman	1983-4	Panamá	Igor Giuseppe Raggio	Terra do Fogo - ilha dos Estados
Caiman	1993-4	Panamá	Igor Giuseppe Raggio	Terra do Fogo - ilha dos Estados
Caiman	1994-5	Panamá	Igor Giuseppe Raggio	Terra do Fogo - península Antártica - ilha dos Estados
Caiman	1996-7	Panamá	Igor Giuseppe Raggio	Terra do Fogo - península Antártica
Caiman	1999-00	Panamá	Igor Giuseppe Raggio	Terra do Fogo - ilha dos Estados
Callas	1991-2	Argentina	Jorge L. Trabuchi	Terra do Fogo
Callas	1992-3	Argentina	Jorge L. Trabuchi	Terra do Fogo

Barco	Anos	País	Capitão/ segundo	Área de navegação
Callas	1993-4	Argentina	Jorge L. Trabuchi	Terra do Fogo - Shetlands do Sul - península Antártica
Callas	1994-5	Argentina	Jorge L. Trabuchi	Terra do Fogo
Callas	1995-6	Argentina	Jorge L. Trabuchi	Terra do Fogo
Callas	1996-7	Argentina	Jorge L. Trabuchi	Terra do Fogo - ilha dos Estados
Callas	1997-8	Argentina	Jorge L. Trabuchi	Terra do Fogo
Callas	1998-9	Argentina	Alejandro Mono Da Milano	Terra do Fogo (solitário até península Valdez)
Callas	1998-9	Argentina	Jorge L. Trabuchi	Terra do Fogo
Callas	1999-00	Argentina	Jorge L. Trabuchi	Terra do Fogo
Callibistris	1999-00	França	Michel Hennebert	Terra do Fogo - ilhas Falkland - Geórgia do Sul
Cameo	1978-9	Nova Zelândia	Lionel Jefcoate	Ilhas Auckland
Capitain Ulysse	1992-3	França	Jean Martial Rudy	Terra do Fogo
Capitain Ulysse	1996-7	França	Jean Martial Rudy	Terra do Fogo - ilhas Falkland
Capitain Ulysse	1999-00	França	Jean Martial Rudy	Ilhas Falkland
Capricornus	1978-9	Noruega	Steffen Tunge	Terra do Fogo
Captain Beaujol	1988-9	França	Eric Lorh	Terra do Fogo
Carabela Santa Maria	1982-3	Argentina	Sagier C. Fonrouge	Terra do Fogo (data aproximada mais provável)
Carousel	1990-1	França		Ilhas Macquarie
Carronade	1966-7	Austrália	Des Kearns	Terra do Fogo - cabo Horn
Cascabel	1991-2	Argentina	Danilo Clement	Terra do Fogo
Cascabel	1992-3	Argentina	Danilo Clement	Terra do Fogo
Celtic Avenger	1997-8	Dinamarca	Niels & Lona Henningsen	Terra do Fogo
Champi	1978-9	França	Jaques Peignon	Terra do Fogo - península Antártica - Shetlands do Sul - Geórgia do Sul

Barco	**Anos**	**País**	**Capitão/ segundo**	**Área de navegação**
Chanson de Lecq	1992-3	Grã-Bretanha	Josephine Hunter	Ilhas Falkland
Chanson de Lecq	1993-4	Grã-Bretanha	Josephine Hunter	Ilhas Falkland - Geórgia do Sul (solitário)
Chaski	1996-7	França	Nicolas Duruy	Terra do Fogo
Chaski	1997-8	França	Nicolas Duruy	Terra do Fogo - ilha dos Estados
Chaski	1998-9	França	Nicolas Duruy	Terra do Fogo
Chiloe	1995-6	Estados Unidos	Charles Beasley	Terra do Fogo
Cinq Gars Pour	1981-2	França	Olivier Gouon	Geórgia do Sul
Cloud Nine	1988-9	Estados Unidos	Roger Swanson	Península Antártica - Shetlands do Sul
Cloud Nine	1991-2	Estados Unidos	Roger Swanson	Terra do Fogo - península Antártica
Cocorli	1985-6	França	Olivier Troalen	Shetlands do Sul - península Antártica - ilhas Falkland - Terra do Fogo
Concerto	1997-8	Grã-Bretanha	Mac Donald Ross	Terra do Fogo - península Antártica
Confetti	1989-90	Estados Unidos	Richard Crowe	Terra do Fogo
Confetti	1992-3	Estados Unidos		Terra do Fogo (quebrou o leme perto do cabo Horn)
Correlation	1996-7	França	Philippe Sorel	Terra do Fogo
Cosinus	1993-4	França	Gregoire Asse	Terra do Fogo - península Antártica
Cottica	1991-2	França	Olivier Pitras	Terra do Fogo
Creighton's Naturally	1991-2	Grã-Bretanha	Ruth Forsyth	Terra do Fogo - ilhas Falkland - ilhas Kerguelen (volta ao mundo)
Creighton's Naturally	1992-3	Grã-Bretanha	Ruth Forsyth	Terra do Fogo
Croix Saint Paul	1988-9	França	Alex Foucard	Terra do Fogo - Shetlands do Sul - península Antártica
Croix Saint Paul	1990-1	França	Alex Foucard	Terra do Fogo - Shetlands do Sul - península Antártica

Barco	Anos	País	Capitão/ segundo	Área de navegação
Croix Saint Paul	1994-5	França	Julio Brunet	Terra do Fogo
Croix Saint Paul	1995-6	França	Julio Brunet	Terra do Fogo
Croix Saint Paul	1996-7	França	Julio Brunet	Terra do Fogo
Croix Saint Paul	1997-8	França	Julio Brunet	Terra do Fogo - ilha dos Estados
Croix Saint Paul	1998-9	França	Julio Brunet	Terra do Fogo
Croix Saint Paul	1999-00	França	Julio Brunet	Terra do Fogo
Croix Saint Paul II	1992-3	França	Alex Foucard	Terra do Fogo - Shetlands do Sul - península Antártica
Croix Saint Paul II	1994-5	França	Alex Foucard	Terra do Fogo - Shetlands do Sul - península Antártica
Croix Saint Paul II	1995-6	França	Alex Foucard	Terra do Fogo - península Antártica
Croix Saint Paul II	1996-7	França	Alex Foucard	Terra do Fogo - península Antártica
Croix Saint Paul II	1997-8	França	Alex Foucard	Terra do Fogo - península Antártica
Croix Saint Paul II	1998-9	França	Alex Foucard	Terra do Fogo - península Antártica
Croix Saint Paul II	1999-00	França	Eric Dupuis	Terra do Fogo - península Antártica
Croustet	1987-8	França	Bernard Espinet	Terra do Fogo
Croustet	1996-7	França	Bernard Espinet	Terra do Fogo - ilhas Falkland
Crysalide	1994-5	França	Benoit Rovault	Ilha dos Estados - Terra do Fogo - península Antártica
Curlew	1992-3	Grã-Bretanha	Tim & Pauline Carr	Ilhas Falkland - península Antártica (barco de madeira com cem anos, sem motor)
Curlew	1993-4	Grã-Bretanha	Tim & Pauline Carr	Geórgia do Sul
Curlew	1994-5	Grã-Bretanha	Tim & Pauline Carr	Geórgia do Sul
Curlew	1995-6	Grã-Bretanha	Tim & Pauline Carr	Geórgia do Sul
Curlew	1996-7	Grã-Bretanha	Tim & Pauline Carr	Geórgia do Sul

Barco	Anos	País	Capitão/ segundo	Área de navegação
Curlew	1997-8	Grã-Bretanha	Tim & Pauline Carr	Geórgia do Sul
Curlew	1998-9	Grã-Bretanha	Tim & Pauline Carr	Geórgia do Sul
Curlew	1999-00	Grã-Bretanha	Tim & Pauline Carr	Geórgia do Sul
Curza II	1981-2	França	Felipe Harchen	Terra do Fogo
Dagmar Aaen	1995-6	Alemanha	Arved Fuchs	Terra do Fogo - ilhas Falkland
Dagmar Aaen	1998-9	Alemanha	Martin Friedrich	Terra do Fogo - península Antártica - ilhas Falkland
Dagmar Aaen	1999-00	Alemanha	Arved Fuchs	Terra do Fogo - ilha dos Estados
Dahu	1992-3	Suíça	Alain Robert Freisinj	Terra do Fogo - península Antártica
Damien	1970-1	França	Jérôme Poncet/ G Janichon	Terra do Fogo - Geórgia do Sul
Damien	1971-2	França	Jérôme Poncet/ G Janichon	Ilhas Kerguelen - ilhas Crozet - ilhas Heard - ilhas Macquarie
Damien	1972-3	França	Jérôme Poncet/ G Janichon	Península Antártica - Shetlands do Sul - ilhas Orkney do Sul
Damien II	1977-9	França	Jérôme Poncet	Geórgia do Sul (nascimento de Dion) - Shetlands do Sul - península Antártica (bloqueado em razão do inverno nas ilhas Avian) - ilhas Falkland - Terra do Fogo
Damien II	1979-80	França	Jérôme Poncet	Ilhas Falkland - península Antártica
Damien II	1982-3	França	Jérôme Poncet	Península Antártica - Shetlands do Sul - ilhas Falkland
Damien II	1983-4	França	Jérôme Poncet	Ilhas Falkland - Geórgia do Sul - ilhas Orkney do Sul - Shetlands do Sul - península Antártica

Barco	Anos	País	Capitão/ segundo	Área de navegação
Damien II	1985-6	França	Jérôme Poncet	Ilhas Falkland - Geórgia do Sul - Shetlands do Sul - ilhas Orkney do Sul - península Antártica
Damien II	1987-8	França	Jérôme Poncet	Ilhas Falkland - Geórgia do Sul
Damien II	1988-9	França	Jérôme Poncet	Ilhas Falkland - Shetlands do Sul - península Antártica
Damien II	1989-90	França	Jérôme Poncet	Ilhas Falkland - Shetlands do Sul - península Antártica
Damien II	1990-1	França	Jérôme Poncet	Geórgia do Sul
Damien II	1992-3	França	Jérôme Poncet	Ilhas Falkland - Geórgia do Sul
Damien II	1993-4	França	Jérôme Poncet	Ilhas Falkland - península Antártica - Terra do Fogo
Damien II	1994-5	França	Jérôme Poncet	Ilhas Falkland - Geórgia do Sul - península Antártica
Damien II	1995-6	França	Jérôme Poncet	Terra do Fogo - ilhas Falkland
Damien II	1996-7	França	Jérôme Poncet	Geórgia do Sul - ilhas Sandwich do Sul
Dancasan	1996-7	Suíça	Obrist Roman	Terra do Fogo
Danza	1996-7	Estados Unidos	Juan Torruela	Terra do Fogo
Darwin Sound	1996-7	Canadá	Alan Whitney	Terra do Fogo - ilha dos Estados
Dawn Fligth	1999-00	Canadá	Richards Geof	Terra do Fogo
Deneb of Rye	1996-7	Grã-Bretanha	Goldfarb Stephane	Terra do Fogo
Deneb of Rye	1997-8	Grã-Bretanha	Hugues Delignieres	Terra do Fogo - Shetlands do Sul - península Antártica - ilhas Falkland
Dick Smith Explorer	1981-2	Austrália	David Lewis	Antártica (setor australiano)

Barco	Anos	País	Capitão/ segundo	Área de navegação
Dick Smith Explorer	1982-3	Austrália	David Lewis	Antártica (setor australiano) - (bloqueado pelo inverno nas ilhas Rauer) - península Antártica
Dick Smith Explorer	1984-5	Austrália	Don Richards	Cabo Denison (Terra de George v) - Base Dumont D'Urville (Adelie)
Diel	1984-5	África do Sul	B. Diebold	Península Antártica - Shetlands do Sul
Diel	1990-1	África do Sul	B. Diebold	Geórgia do Sul
Dione	1980-1	Grã-Bretanha	Brian Harrison	Terra do Fogo - Shetlands do Sul - península Antártica
Diva	1991-2	França	Didier Forrest	Terra do Fogo (volta ao mundo)
Diva	1992-3	França	Didier Forrest	Terra do Fogo - ilhas Falkland - península Antártica
Do Do	1993-4	Holanda	Hendrick Boersma	Terra do Fogo
Don Vito	1997-8	Argentina	Claudio Casolari	Shetlands do Sul - península Antártica
Don Vito	1998-9	Argentina	Claudio Casolari	Terra do Fogo
Don Vito	1999-00	Argentina	Claudio Casolari	Terra do Fogo
Dorjun	1935-6	Estados Unidos	Amos Burg	Terra do Fogo (material publicado na *National Geografic Magazine* de fevereiro, 1937)
Dream Merchant	1985-6	Nova Zelândia		Terra do Fogo
Dulcimer	1985-6	França	Olivier Vennier	Terra do Fogo
Dulcimer	1986-7	França	Olivier Blaise	Terra do Fogo
E.F. Language	1998-9	Espanha	Christine Guillou	Terra do Fogo (Withbread, sem mastro, aportou em Ushuaia)
Echappee Belle	1999-00	Bélgica	Jean François Delvoye	Terra do Fogo
Eleanor Rymill	1999-00	Grã-Bretanha	Andreas Ropenryler	Terra do Fogo
Elena	1991-2	Suíça	Guido Borsani	Terra do Fogo

Barco	**Anos**	**País**	**Capitão/ segundo**	**Área de navegação**
Endeavour	1981-2	Panamá	Patrick Cudennec	Ilhas Kerguelen
English Rose II	1994-5	Grã-Bretanha	John Ridgway	Terra do Fogo - Geórgia do Sul - península Antártica
Explorador	1996-7	Chile	Luis Diaz Alvarez	Terra do Fogo
Explorador Austral	1997-8	Chile	Figueroa H. Cardenas	Terra do Fogo
Express Crusader	1999-00	Grã-Bretanha	Richard Corbet	Terra do Fogo - península Antártica
Falcon	1997-8	Bélgica	Henry Della Faille	Terra do Fogo
Fallad II	1995-6	França	Yves Bouyx	Terra do Fogo - península Antártica
Fallado	1991-2	Alemanha	Helmut Bender	Terra do Fogo
Feo	1975-6	Suíça		Terra do Fogo
Fernande	1994-5	França	Pascal Grinberg	Terra do Fogo - península Antártica
Fernande	1995-6	França	Pascal Grinberg	Terra do Fogo - ilhas Falkland - Geórgia do Sul
Fernande	1996-7	França	Pascal Grinberg	Terra do Fogo
Fernande	1997-8	França	Pascal Grinberg	Terra do Fogo - ilha dos Estados - península Antártica
Fernande	1998-9	França	Pascal Grinberg	Terra do Fogo - península Antártica
Fernande	1999-00	França	Pascal Grinberg	Terra do Fogo - ilha dos Estados
Fenerland	1928-9	Alemanha	Plüschow Gunther	Punta Arenas - Ushuaia - cabo Horn e retorno
Finte	1999-00	Alemanha	L.Hans Kolbeck	Terra do Fogo
Fio Oko	1999-00	França	Pascal Busseran	Terra do Fogo
Fiona	1999-00	Estados Unidos	Eric B. Forsyth	Terra do Fogo - península Antártica - ilhas Falkland
Fitz Roy II	1987-8	Chile	Jaime Ovando Gomez	Terra do Fogo
Fleur Australe	1995-6	França	Phillipe Poupon	Ilhas Falkland - península Antártica

Barco	Anos	País	Capitão/ segundo	Área de navegação
Fleur Australe	1996-7	França	Phillipe Poupon	Ilhas Falkland - Geórgia do Sul
Fleur Australe	1997-8	França	Phillipe Poupon	Ilhas Falkland - Geórgia do Sul
Fleur Australe	1998-9	França	Phillipe Poupon	Terra do Fogo - ilhas Falkland
Fleur Australe	1999-00	França	Phillipe Poupon	Terra do Fogo - Geórgia do Sul
Flores	1983-4	França	Gerard Sthal	Terra do Fogo
Fmurr	1999-00	Bélgica	Eddy van Houtle	Terra do Fogo
FMurr	1983-4	França	Jean Jaques Argoud	Ilhas Falkland - península Antártica - Geórgia do Sul
Foam	1997-8	Chile	Raúl Ovando	Terra do Fogo (navegação histórica das ilhas Falkland em veleiro)
Foam	1998-9	Chile	Raúl Ovando	Terra do Fogo
Foam	1999-00	Chile	Raúl Ovando	Terra do Fogo (navegação histórica das ilhas Falkland em veleiro)
Fortuna	1986-7	Argentina	J. C. Sanpietro	Terra do Fogo
Fortuna	1971-2	Argentina	Rivero Kelly M.	Ilhas Falkland
Fortuna	1972-3	Argentina	S. Martinez Austin	Terra do Fogo
Fragola	1999-00	Itália	Galileo Ferraresi	Terra do Fogo - Shetlands do Sul
Français	1903-5	França	J. B. Charcot/E.Cholet	Terra do Fogo - península Antártica (bloqueado pelo inverno nas ilhas Booth)
Frederic Chopin	1999-00	Polônia		Terra do Fogo
Freya	1995-6	Holanda	Willeimus Hofstede	Terra do Fogo - ilhas Falkland - península Antártica
Freydis	1989-90	Alemanha	Eric de Wilts	Terra do Fogo - península Antártica - Shetlands do Sul (bloqueado pelo inverno nas ilhas Deception)

Barco	Anos	País	Capitão/ segundo	Área de navegação
Freydis	1990-1	Alemanha	Eric de Wilts	Terra do Fogo
Freydis	1991-2	Alemanha	Eric de Wilts	Ilhas Falkland - Terra do Fogo - Shetlands do Sul (bloqueado pelo inverno)
Freydis	1995-6	Alemanha	Eric de Wilts	Terra do Fogo - península Antártica
Freydis	1997-8	Alemanha	Eric de Wilts	Terra do Fogo - Shetlands do Sul - península Antártica
Frydeis Suier	1981-2	Alemanha	Eric de Wilts	Terra do Fogo - península Antártica
Futuro	1999-00	Alemanha		Terra do Fogo - península Antártica - ilhas Falkland
Gaalad	1995-6	França	Yves Bouyx	Terra do Fogo - península Antártica
Gabriel	1999-00	Chile		Terra do Fogo
Gaia	1988-9	Espanha	Jordi Riera	Terra do Fogo
Gaia	1989-90	Espanha	Jordi Riera	Terra do Fogo
Galileo	1999-00	Estados Unidos	Michael Carmena	Terra do Fogo
Gandul II	1984-5	Argentina	Gustavo Diaz	Terra do Fogo - ilha dos Estados
Gandul II	1987-8	Argentina	Gustavo Diaz	Terra do Fogo
Gedania	1975-6	Polônia	Dariusz Bogucki	Ilhas Falkland - Shetlands do Sul - península Antártica
Gierzwaluw	1992-3	Holanda	Jean Pierre Gier	Terra do Fogo - ilha dos Estados
Gloriana	1996-7	Chile	John Kenyon	Terra do Fogo - península Antártica
Gloriana	1997-8	Chile	John Kenyon	Terra do Fogo
Gloriana	1999-00	Chile	John Kenyon	Terra do Fogo
Go West	1994-5	França	Nardo Malo	Terra do Fogo
Golden Fleece	1996-7	Grã-Bretanha	Eef Willems	Geórgia do Sul - península Antártica - ilhas Falkland
Golden Fleece	1996-7	Grã-Bretanha	Jérôme Poncet	Geórgia do Sul

Barco	**Anos**	**País**	**Capitão/ segundo**	**Área de navegação**
Golden Fleece	1997-8	Grã-Bretanha	Jérôme Poncet	Ilhas Falkland - Geórgia do Sul - ilhas Sandwich do Sul - Terra do Fogo
Golden Fleece	1998-9	Grã-Bretanha	Jérôme Poncet	Ilhas Falkland - Terra do Fogo - península Antártica - ilha dos Estados
Golden Fleece	1999-00	Grã-Bretanha	Jérôme Poncet	Terra do Fogo - ilhas Falkland - península Antártica - ilha dos Estados
Gondwana	1999-00	Chile	Charlie Porter	Terra do Fogo
Gondwana	1994-5	Estados Unidos	Charlie Porter	Terra do Fogo
Gondwana	1995-6	Estados Unidos	Charlie Porter	Terra do Fogo
Gondwana	1996-7	Estados Unidos	Charlie Porter	Terra do Fogo
Gondwana	1997-8	Estados Unidos	Charlie Porter	Terra do Fogo
Gondwana	1998-9	Estados Unidos	Charlie Porter	Terra do Fogo
Graham	1982-3	França	Phillippe Cardis	Ilhas Falkland - Terra do Fogo - Shetlands do Sul - Geórgia do Sul - península Antártica
Grand Meaulnes	1995-6	França	Christophe Constans	Terra do Fogo - ilha dos Estados
Guia	1976-7	Itália	Luciano Ladavas	Terra do Fogo
Guitounia	1996-7	França	Christian Devrier	Ilhas Falkland
Gwalarn	1981-2	França	Francis Gouchard	Terra do Fogo
Gwen Askel	1987-8	França	Bernard Lecerf	Terra do Fogo
Gwen Askel	1988-9	França	Alain Caradec	Terra do Fogo
Halcyon	1975-6	Uruguai	Marcelo Casciani	Terra do Fogo
Happy Spirit II	1999-00	Grã-Bretanha		Terra do Fogo - ilhas Falkland
Harlequin II	1999-00	Nova Zelândia	Paul Hickey	Terra do Fogo
Harmony WCW	1999-00	Estados Unidos		Terra do Fogo - ilhas Falkland
Hasca	1997-8	Grã-Bretanha	Colin Mckay	Terra do Fogo
Hasta siempre	1998-9	Chile	Martín Perez Germán	Terra do Fogo

Barco	Anos	País	Capitão/ segundo	Área de navegação
Hayat	1995-6	Holanda	Jacobus Van Tuijr	Terra do Fogo
Hei Jo III	1991-2	Alemanha	Wolfrang Zohm	Terra do Fogo - ilha dos Estados
Helena Cristina	1987-8	Holanda	Arie Twigt	Terra do Fogo
Heraclitus	1988-9	Estados Unidos	Klaus Elberle	Terra do Fogo - Shetlands do Sul - península Antártica - ilhas Falkland
Hetairos	1995-6	Grã-Bretanha	Brent Martin Daw	Terra do Fogo - península Antártica
Hir3	1988-9	Iugoslávia	Mladen Sutej	Terra do Fogo (circunavegação)
Hiva Oa	1998-9	França	Gerard Suaht	Terra do Fogo
Hiva Oa	1999-00	França	Gerard Suaut	Terra do Fogo
Horn 2000	1999-00	Estados Unidos	Roman Kvaternik	Terra do Fogo - península Antártica
Hrvastska Dames	1989-90	Iugoslávia	Mladen Sutej	Terra do Fogo - península Antártica - ilhas Falkland
Hrvatska Cigra	1996-7	Croácia	Sutej Mladen	Terra do Fogo - península Antártica
Hurricane	1981-2	Alemanha	Alex Czuday	Terra do Fogo
Ice Bird	1972-3	Austrália	David Lewis	Península Antártica - ilhas Orkney do Sul (solitário em barco de dez metros)
Idus de Marzo	1982-3	Espanha	Javier Bebe Garcia	Terra do Fogo
If	1996-7	França	Hugues Delignieres	Terra do Fogo - ilha dos Estados (solitário)
If	1997-8	França	Hugues Delignieres	Terra do Fogo - ilha dos Estados - ilhas Falkland - Geórgia do Sul
If	1998-9	França	Hugues Delignieres	Terra do Fogo - península Antártica
If	1999-00	França	Hugues Delignieres	Terra do Fogo
Inox	1988-9	França	Marcel Bardiaux	Terra do Fogo (solitário)
Iorana	1993-4	Bélgica	Marcel de Letier	Terra do Fogo

Barco	Anos	País	Capitão/ segundo	Área de navegação
Iorana	1994-5	Bélgica	Marcel de Letier	Terra do Fogo
Isatis I	1978-9	França	Jean Lescure	Ilhas Antípodas - península Antártica - Terra do Fogo
Isatis II	1980-1	França	Jean Lescure	Península Antártica - Shetlands do Sul - ilhas Falkland
Isatis II	1981-2	França	Jean Lescure	Ilhas Falkland - Geórgia do Sul
Itatae	1990-1	Estados Unidos	Marc E. Noerger	Terra do Fogo
Itatae	1992-3	Estados Unidos	Mark Eichenberger	Terra do Fogo
Jacana	1979-80	França	Francis H. Soulas	Terra do Fogo
Jantine	1985-6	Holanda	Dick & Elly	Terra do Fogo - ilhas Falkland - península Antártica
Jantine	1989-90	Holanda	Dick Koopman	Ilhas Falkland - Terra do Fogo - Shetlands do Sul - península Antártica
Jason	1985-6	Grécia	Podelis Papageorgis	Terra do Fogo
Jean B.Charcot	1907-9	França	R. & H. Rallier du Baty	Bloqueado pelo inverno nas ilhas Kerguelen
Jenny von Westphalen	1995-6	Alemanha	Jon D. Von Schmelig	Terra do Fogo - península Antártica
Joaquim	1998-9	França	Sebastien Decaris	Terra do Fogo
Joaquim	1999-00	França	Sebastien Decaris	Terra do Fogo
Joaquim	1999-00	Grã-Bretanha	S. & Carolina Goodall	Terra do Fogo
Jonathan Livingston	1985-6	França	Jacques Landrau	Terra do Fogo
Joshua	1998-9	Itália	Giovanni Leone	Terra do Fogo
Joshua	1999-00	Itália	Giovanni Leone	Terra do Fogo (solitário)
Jupiter	1994-5	Grã-Bretanha	Roberto Migliaccio	Terra do Fogo - Geórgia do Sul
Kallypygos	1992-3	Grécia	Yorgos Gritsis	Terra do Fogo
Kekilistrion	1989-90	França	Olivier Pauffin	Terra do Fogo
Kekilistrion	1990-1	França	Olivier Pauffin	Terra do Fogo - Shetlands do Sul - península Antártica

Barco	Anos	País	Capitão/ segundo	Área de navegação
Kekilistrion	1992-3	França	Olivier Pauffin	Terra do Fogo - Shetlands do Sul - península Antártica
Kekilistrion	1993-4	França	Olivier Pauffin	Terra do Fogo - Shetlands do Sul - península Antártica
Kekilistrion	1994-5	França	Olivier Pauffin	Terra do Fogo - ilha dos Estados
Kekilistrion	1995-6	França	Olivier Pauffin	Terra do Fogo - Shetlands do Sul - península Antártica
Kekilistrion	1996-7	França	Olivier Pauffin	Terra do Fogo
Kekilistrion	1997-8	França	Olivier Pauffin	Terra do Fogo
Kekilistrion	1998-9	França	Olivier Pauffin	Terra do Fogo
Kekilistrion	1999-00	França	Olivier Pauffin	Terra do Fogo
Kerguelen	1991-2	França	Danilo Remy	Terra do Fogo
Ketiga	1972-3	França	Gerry Clark	Ilhas Campbell - ilhas Auckland
Kigaridu	1999-00	França	Luca Floramo	Terra do Fogo - Geórgia do Sul (solitário, 7m30, sem motor)
Kim	1980-2	França	M.Chopard/ D. Gazanion	Shetlands do Sul - Geórgia do Sul - península Antártica (bloqueado pelo inverno nas ilhas Peterman)
Kiunga II	1996-7	Canadá	Jones Philip	Terra do Fogo
Koala	1983-4	França	Alain Pascualini	Terra do Fogo - Geórgia do Sul
Koken	1998-9	França	A. Carase	Terra do Fogo
Koller	1989-90	Alemanha	Ernest Kohnlein	Terra do Fogo - ilha dos Estados
Koller	1990-1	Alemanha	Ernest Kohnlein	Terra do Fogo
Kotic II	1978-9	França	Oleg Bely	Terra do Fogo - ilha dos Estados - Geórgia do Sul
Kotic II	1988-9	França	Oleg Bely	Terra do Fogo - ilha dos Estados - Shetlands do Sul - península Antártica

Barco	Anos	País	Capitão/ segundo	Área de navegação
Kotic II	1990-1	França	Oleg Bely	Terra do Fogo - ilha dos Estados - Shetlands do Sul - península Antártica
Kotic II	1991-2	França	Oleg Bely	Terra do Fogo - ilha dos Estados - Shetlands do Sul - península Antártica
Kotic II	1992-3	França	Oleg Bely	Terra do Fogo - ilha dos Estados - Shetlands do Sul - península Antártica
Kotic II	1994-5	França	Oleg Bely	Terra do Fogo - ilha dos Estados - Geórgia do Sul - península Antártica
Kotic II	1995-6	França	Oleg Bely	Terra do Fogo - ilha dos Estados - península Antártica
Kotic II	1996-7	França	Oleg Bely	Terra do Fogo - ilha dos Estados - Geórgia do Sul
Kotic II	1998-9	França	Oleg Bely	Terra do Fogo - ilha dos Estados - Geórgia do Sul - península Antártica
Kotic II	1999-00	França	Oleg Bely	Terra do Fogo - Geórgia do Sul - ilhas Falkland - península Antártica
Kotick	1984-5	França	Oleg Bely	Ilhas Falkland - Shetlands do Sul - península Antártica - Terra do Fogo
Kotick	1985-6	França	Oleg Bely	Terra do Fogo - ilha dos Estados - Shetlands do Sul - península Antártica
Kotick	1986-7	França	Oleg Bely	Terra do Fogo - ilha dos Estados - Shetlands do Sul - península Antártica
Kotick	1987-8	França	Oleg Bely	Terra do Fogo - ilha dos Estados - Shetlands do Sul península Antártica - ilhas Falkland

Barco	Anos	País	Capitão/ segundo	Área de navegação
Kotick	1988-9	França	Alain Caradec	Terra do Fogo - Shetlands do Sul - península Antártica
Kotick	1989-90	França	Alain Caradec	Terra do Fogo - Shetlands do Sul - península Antártica
Kotick	1990-1	França	Alain Caradec	Terra do Fogo - Geórgia do Sul - península Antártica
Kotick	1991-2	França	Alain Caradec	Terra do Fogo - península Antártica
Kotick	1992-3	França	Alain Caradec	Terra do Fogo - ilha dos Estados - península Antártica - Geórgia do Sul - ilhas Falkland
Kotick	1993-4	França	Alain Caradec	Terra do Fogo - ilha dos Estados
Kotick	1994-5	França	Alain Caradec	Terra do Fogo - ilha dos Estados - Geórgia do Sul
Kotick	1995-6	França	Alain Caradec	Terra do Fogo - ilhas Falkland - Geórgia do Sul - península Antártica
Kotick	1996-7	França	Alain Caradec	Terra do Fogo - península Antártica
Kotick	1997-8	França	Alain Caradec	Ilhas Falkland - Geórgia do Sul - península Antártica - ilha dos Estados - Terra do Fogo
Kotick	1998-9	França	Alain Caradec	Geórgia do Sul
Kotick	1999-00	França	Alain Caradec	Terra do Fogo - ilhas Falkland - Geórgia do Sul - península Antártica
Kotick	1976-7	França	Oleg Bely	Terra do Fogo - ilha dos Estados
Kren	1998-9	Argentina	Gonzalo Yami	Terra do Fogo (cabo Horn em um veleiro de 26 pés)
Krios	1988-9	Alemanha	J. & K. Schultze-Rol	Terra do Fogo
Ksar	1984-5	França	Jean Paul Bassaget	Terra do Fogo - Shetlands do Sul - península Antártica

Barco	Anos	País	Capitão/ segundo	Área de navegação
Ksar	1987-8	França	Jean Paul Bassaget	Terra do Fogo
Ksar	1988-9	França	Jean Paul Bassaget	Terra do Fogo - ilha dos Estados
Ksar	1989-90	França	Jean Paul Bassaget	Terra do Fogo
Ksar	1990-1	França	Jean Paul Bassaget	Terra do Fogo - ilha dos Estados
Ksar	1991-2	França	Jean Paul Bassaget	Terra do Fogo - ilha dos Estados
Ksar	1992-3	França	Jean Paul Bassaget	Terra do Fogo
Ksar	1993-4	França	Jean Paul Bassaget	Terra do Fogo
Ksar	1995-6	França	Jean Paul Bassaget	Terra do Fogo
Ksar	1996-7	França	Jean Paul Bassaget	Terra do Fogo
Ksar	1997-8	França	Jean Paul Bassaget	Terra do Fogo
La Curieuse	1912-4	França	Raimond Rallier du Baty	Bloqueado pelo inverno nas ilhas Kerguelen
La India	1999-00	Argentina	Gerónimo Saint Martin	Terra do Fogo (solitário, de Spitzbergen ao cabo Horn em um barco de vinte pés, sem motor)
La Marianna	1991-2	Itália	Raffaele Montenegro	Terra do Fogo (volta ao mundo)
La Marianna	1992-3	Itália	Raffaele Montenegro	Terra do Fogo
La Novia	1996-7	Bélgica	Patrick Marie Gean	Terra do Fogo (solitário)
La Volta	1996-7	França	Thierry	Terra do Fogo
La Volta	1997-8	França	Bruno D'alluin	Terra do Fogo
Lady Quaeso	1995-6	Grã-Bretanha	Michael Harry	Terra do Fogo - ilhas Falkland
Langt Auster	1997-8	Noruega	John Belt	Terra do Fogo
Langtavsted	1997-8	Noruega	John Veldt	Terra do Fogo
L'Aventure	1998-9	França	Christian Galard	Terra do Fogo - península Antártica
L'Aventure	1999-00	França	Christian Galard	Terra do Fogo - ilhas Falkland - península Antártica

Barco	Anos	País	Capitão/ segundo	Área de navegação
Le Boulard	1993-4	França	Jean Masse-Monzo	Pta. Arenas - Terra do Fogo
Le Boulard	1994-5	França	Jean Masse-Monzo	Terra do Fogo
Le Boulard	1995-6	França	Jean Masse-Monzo	Terra do Fogo - península Antártica
Le Boulard	1996-7	França	Jean Masse-Monzo	Terra do Fogo - Shetlands do Sul - península Antártica
Le Boulard	1997-8	França	Jean Masse-Monzo	Terra do Fogo
Le Boulard	1998-9	França	Jean Masse-Monzo	Terra do Fogo - península Antártica
Le Boulard	1999-00	França	Jean Masse-Monzo	Terra do Fogo - península Antártica
Leisurely Leo	1986-7	Grã-Bretanha		Geórgia do Sul
Lennok	1999-00	Estônia	Mart Saarso	Terra do Fogo - ilhas Falkland - península Antártica
Les Quatre Vents	1952	França	Marcel Bardiaux	Terra do Fogo - cabo Horn (solitário)
Libertad (fragata)	1989-90	Argentina	Horacio Fischer	Terra do Fogo
Loca Lola	1993-4	Suíça	Jean Nydegger	Terra do Fogo - península Antártica
Lua	1988-9	Dinamarca	Kim Borle Matthinsen	Terra do Fogo
Magic Laidy	1987-8	Suécia	Franc Malte	Terra do Fogo
Mago II	1995-6	Argentina	Alejandro Mono Da Milano	Terra do Fogo - ilha dos Estados
Mago II	1996-7	Argentina	Alejandro Mono Da Milano	Terra do Fogo
Mago II	1997-8	Argentina	Alejandro Mono Da Milano	Terra do Fogo
Mago II	1998-9	Argentina	Alejandro Mono Da Milano	Terra do Fogo
Mago II	1999-00	Argentina	Alejandro Mono Da Milano	Terra do Fogo - ilha dos Estados
Mahana IV	1999-00	Estados Unidos	Michael Dixon	Terra do Fogo

Barco	Anos	País	Capitão/ segundo	Área de navegação
Mahina Tiare	1994-5	Estados Unidos	John Neal	Terra do Fogo
Mahina Tiare	1995-6	Estados Unidos	John Neal	Terra do Fogo - península Antártica
Maistral	1993-4	Canadá	Antony Gooch	Terra do Fogo
Mami Wata	1987-8	França	Phan Dam	Terra do Fogo (solitário)
Mami Wata	1988-9	França	Phan Dam	Terra do Fogo (solitário)
Mara Hiva	1986-7	França	Patrick Leclerq	Terra do Fogo - Shetlands do Sul - península Antártica - Terra do Fogo
Maravel	1972-3	Nova Zelândia	N. Brown	Ilhas Auckland
Marelle	1999-00	Grã-Bretanha		Terra do Fogo
Mari Cha II	1990-1	Grã-Bretanha	Jef d'Etivaud	Terra do Fogo
Maria Galante	1985-6	Argentina	Wendt Von Thtigen	Terra do Fogo
Mariane II	1990-1	França	Bernard H.	Terra do Fogo
Mariane III	1991-2	França	Catherine Blondy	Punta Arenas - Terra do Fogo
Marra	1986-7	Suíça	Arthur Aime Antenen	Terra do Fogo
Marunaia	1999-00	Austrália		Terra do Fogo
Matsu	1995-6	Grã-Bretanha	Duncan Heminway	Terra do Fogo
Maypops	1983-4	França	Phillipe Lascombes	Terra do Fogo - ilhas Falkland
Mazeppa	1980-1	França	Yannick Trancart	Ilhas Kerguelen - ilhas St. Paul - ilhas Amsterdam
Mazeppa	1983-4	França	Yannick Trancart	Terra do Fogo - península Antártica - Shetlands do Sul - ilhas Falkland
Meander	1998-9	Holanda	Eef Willems	Península Antártica - Geórgia do Sul - ilhas Falkland
Meander	1999-00	Holanda	Eef Willems	Terra do Fogo - ilhas Falkland - península Antártica - Geórgia do Sul

Barco	Anos	País	Capitão/ segundo	Área de navegação
Merivuokko	1991-2	Finlândia	Dunker Pertti	Terra do Fogo - península Antártica - ilhas Falkland
Metapassion	1993-4	França	George Meffre	Terra do Fogo - ilhas Falkland - península Antártica
Metapassion	1994-5	França	George Meffre	Shetlands do Sul - península Antártica - Terra do Fogo - ilha dos Estados - ilhas Falkland
Metolius	1994-5	Noruega	Reidun Wnagren	Ilhas Falkland - Terra do Fogo - península Antártica
Mettsi Louise	1998-9	Nova Zelândia	Nigel & Dale Phillips	Terra do Fogo - península Antártica
Mikado III	1999-00	Alemanha	Paul Friedhelm	Terra do Fogo
Minnesota Jane	1987-8	Estados Unidos	Wallace Huebosch	Terra do Fogo
Mischief	1959-60	Grã-Bretanha	Harold "Bill" Tilman	Ilhas Crozet - ilhas Kerguelen
Mischief	1966-7	Grã-Bretanha	Harold "Bill" Tilman	Shetlands do Sul - Geórgia do Sul - península Antártica
Mithril	1997-8	Irlanda	Peter Maxwell	Terra do Fogo - ilhas Falkland
Momo	1979-80	França	Charles Ferchaud	Geórgia do Sul - península Antártica - ilhas Orkney do Sul - ilhas Gough
Moonlight Shadow	1991-2	Holanda	Marcel Balhestein	Terra do Fogo
Morgane	1994-5	França	Yves & Florence Giraud	Terra do Fogo (sem motor, veleiro de oito metros de extensão)
Morgane	1995-6	França	Yves & Florence Giraud	Terra do Fogo (sem motor, veleiro de oito metros de extensão)
Morning	1902-3	Grã-Bretanha	W. Colbeck	McMurdo - mar de Ross
Morning	1903-4	Grã-Bretanha	W. Colbeck	McMurdo - Winter Harbour - mar de Ross

Barco	Anos	País	Capitão/ segundo	Área de navegação
Morritz D	1996-7	Alemanha	Harold & Hedel Voss	Terra do Fogo
Morritz D	1997-8	Alemanha	Harold & Hedel Voss	Ilhas Falkland - Geórgia do Sul
Morritz D	1998-9	Alemanha	Harold & Hedel Voss	Geórgia do Sul - ilhas Falkland (veleiro histórico)
Morritz D	1999-00	Alemanha	Harold & Hedel Voss	Geórgia do Sul - ilhas Falkland
M'our Bruin	1999-00	Grã-Bretanha	Richard Manning	Terra do Fogo
Murielle	1991-2	Estados Unidos	Hamilton Pyles	Terra do Fogo
Murielle	1992-3	Estados Unidos	Hamilton Pyles	Terra do Fogo
Muryka	1990-1	França	Roger Roberteau	Terra do Fogo (trimarã)
Muryka	1992-3	França	Roger Roberteau	Terra do Fogo (trimarã)
Norica	1990-1	Estados Unidos	Duncan McGregor	Terra do Fogo
Naiad	1998-9	Grã-Bretanha	John Davenport	Terra do Fogo - ilhas Falkland (solitário)
Najad	1997-8	Austrália	Elizabeth Post	Terra do Fogo - península Antártica
Najad	1998-9	Austrália	Elizabeth Post	Terra do Fogo
Nautico (Escola)	1989-90	Argentina	Hernan Alvarez	Forn Terra do Fogo - ilha dos Estados
Navisha	1999-00	Polônia		Terra do Fogo
New Chance	1994-5	Estados Unidos	William Butler	Terra do Fogo
Niatross	1994-5	Canadá	Georges Hdeges	Terra do Fogo - ilhas Falkland - península Antártica
Nicole	1996-7	Espanha	Kurt Schmidt	Terra do Fogo
Night Runer	1995-6	Estados Unidos	Douglas Fryer	Ilhas Falkland
Nils 4	1999-00	França	François Lasson	Terra do Fogo
Nivolet	1995-6	França	Didier Trousseau	Terra do Fogo
Noomi	1997-8	Suécia	Gregor Dahlberg	Terra do Fogo
Noomi	1998-9	Suécia	Gregor Dahlberg	Terra do Fogo - Geórgia do Sul

Barco	Anos	País	Capitão/ segundo	Área de navegação
Noomi	1999-00	Suécia	Gregor Dahlberg	Terra do Fogo - ilhas Falkland
Northanger	1995-6	Nova Zelândia	Kari Pashuk & Greg Landreth	Terra do Fogo - Shetlands do Sul (primeira escalada do monte Foster nas ilhas Smith)
Northanger	1996-7	Nova Zelândia	Kari Pashuk & Greg Landreth	Terra do Fogo - península Antártica
Northanger	1997-8	Nova Zelândia	Kari Pashuk & Greg Landreth	Terra do Fogo
Northanger	1986-7	Grã-Bretanha	Thomas Rick	Península Antártica - Shetlands do Sul - ilhas Falkland
Northern Light	1977-8	Suécia	Rolf Bjelke	Terra do Fogo
Northern Light	1983-4	Suécia	Rolf Bjelke	Terra do Fogo - península Antártica - Shetlands do Sul - ilhas Falkland
Northern Light	1990-1	Suécia	Rolf Bjelke	Península Antártica (bloqueado pelo inverno nas ilhas Hovgaard)
Nouanni	1987-8	França	Patrick Feron	Terra do Fogo - Shetlands do Sul - península Antártica - ilhas Falkland
Nuage	1978-9	França	Jean Paul Le Roule	Terra do Fogo
Octopus	1990-1	França	Etienne Thiriet	Terra do Fogo
Octopus	1989-90	França	Fabianne	Terra do Fogo
Odd Times	1991-2	Estados Unidos	Ken Holmes	Terra do Fogo
Odd Times	1992-3	Estados Unidos	Ken Holmes	Terra do Fogo
Odin	1999-00	Chile	Francisco Contreras	Terra do Fogo
Olivin IV	1997-8	Tchecoslováquia	Petr Ondracek	Terra do Fogo
Onrust II	1996-7	Austrália	Dirk Tober	Terra do Fogo
Oosterschelde	1997-8	Holanda	Dick van Andel	Terra do Fogo - Shetlands do Sul - península Antártica - ilhas Falkland
Oosterschelde	1999-00	Holanda	Dick van Andel/ Bernt Folmer	Península Antártica

Barco	Anos	País	Capitão/ segundo	Área de navegação
Oosters-Chelder	1999-00	Holanda	E/Almar N.G. Reimert	Terra do Fogo
Orfin	1998-9	Canadá	Raymond Leroe	Terra do Fogo - ilhas Falkland (solitário)
Ouracell	1989-90	Estados Unidos	Mike Plants	Ilhas Campbell
Oviri	1987-8	França	Hugues Delignieres	Terra do Fogo
Oviri	1988-9	França	Hugues Delignieres	Terra do Fogo - Shetlands do Sul - península Antártica
Oviri	1989-90	França	Hugues Delignieres	Terra do Fogo - Shetlands do Sul - península Antártica
Oviri	1990-1	França	Hugues Delignieres	Terra do Fogo - península Antártica (solitário, bloqueado pelo inverno nas ilhas Pleneau)
Oviri	1991-2	França	Hugues Delignieres	Terra do Fogo - ilha dos Estados - ilhas Falkland
Oviri	1992-3	França	Hugues Delignieres	Terra do Fogo - ilha dos Estados - ilhas Falkland - Shetlands do Sul - península Antártica
Oviri	1994-5	França	Roberto Roca	Terra do Fogo - ilha dos Estados
Oviri	1995-6	França	Roberto Roca	Terra do Fogo
Oviri	1996-7	França	Roberto Roca	Terra do Fogo - ilha dos Estados
Oviri	1998-9	França	Roberto Roca	Terra do Fogo
Oviri	1999-00	França	Roberto Roca	Terra do Fogo
Pacome III	1994-5	França	Remy deVivie	Terra do Fogo - Shetlands do Sul
Pacome III	1995-6	França	Remy deVivie	Terra do Fogo
Palawan	1984-5	Estados Unidos	Alden Cole	Terra do Fogo
Palawan	1985-6	Estados Unidos	Thomas J. Watson	Península Antártica - Shetlands do Sul
Paludine	1996-7	França	Jean Mercier	Terra do Fogo (solitário, naufragou nas ilhas Picton)

Barco	Anos	País	Capitão/ segundo	Área de navegação
Paludine	1999-00	França	Jorge Viola	Terra do Fogo
Pamelie	1990-1		Jong Pieter de	Terra do Fogo
Paratii	1990-1	Brasil	Amyr Klink	Shetlands do Sul península Antártica - (solitário, bloqueado pelo inverno na baía Dorian)
Paratii	1998-9	Brasil	Amyr Klink	Península Antártica (primeira circunavegação Antártica em solitário) - Geórgia do Sul
Parmelia	1997-8	Austrália	Roger Wallis	Terra do Fogo - península Antártica
Parmelia	1999-00	Austrália	Roger Wallis	Terra do Fogo
Passage	1990-1	França	Jean Pierre Danjean	Terra do Fogo - península Antártica
Passage	1991-2	França	Jean Dean	Terra do Fogo
Passe Partout	1995-6	Ilhas Virgens	Cornelis Ackermans	Terra do Fogo - ilhas Falkland
Patagón	1987-8	Argentina	Javier	Ilhas Falkland
Patanela	1959-60	Austrália	Alan Powell	Ilhas Macquarie
Patanela	1964-5	Austrália	Harold "Bill" Tilman	Ilhas Heard - ilhas Kerguelen
Paul	1984-5	França	Gille Borgnon	Terra do Fogo
Paulo I	1991-2	Estados Unidos		Terra do Fogo
Pelagic	1987-8	Estados Unidos	Skip Novak	Península Antártica - Shetlands do Sul - Geórgia do Sul - Terra do Fogo
Pelagic	1988-9	Estados Unidos	Phil Wade	Terra do Fogo - península Antártica
Pelagic	1990-1	Estados Unidos	Skip Novak	Terra do Fogo - Shetlands do Sul - península Antártica
Pelagic	1991-2	Estados Unidos	Skip Novak	Terra do Fogo - península Antártica
Pelagic	1993-4	Estados Unidos	Skip Novak	Terra do Fogo - ilha dos Estados
Pelagic	1994-5	Estados Unidos	Hamish Laird	Terra do Fogo

Barco	**Anos**	**País**	**Capitão/ segundo**	**Área de navegação**
Pelagic	1994-5	Estados Unidos	Skip Novak & Hamish Laird	Terra do Fogo - península Antártica
Pelagic	1996-7	Estados Unidos	Skip Novak & Hamish Laird	Terra do Fogo - Geórgia do Sul - Shetlands do Sul - península Antártica
Pelagic	1998-9	Estados Unidos	Skip Novak & Hamish Laird	Terra do Fogo - Ilhas Falkland - península Antártica
Pelagic	1999-00	Estados Unidos	Hamish Laird	Terra do Fogo - península Antártica
Pelagic	1997-8	Grã-Bretanha	Hamish Laird	Terra do Fogo - Shetlands do Sul - península Antártica
Pen Duick III	1997-8	França	Patrick Tabarly	Terra do Fogo - Shetlands do Sul - península Antártica
Penelope	1999-00	Alemanha		Terra do Fogo
Penola	1934-7	Grã-Bretanha	John Rymill	Península Antártica (bloqueado pelo inverno nas ilhas Argentinas)
Pequod	1984-5	Argentina	Hernan Alvarez Forn	Terra do Fogo - ilha dos Estados
Pequod	1987-8	Argentina	Hernan Alvarez Forn	Terra do Fogo - Shetlands do Sul - península Antártica
Philos	1997-8	Suíça	Eric Barde	Terra do Fogo - península Antártica
Philos	1998-9	Suíça	Eric Barde	Terra do Fogo - península Antártica
Philos	1999-00	Suíça	Eric Barde	Terra do Fogo - península Antártica
Pinta III	1997-8	Holanda	J. A. M. Van Zadel	Terra do Fogo
Plain Song	1997-8	Grã-Bretanha	Francis Hawkings	Terra do Fogo
Plum	1998-9	Malta	Valentino Blancardi	Terra do Fogo
Pocahontas III	1996-7	Noruega	Eilerseen Ulf	Terra do Fogo
Polar Mist	1996-7	Estados Unidos	Crowe Richard	Terra do Fogo - península Antártica

Barco	Anos	País	Capitão/ segundo	Área de navegação
Polar Mist	1997-8	Estados Unidos	Richard Crowe	Terra do Fogo
Popaye	1993-4	França	Olivier Carre	Terra do Fogo - península Antártica
Porquoi-pas?	1908-10	França	J. B. Charcot/E.Cholet	Península Antártica (bloqueado pelo inverno nas ilhas Petermann)
PRB	1998-9	França	Isabelle Autissier	Terra do Fogo (prova Nova York - San Francisco)
Prince d'Azur	1990-1	França	Veyrin Olivier Stem	Terra do Fogo
Prince d'Azur	1991-2	França	Veyrin Olivier Stem	Terra do Fogo
Qaswa	1991-2	França	Michel Berry	Terra do Fogo - ilha dos Estados
Quackster	1981-2	Austrália	Carl Freeman	Ilhas Falkland - Geórgia do Sul
Quic en Grogne	1999-00	França	Jean C. Chardola	Terra do Fogo
Racoteur	1975-6	Austrália	William Hatfield	Terra do Fogo
Radiant Star	1994-5	Estados Unidos	Alan Buchan	Terra do Fogo
Rael II	1992-3	Espanha	Isidro Marti	Punta Arenas - Terra do Fogo
Rael II	1996-7	Espanha	Javier "Bubi" Sanso	Terra do Fogo - península Antártica
Rael II	1997-8	Espanha	Javier "Bubi" Sanso	Terra do Fogo
Rainbow Warrior	1996-7	Nova Zelândia	Nichols Peek	Terra do Fogo
Rapa-Nui	1990-1	Brasil	Hermann A. Hrdlicka	Shetlands do Sul - península Antártica - Terra do Fogo
Rapa-Nui	1985-6	França	Patrick & Gaby Jordan	Ilhas Falkland - Geórgia do Sul - Shetlands do Sul - península Antártica - Terra do Fogo
Raya	1997-8	Nova Zelândia	Ftank Swart	Terra do Fogo
Rayo	1975-6	Chile	Salvator Camelio	Terra do Fogo - cabo Horn
Red Sun	1990-1	Japão	Tatetsumu Kidokoro	Ilhas Falkland - Shetlands do Sul - península Antártica - Terra do Fogo

Barco	Anos	País	Capitão/ segundo	Área de navegação
Regain	1998-9	França	Vincent Malquit	Terra do Fogo - ilhas Falkland - Geórgia do Sul - península Antártica (solitário - volta ao mundo)
Resolution	1999-00	Estados Unidos	Michael Westley	Terra do Fogo
Rinpoche	1997-8	França	Sylvain Berthomme	Terra do Fogo - ilha dos Estados
Rinpoche	1998-9	França	Sylvain Berthomme	Terra do Fogo - ilhas Falkland
Rinpoche	1999-00	França	Sylvain Betthomme	Terra do Fogo - ilhas Falkland
Riquita	1985-6	Austrália	Barry Lewis	Área do mar de Ross
Risque	1999-00	Estados Unidos	Morgane Lou	Terra do Fogo - ilhas Falkland - península Antártica (circunavegação)
Rosinante	1997-8	Austrália	Jeremy Firth	Ilhas Falkland - Terra do Fogo
Ruby's Rascal	1990-1	Gibraltar	Curt Mundy	Terra do Fogo
Ruby's Rascal	1991-2	Grã-Bretanha	Mundy Darius Curtis	Punta Arenas - Terra do Fogo
Ruby's Rascal	1992-3	Grã-Bretanha	Mundy Darius Curtis	Terra do Fogo
Safina	1996-7	Alemanha	Max Auer	Terra do Fogo
San Giuseppe Due	1970-1	Itália	Giovanni Ajmone-Cat	Ilhas Falkland - Shetlands do Sul
San Giuseppe Due	1973-4	Itália	Giovanni Ajmone-Cat	Terra do Fogo - ilhas Falkland - península Antártica - ilhas Orkney do Sul - Geórgia do Sul
Santa Maria	1989-90	Alemanha	Wolf Klos	Terra do Fogo
Santa Maria	1990-1	Alemanha	Wolf Klos	Terra do Fogo - península Antártica
Santa Maria	1995-6	Alemanha	Wolf Klos	Terra do Fogo - península Antártica
Santa María	1996-7	Alemanha	Wolf Klos	Terra do Fogo

Barco	Anos	País	Capitão/ segundo	Área de navegação
Santa María	1997-8	Alemanha	Wolf Klos	Terra do Fogo
Santa María	1998-9	Alemanha	Wolf Klos	Terra do Fogo - península Antártica
Santa María	1999-00	Alemanha	Wolf Klos	Terra do Fogo - península Antártica
Sarah W. Vorwerk	1995-6	Alemanha	Hendrick Boersma	Terra do Fogo - península Antártica
Sarah W. Vorwerk	1996-7	Alemanha	Hendrick Boersma	Terra do Fogo - ilhas Falkland - península Antártica
Sarah W. Vorwerk	1997-8	Alemanha	Hendrick Boersma	Terra do Fogo - península Antártica
Sarah W. Vorwerk	1998-9	Alemanha	Hendrick Boersma	Terra do Fogo - península Antártica - ilhas Falkland
Sarah W. Vorwerk	1999-00	Alemanha	Hendrick Boersma	Terra do Fogo - Geórgia do Sul - ilhas Falkland - península Antártica
Sari II	1981-2	França	Michel Pierre	Terra do Fogo
Sariyah	1995-6	Grã-Bretanha	Timothy Lauqhridge	Terra do Fogo
Satori	1997-8	Alemanha		Terra do Fogo
Saturnin	1989-90	França	Christophe Houdaille	Ilhas Falkland - Geórgia do Sul - ilhas Bouvet - ilhas Crazet - ilhas Kerguelen
Saturnin	1990-1	França	Christophe Houdaille	Geórgia do Sul (bloqueado pelo inverno)
Saturnin	1991-2	França	Christophe Houdaille	Ilhas Kerguelen - ilhas Falkland - Geórgia do Sul (bloqueado pelo inverno em Pto. Leith)
Saturnin	1992-3	França	Christophe Houdaille	Ilhas Falkland (solitário, volta ao mundo)
Saudade III	1995-6	Itália	Giorgio & Mariolina Ardrizzi	Terra do Fogo - ilha dos Estados
Saudade III	1996-7	Itália	Giorgio & Mariolina Ardrizzi	Terra do Fogo

Barco	Anos	País	Capitão/ segundo	Área de navegação
Saudade III	1997-8	Itália	Giorgio & Mariolina Ardrizzi	Terra do Fogo
Saudade III	1998-9	Itália	Giorgio & Mariolina Ardrizzi	Terra do Fogo
Saudade III	1999-00	Itália	Giorgio & Mariolina Ardrizzi	Terra do Fogo
Sauvage	1994-5	França	Jean Rocchio	Terra do Fogo - ilhas Falkland
Savannah	1992-3	França	Joël Mark	Terra do Fogo
Savannah	1999-00	França	Joël Mark	Terra do Fogo - península Antártica - ilha dos Estados - ilhas Falkland - Geórgia do Sul
Scherzo	1988-9	França	Pascal Grinberg	Ilhas Falkland - Shetlands do Sul - península Antártica - Terra do Fogo
Scherzo	1989-90	França	Pascal Grinberg	Ilhas Falkland - Terra do Fogo - Shetlands do Sul - península Antártica
Scherzo	1990-1	Grã-Bretanha	Pascal Grinberg	Terra do Fogo - ilha dos Estados
Scherzo	1991-2	Grã-Bretanha	Pascal Grinberg	Terra do Fogo - ilha dos Estados - ilhas Falkland - Geórgia do Sul - península Antártica
Scherzo	1992-3	Grã-Bretanha	Pascal Grinberg	Terra do Fogo - ilha dos Estados
Sea Lion	1976-7	Canadá	Rick	Terra do Fogo
Sea Tomato	1988-9	Estados Unidos	Edward Gilette	Terra do Fogo - Shetlands do Sul - península Antártica - ilhas Falkland
Sea Wonderer	1966-7	Bahamas	Edward Allcard	Terra do Fogo (solitário, data provável aproximada)
Seagull	1986-7	Japão	Tarupoki Nomun	Terra do Fogo
Seal Z Q	1979-80	Grã-Bretanha	John Gordon Leslie	Terra do Fogo
Shangri-la	1977-8	Alemanha	Pieske Bughead	Terra do Fogo

Barco	Anos	País	Capitão/ segundo	Área de navegação
Shantooti	1999-00	Grã-Bretanha	John Richard	Ilhas Falkland - península Antártica - Terra do Fogo
Shenandoah	1998-9	Grã-Bretanha	Serge	Terra do Fogo
Shieldaig	1980-1	França	Yves Beulac	Geórgia do Sul
Silk Cut	1997-8	Grã-Bretanha	Smith Laurie	Terra do Fogo (prova de Whitbread)
Siome	1991-2	Estados Unidos	Allan Meyer	Terra do Fogo
Skookum	1990-1	Austrália	Geoff Payne	Geórgia do Sul
Skookum	1989-90	Canadá	Geoff Payne	Ilhas Falkland - Shetlands do Sul - península Antártica - Terra do Fogo
Skua	1985-6	França	Andre Frederic	Geórgia do Sul
Sol	1989-90	Austrália	Chris Elliot	Terra do Fogo - Shetlands do Sul - península Antártica (chocou-se com um iceberg na baía Margarit)
Sol	1990-1	Austrália	Keith Clement	Terra do Fogo - ilhas Falkland - Geórgia do Sul
Sol	1990-1	Austrália	Roberto Matuco	Punta Arenas - Terra do Fogo
Sola II	1993-4	Estados Unidos	Ornaith Murphy	Terra do Fogo
Sola II	1994-5	Estados Unidos	Omaith Murphy	Terra do Fogo (solitário, naufragou próximo às ilhas Lennox)
Solaris	1987-8	Alemanha	Uwe Zirkmann	Terra do Fogo
Soling Sahea	1996-7	Alemanha	Hendrick Boersma	Terra do Fogo
Solo	1977-8	Austrália	David Lewis	Ilhas Macquarie - ilhas Balenas - cabo Adare - mar de Ross
Somewhere	1998-9	França	Marc Thiercelin	Terra do Fogo (perto de Alone Race, parou para reparos)
Soolamoon I	1997-8	Nova Zelândia	Alan Robertson	Terra do Fogo

Barco	Anos	País	Capitão/ segundo	Área de navegação
Sorgenfri	1990-1	Noruega	Peder Krogh	Ilhas Falkland - Shetlands do Sul - península Antártica - Terra do Fogo
Sortilegio	1983-4	Argentina	C. Sagier Fonrouge	Terra do Fogo
Southern Cross	1987-8	Nova Zelândia	Alex Black	Terra do Fogo
Spaciba	1983-4	França	A./Briot I. Muller	Terra do Fogo
Sparrow	1985-6	Estados Unidos	Daniel Hays	Ilhas Falkland
Spirit of Norway	1996-7	Noruega	Peter Tuiberg Orvid	Terra do Fogo
Sposmoker II	1997-8	Alemanha	Engel Herd	Terra do Fogo - Shetlands do Sul - península Antártica (corrida de Vendee Globe)
St. Michael	1972-4	Nova Zelândia	Nicholas Atkinson	Ilhas Auckland
St. Michel	1995-6	Alemanha		Geórgia do Sul
Steelband	1992-3	França	Odo Schetirneecht	Terra do Fogo
Stenfis	1998-9	Chile	Patric Jale	Terra do Fogo
Stray Dog	1996-7	Estados Unidos	Brian Kronemeyer	Terra do Fogo
Strider	1986-7	Nova Zelândia	J. Bruce Butcher	Terra do Fogo
Stromer	1994-5	Alemanha	Klaus Taube	Terra do Fogo
Sugriwa	1991-2	França		Terra do Fogo
Sugriwa	1993-4	França	Jean Yves Plandon	Terra do Fogo
Sundowner	1984-5	Alemanha	Volker Marren	Terra do Fogo - Shetlands do Sul - península Antártica
Sunstar	1997-8	Alemanha	Franz Kuberl	Terra do Fogo
Sunstar	1999-00	Alemanha	Boris Mulpe	Terra do Fogo
Swan Lake	1998-9	Brasil	Eduardo Louro	Terra do Fogo - ilhas Falkland
Sylcover	1997-8	França	Marcel Mal	Terra do Fogo
Synia	1989-90	Estados Unidos	Charles Crothers	Terra do Fogo - ilha dos Estados
Tao	1989-90	Alemanha	Heidi & Dietrich	Terra do Fogo - península Antártica

Barco	Anos	País	Capitão/ segundo	Área de navegação
Taonui	1996-7	Canadá	Antony Gooch	Terra do Fogo - Shetlands do Sul - península Antártica - ilhas Falkland
Tarachihe	1979-80	Japão	Sako Masato	Terra do Fogo
Tawali	1999-00	França	Aime Sekatore	Terra do Fogo - ilhas Falkland
Teake Hadewych	1991-2	Holanda	Eerde Beulakker	Terra do Fogo
Teake Hadewych	1993-4	Holanda	Eerde Beulakker	Terra do Fogo - península Antártica - ilhas Falkland
Tenera Luna	1995-6	Itália	Paolo Mascheroni	Terra do Fogo - península Antártica
Teokita	1997-8	Grã-Bretanha	Ian Staples	Terra do Fogo
The Alderman	1987-8	Nova Zelândia	Geofrey Stone	Terra do Fogo
The Dove	1998-9	Grã-Bretanha	Larry Tyler	Terra do Fogo - ilha dos Estados - península Antártica
The Dove	1999-00	Grã-Bretanha	Larry Tyler	Terra do Fogo - ilha dos Estados - península Antártica
Theoros	1989-90	Chile	Eric Barde	Terra do Fogo - ilhas Falkland (solitário)
Theoros	1990-1	Chile	Eric Barde	Ilhas Falkland (perdeu e recuperou o leme no estreito de Drake) - Terra de Fogo (primeiro veleiro pequeno na península Antártica)
Theoros	1992-3	Chile	Eric Barde	Terra do Fogo - Geórgia do Sul (primeiro veleiro pequeno) - ilhas Falkland
Theoros	1992-3	Chile	Eric Barde	Terra do Fogo - Geórgia do Sul (veleiro de oito metros de comprimento; solitário)
Tiama	1999-00	Nova Zelândia	Henk Hadzen	Terra do Fogo - península Antártica
Tigre Mou	1996-7	França	Herve Le Goff	Terra do Fogo - península Antártica
Tigre Mou	1997-8	França	Herve Le Goff	Terra do Fogo - Geórgia do Sul

Barco	Anos	País	Capitão/ segundo	Área de navegação
Timoneer	1996-7	Grã-Bretanha	Philip Wade	Terra do Fogo
Timoneer	1997-8	Grã-Bretanha	Philip Wade	Terra do Fogo
Timshel	1996-7	França	Jean Puig	Terra do Fogo
Tinja	1998-9	Finlândia		Terra do Fogo
Tinker Toy	1997-8	Brasil	Luis Babo Melito	Terra do Fogo
Tinker Toy	1998-9	Brasil	Luis Babo Melito	Terra do Fogo
Tirnanong	1984-5	Dinamarca	Dorre W. Eriksen	Terra do Fogo
Timsah II	1986-7	França	Laurent Guillaumot	Terra do Fogo (solitário e sem motor)
Toa Toa	1995-6	Brasil/França	Jean Buchmuller	Terra do Fogo (encalhou em Ba Thetis, permaneceu um mês nos bancos de areia)
Tobe	1986-7	Chile	Bitorros Emberger	Terra do Fogo
Tooluka	1999-00	Austrália	Roger Wallis	Terra do Fogo - Geórgia do Sul - península Antártica
Torca III	1974-5	Nova Zelândia	Claude Brash	Terra do Fogo
Totorore	1983-4	Nova Zelândia	Gerry Clark	Terra do Fogo - ilhas Falkland - Geórgia do Sul (no inverno)
Totorore	1984-5	Nova Zelândia	Gerry Clark	Terra do Fogo - ilhas Falkland - Geórgia do Sul - ilhas Sandwich - península Antártica - ilhas Prince - ilhas Edward - ilhas Crozet - ilhas Kerguelen - ilhas Heard - ilhas McDonalds
Totorore	1985-6	Nova Zelândia	Gerry Clark	Ilhas Falkland - Geórgia do Sul - Shetlands do Sul - península Antártica
Toupa	1991-2	França	Yves & Marie Puvilland	Terra do Fogo
Toupa	1993-4	França	Yves & Marie Puvilland	Terra do Fogo - ilhas Falkland
Toupa	1994-5	França	Yves & Marie Puvilland	Terra do Fogo - ilhas Falkland

Barco	Anos	País	Capitão/ segundo	Área de navegação
Toupa	1995-6	França	Yves & Marie Puvilland	Terra do Fogo
Trade Wind	1989-90	Nova Zelândia	Mark Hammond	Ilhas Campbell - ilhas Auckland - ilhas Macquarie
Trade Wind	1990-1	Nova Zelândia	Mark Hammond	Ilhas Auckland - Campbellls - ilhas Snares - ilhas Macquarie
Trade Wind	1991-2	Nova Zelândia	Mark Hammond	Terra do Fogo
Trade Wind	1993-4	Nova Zelândia	Mark Hammond	Península Antártica - Terra do Fogo - Nova Zelândia
Trismus	1972-3	Bélgica	Patrick Van God	Terra do Fogo - ilha dos Estados
Trismus	19756	Bélgica	Patrick Van God	Terra do Fogo - Shetlands do Sul - península Antártica
Tuscumbia	1993-4	Estados Unidos	George W. Grader	Terra do Fogo
Tuscumbia	1994-5	Estados Unidos	George W. Grader	Terra do Fogo
Tzu-Hang	1976-7	Canadá	Robert Nance	Terra do Fogo
Uap Antarctica	1990-1	França	Jean Collet	Terra do Fogo - Shetlands do Sul - península Antártica
Urania II	1999-00	Russia		Terra do Fogo - Shetlands do Sul - península Antártica
Vague a Bond	1989-90	França	Claude Veniard	Terra do Fogo
Vague a Bond	1996-7	França	Claude Veniard	Terra do Fogo - Shetlands do Sul - península Antártica
Vague a Bond	1999-00	França	Claude Veniard	Terra do Fogo
Vahori	1938-9	Estados Unidos	Marion Hart	Terra do Fogo
Valhalla	1995-6	França	Pascal Boimard	Terra do Fogo
Valhalla	1996-7	França	Pascal Boimard	Terra do Fogo - ilhas Falkland
Valhalla	1997-8	França	Pascal Boimard	Terra do Fogo - península Antártica - ilha dos Estados

Barco	Anos	País	Capitão/ segundo	Área de navegação
Valhalla	1998-9	França	Pascal Boimard	Terra do Fogo
Valhalla	1999-00	França	Pascal Boimard	Terra do Fogo - península Antártica
Valhalla	1987-8	Estados Unidos	Wyn Eugene Kampe	Terra do Fogo
Vege Wind	1999-00	Alemanha	Volker Bremen	Ilhas Falkland - Terra do Fogo
Vent Blanc	1989-90	Holanda	Eberhard Graf	Terra do Fogo
Victoria 2	1990-1	Suécia	Henrik Moberg	Terra do Fogo
Victory	1990-1	Chile	Ben Garrett	Terra do Fogo
Victory	1991-2	Chile	Ben Garrett	Terra do Fogo
Victory	1992-3	Chile	Ben Garrett	Terra do Fogo
Victory	1993-4	Chile	Ben Garrett	Terra do Fogo
Victory	1994-5	Chile	Ben Garrett	Terra do Fogo
Victory	1995-6	Chile	Ben Garrett	Terra do Fogo
Victory	1996-7	Chile	Ben Garrett	Terra do Fogo
Victory	1997-8	Chile	Ben Garrett	Terra do Fogo
Victory	1998-9	Chile	Ben Garrett	Terra do Fogo
Victory	1999-00	Chile	Ben Garrett	Terra do Fogo
Viens Tu?	1998-9	França	Claude Plee	Terra do Fogo - ilhas Falkland - Shetlands do Sul - península Antártica
Vito	1996-7	Argentina	Enrique Celesia	Terra do Fogo (solitário a bordo de um veleiro de 22 pés)
Vito	1997-8	Argentina	Celesia Enrique	Terra do Fogo (solitário, circunavegação da América do Sul)
Viura	1993-4	Itália	Carlo & Matilde Ruffino	Terra do Fogo
Voyou	1998-9	Austrália	Claude Appaldo	Terra do Fogo - península Antártica
Wanderer III	1998-9	Dinamarca	Thies & Kicki Matzen	Terra do Fogo - Geórgia do Sul (bloqueado pelo inverno) - ilhas Falkland

Barco	Anos	País	Capitão/ segundo	Área de navegação
Wanderer III	1999-00	Dinamarca	Thies Matzen	Terra do Fogo
War Baby	1986-7	Bermudas	Warren Brown	Península Antártica - Shetlands do Sul
Wavewalker	1976-7		Gordon Walker	Ilhas Amsterdam
Wayfarer IV	1985-6	Austrália	Mark Hammond	Ilhas Macquarie
Westeri	1994-5	Estados Unidos	Christopher West	Terra do Fogo - península Antártica
Westwind	1977-8	Espanha	Sergio Merce	Terra do Fogo
Whisper	1976-7	Estados Unidos	Hal Roth	Terra do Fogo
Wild Pigeon	1990-1	Estados Unidos	Charlie Porter	Terra do Fogo
Wild Pigeon	1991-2	Estados Unidos	Charlie Porter	Terra do Fogo
Williwaw	1978-9	Bélgica	Willy de Roos	Terra do Fogo - Shetlands do Sul - península Antártica
Williwaw	1982-4	Bélgica	Willy de Roos	Terra do Fogo - Shetlands do Sul - península Antártica
Williwaw	1987-8	Bélgica	Willy de Roos	Terra do Fogo
Xaxero	1990-1	Grã-Bretanha	Johnatan Selby	Terra do Fogo
Yarra	1995-6	Chile	Eric Bretscher	Terra do Fogo - ilha dos Estados - península Antártica (solitário)
Ying Yang	1987-8	Alemanha	Walter H. Vob	Terra do Fogo
Yonder	1990-1	Holanda	Petrus De Yong	Terra do Fogo - península Antártica
Zawisza Czarny	1999-00	Polônia		Terra do Fogo
Zenied II	1999-00	Estados Unidos	Diana Simon	Terra do Fogo

AGRADECIMENTOS

PATROCÍNIO

Banco Bradesco S/A, Banco Santander Banespa, Eecon — Embraco Eletronic Controls — Whirlpool S.A., Embraco — Unidade de Compressores Embraco — Whirlpool S.A., Indústrias Villares, Petrobras - Cenpes — Centro de Pesquisas e Desenvolvimento Leopoldo Américo Miguez de Mello, Vento — Provedor de Internet.

APOIO

Alcan Embalagens do Brasil, América Almeida, Banco Bradesco S/A, Bauducco, Bradesco Seguros e Previdência, Camp Equipamentos Esportivos, Cia. Cafeera de Grãos, Cordoaria São Leopoldo, Delphi Baterias, Diretoria de Hidrografia e Navegação — DHN — Rio de Janeiro, Empresa de Águas Petrópolis Paulista Ltda., Equipe Thierry Stump, Ernest Young Consulting, Estação Antártica Comandante Ferraz, Ferramentas Gedore do Brasil S/A, Hamburg Sud Brasil Ltda., Hewlett Packard Brasil, Hoechst, Hospital Universitário — USP, Indústrias Villares, Inepar S/A Indústrias e Construções, Iridium, Jorge Fernando Julien Sepúlveda, Kidde Brasil Ltda., L'Ocean, Mangels Tratamento de Superfície Ind. e Com. Ltda., Mara e Hélio, Martins Com. e Serv. de Distribuição S/A, Marine Express — Comercial Importadora e Exportadora Ltda., Maxion Iochpe S/A, Medley S.A. Indústria Farmacêutica, Mercedes Benz do Brasil S.A., Metalúrgica

Suprens, Mormaii, National Geographic Channel, Nautec Indústria Metalúrgica Ltda., Navsoft Consultoria e Serviços Ltda., Nestlé S/A, New Balance Artigos Esportivos Ltda., Nutrimental S/A, Orbcomm Brasil S/A, Paraná — João Luiz de Mello Cruz, Performan Sails, Píer 26 Garagens Náuticas Ltda., Pirelli Cabos S/A, Robert Bosch Ltda., Saft Nife Sistemas Elétricos Ltda., Sakura Nakaya Alimentos Ltda., SAP Brasil Ltda., Sinkron Tecnologia Ltda., Softtek — STK Consultoria, Transas Marine, Transporte Dalçoquio Ltda., Unipac Indústria e Comércio Ltda., Valmicro Indústria e Comércio de Válvulas Ltda., White Martins Gases Industriais S/A., Zefir Indústria e Comércio Ltda., ZF Marine e toda comunidade radioamadora.

CRÉDITOS DAS IMAGENS

Os créditos estão divididos por página e acompanham as imagens da esquerda para a direita e de cima para baixo; foram separados por ponto e vírgula e unificados no caso de haver mais de uma imagem com o mesmo crédito.

pp. 50, 191, 216-7, 228, 229: Diário de bordo de Amyr Klink
pp. 2-3, 88-9, 112-3, 222-3: Carta Náutica
p. 249: Marina Bandeira Klink

CADERNO DE FOTOS:

p. 1: Amyr Klink
p. 2: Nearco Barroso Guedes de Araújo. Ilustrações do livro *Jangadas*, Banco do Nordeste do Brasil S. A., 3. ed., 1995.
p. 3: Júlio Fiadi; Equipe Thierry Stump; Marcelo Jaensch
p. 4: Haroldo Palo Júnior
p. 5: Haroldo Palo Júnior
pp. 6-7: Amyr Klink
pp. 8-9: Gustavo Stephan
pp. 10-1: Júlio Fiadi
pp. 12-3: Gustavo Stephan; Amyr Klink; Gustavo Stephan; Amyr Klink
p. 14: Amyr Klink; Marina Bandeira Klink; Amyr Klink; Anna Francesca Bandeira; Marina Bandeira Klink
p. 15: Agilberto Lima; Amyr Klink; Marina Bandeira Klink; Amyr Klink; Marina Bandeira Klink; Amyr Klink
p. 16: Marina Bandeira Klink

LEITURA SUGERIDA

ALEXANDER, Caroline. *Endurance: A lendária expedição de Shackleton à Antártida*. São Paulo: Companhia das Letras, 1999.

AMIET, Maurice. *Bateaux de L'Aventure*. Dieppe: Editions de L'Estran, 2003.

AMUNDSEN, Roald. *The South Pole*. Londres: C. Hurst & Company, 1997.

ANTARCTIC PILOT, The. N. P. 9. Hydrographer of The Navy, Reino Unido, 1974.

ANTARCTICA, Great Stories from the Frozen Continent. Readers Digest, 1985.

ANTARCTICA: The Extraordinary History of Men's Conquest of the Frozen Continent. Readers Digest, 1990.

BALDWIN, J. *Bucky Works. Buckminster Fuller's Ideas for Today*. Indianapolis (IN): Wiley, 1997.

BARTON, Humphrey. *Les aventuriers de l'Atlantique*. Paris: Arthaud, 1962.

BASBERG, Bjorn L. *The Shore Whaling Stations at South Georgia*. Oslo: Novus Forlag, 2004.

BONINGTON, Chris. *Quest for Adventure*. Londres: Book Club Associates, 1982.

BULLIMORE, Tony. *Saved*. Londres: Little, Brown and Company, 1997.

CARR, Tim; CARR, Pauline. *Antarctic Oasis: Under the Spell of South Georgia*. Nova York: Norton, 1998.

CHERRY-GARRARD, Apsley. *A pior viagem do mundo*. São Paulo: Companhia das Letras, 1999.

CLARK, Gerry. *The Totorore Voyage: An Antarctic Adventure*. Londres: Century Hutchinson, 1988.

CUSACK, Victor; STEWART, Deirdre. *Bamboo World*. Austrália: Simon & Schuster, 2000.

DURNFORD, L. Dart. *The Bamboo Handbook*. Austrália: Bamboo, 1999.

FARRELLY, David. *The Book of Bamboo: A Comprehensive Guide to This Remarkable Plant, Its Uses, and Its History*. San Francisco (CA): Sierra Club Books, 1984.

FIADI, Júlio. *Rumo aos polos*. São Paulo: Alegro, 2001.

FISHER, James; FISHER, Margery. *Shackleton*. Londres: Barrie, 1957.

FLANAGAN, Barbara; GARN, Andrew. *The Houseboat Book*. Universe, 2004.

FLESCHE, Felix; BURCHARD, Christian (Eds.). *Water House*. Nova York: Prestel, 2005.

GOLDBERG, Gale Beth. *Bamboo Style*. Layton (Utah): Gibbs Smith, 2004.

GORMAN, Michael John. *Buckminster Fuller: Designing for Mobility*. Nova York / Londres: Skira, 2005.

GRUSS, Robert. *Sillages disparus*. Maritimes Et D'Outre-Mer, 1969.

HARRISON, Peter. *Seabirds: An Identification Guide*. Boston: Houghton Mifflin, 1991.

HART, Ian B. *Pesca*. Londres: Aidan Ellis, 2001.

HEADLAND, Robert K. *The Island of South Georgia*. Cambridge: Cambridge University Press, 1985.

HIDALGO LÓPEZ, Oscar. *Bamboo: The Gift of the Gods*. Edição do autor, 2003.

HUNTFORD, Roland. *Shackleton*. Londres: Hodder and Stoughton, 1985.

______. *O último lugar na Terra*. São Paulo: Companhia das Letras, 2002.

JANSSEN, Jules J. A. *Building with Bamboo*. Bourton on Dunsmore (UK): ITDG, 1995.

JUDZIEWICZ, E.; CLARK, Lynn G.; LONDOÑO, Ximena; STERN, Margaret. *American Bamboos*. Washington D.C.: Smithsonian, 1999.

LANSING, Alfred. *A incrível viagem do Endurance*. Rio de Janeiro: José Olympio, 1989.

LEATHER, John. *Colin Archer and the Seaworthy Double-ender*. Camdem (ME): International Marine, 1979.

MARTIN, Esmond Bradley; MARTIN, Chryssee Perry. *Cargoes of the East: The Ports, Trade and Culture of the Arabian Seas and Western Indian Ocean*. Londres: Elm Tree Books, 1978.

MCCLURE, Floyd Alonzo. *The Bamboos. A Fresh Perspective*. Harvard: HUP, 1967.

MEREDITH, Ted Jordan. *Bamboo for Gardens*. Portland (Oregon): Timber Press, 2001.

MOORE BESS, Nancy; WEIN, Bibi. *Bamboo In Japan*. Bunkyo-ku (Tóquio): Kodansha International, 2001.

NEWBY, Eric. *The Last Grain Race*. Londres: Lonely Planet, 1999.
PALO JR., Haroldo. *Antártida: Expedições brasileiras*. Rio de Janeiro: Cor/Ação Editora, 1989.
PILLET, Jean. *Le sauvetage au temps des avirons et de la voile*. Douarnenez (Bretagne): Le Chasse-Marée, 2003.
PONCET, Sally. *Le Grand hiver*. Paris: Arthaud, 2000.
RICHARDSON, Phyllis. *XS: Big Ideas in Small-Scale Buildings*. Org. de Lucas Dietrich. Nova York: Universe, 2001.
ROLFO, Mariolina; ARDRIZZI, Giorgio. *Patagonia & Tierra del Fuego: Nautical Guide*. Módena: Editrice Incontri Nautici, 2004.
RUBIN, Jeff. *Antarctica*. Londres: Lonely Planet, 2005.
SCHEER, Jo. *How to Build with Bamboo*. Layton (Utah): Gibbs Smith, 2005.
SHIRIHAI, Hadoran; BRETT, Jarrett. *The Complete Guide to Antarctic Wildlife: Birds and Marine Mammals of the Antarctic Continent and the Southern Ocean*. Princeton: Princeton University Press, 2002.
STANGLER, Carol. *The Craft & Art of Bamboo*. Asheville (NC): Lark Books, 2002.
VILLEGAS, Marcelo. *Guadua: Arquitectura y diseño*. Bogotá: Villegas, 2005.
______; RESTREPO, Eduardo A.; VILLEGAS, Benjamin (Eds.). *Bambusa guadua (La cultura del cafe)*. Bogotá: Villegas, 2005.
WHITTAKER, Paul. *Hardy Bamboos: Taming the Dragon*. Portland (Oregon): Timber Press, 2005.
WILSON, Edward. *Diary of the Terra Nova Expedition to the Antarctic 1910-1912*. Londres: Blandford Press, 1972.
WORSLEY, F. *Shackleton's Boat Journey*. Nova York: W. W. Norton, 1977.
YOSHIKAWA, Isao. *Building Bamboo Fences*. Nova York: Kodansha America, 2001.
ZACKE, Alvar; HÄGG, Magnus. *Allmogebatar*. Estocolmo: Natur och Kultur, 1973.

1ª EDIÇÃO [2006] 5 reimpressões

ESTA OBRA FOI COMPOSTA POR ACOMTE
EM CENTURY OLD STYLE E IMPRESSA PELA LIS GRÁFICA
EM OFSETE SOBRE PAPEL PÓLEN SOFT DA SUZANO S.A.
PARA A EDITORA SCHWARCZ EM SETEMBRO DE 2023